Inhalt

Es ist eben so – oder?

Walter Sittler

In meinem Beruf als Schauspieler spreche ich hauptsächlich. Meistens sind es fremde Texte, die ich auswendig gelernt habe. Und nun sitze ich vor einem leeren Blatt und soll ein Vorwort schreiben. Warum mache ich das? Ganz einfach: Es gibt Zeiten, in denen die eigene Meinung laut und deutlich gesagt werden muss. Und es gibt ein Buch, zu dem diese Meinung passt. Das vorliegende, »Die Taschenspieler«.

Bettina von Arnim hat einmal gesagt, der scheußlichste Satz, den sie kenne, laute: Es ist eben so. Er war für sie so ungeheuerlich, weil sie wusste, dass das Bestehende nicht mehr so sein kann für den, der es ändern will. Warum also den Menschen das Nachdenken über Veränderungen nehmen wollen, es ihnen geradezu verbieten wollen, nur weil es angeblich so ist, wie es ist? Das hat mich schon immer gestört, weil es ihnen Platz und Freiheit raubt, die sie brauchen, um sich entfalten zu können.

Ich komme aus einer großen Familie, in der jeder seinen Platz hatte. Dass ich bisweilen darum kämpfen musste, gehörte dazu. Niemand wurde ausgeschlossen oder zurückgelassen, und das hat meine Vorstellung geprägt, wie eine Gesellschaft funktioniert. Es muss ein ständiges Aushandeln von Interessen und Bedürfnissen sein, mit Streit, aber ohne persönliche Feindbilder. Nicht Menschen sind meine Feinde, sondern falsche Entscheidungen.

Manchmal wünschte ich mir, unsere politischen Vorturner, um mit Erich Kästner zu sprechen, wären Schauspieler und ich der Regisseur. Denen würde ich einen schönen Text präparieren. Ich würde ihnen sagen: Gut, Politik ist ein schwieriges Geschäft. Das kann nicht jeder. Wir, das Wahlvolk, haben euch eine Portion Vertrauen und Zutrauen entgegengebracht, damit ihr euch für uns nach bestem Wissen und Gewissen einsetzt. Aber ist es nicht so, dass ihr, die Gewählten, glaubt, eure Entscheidungen seien allesamt richtig, gerecht und nicht mehr zu hinterfragen? Nur, weil wir euch einmal gewählt haben? Kann es nicht sein, dass ihr euch für unfehlbar haltet wie der Papst? Aber leider sind Politiker nicht immer wirklich gute Schauspieler. Sonst würden sie tief in die Menschen eintauchen, um sie zu verstehen. Meistens gaukeln sie uns nur vor, sie verstünden uns und wüssten, was gut für uns ist.

Um die richtigen Entscheidungen zu treffen, sind Glück, Geschick und Klugheit notwendig. Das gilt für die Politik ebenso wie für die Wirtschaft, Kultur und Justiz. In diesem mutigen Buch werden nun Vorgänge beschrieben und nachgezeichnet, bei denen man sich fragt, wo diese Werte geblieben sind? Die Antwort fällt gar nicht so schwer: Sobald Lobbyismus, zu verschleiernde Freundschaftsdienste, egoistische finanzielle Interessen im Spiel sind, verflüchtigen sich Glück, Geschick und Klugheit. Und wenn noch Eitelkeit und Rechthaberei dazukommen, verschwinden sie auf Nimmerwiedersehen. Dann werden merkwürdige Entscheidungen mit Argumenten verteidigt, die – wenn die Folgen nicht so fatal wären – einfach nur zum Lachen reizen würden.

Nun bin ich weit davon entfernt, von unseren Vorturnern eine ständig einwandfreie moralisch-ethische Haltung zu verlangen. Sie sind keine Heiligen, davon gibt es auch nur wenige, vermutlich zum Glück. Aber wir dürfen und müssen wenigstens einen Firnis von Anstand und Aufrichtigkeit von ihnen erwarten können, die Bereitschaft, sich an Regeln zu halten, die nachvollziehbar sind, an denen man ihr Tun und dessen Folgen messen kann. Und wenn diese Regeln sich in Partikularinteressen, Parteiengeschacher und eitler Selbstdarstellung verheddern, dann sind wir als Wahlvolk gefordert einzuschreiten. Auch wenn wir kein Budget für PR-Maßnahmen haben, auch wenn gedroht wird, dass der Widerstand gegen die Staatsgewalt mit aller Macht verfolgt wird. Dann ist auch ziviler Ungehorsam des Bürgers erste Pflicht.

Wir kennen alle das Argument, das da heißt, alle mit Mehrheit gefällten Entscheidungen müssten in der Demokratie auf jeden Fall akzeptiert werden. Dabei weiß jedes Kind, dass in unseren demokratischen Institutionen manchmal hanebüchener Unsinn beschlossen wird. Nicht immer, aber immer wieder. Ein schlagendes Beispiel in diesem Buch ist Stuttgart 21. Würde ein normaler Bürger mit einer solchen finanziellen und auf Ausnahmen von Ausnahmen gegründeten Planung etwas bauen wollen, bekäme er nicht einmal die Genehmigung für einen Hühnerstall. Aber die Großen sind unter sich, kratzen sich gegenseitig kein Auge aus und vertrauen darauf, dass wir uns fügen, das Falsche für das Richtige halten – und bezahlen.

Doch es gibt Hoffnung: die nächsten Wahlen. Mein Traum ist, dass nur jene Volksvertreter unsere Stimme erhalten, die uns wirklich vertreten. Die uns hören, die unsere Sorgen teilen und unsere Meinungen ernst nehmen. Sie sollten so viele

Stimmen bekommen, dass sie sich den Partner aussuchen können, der den gesunden Menschenverstand nicht als Hanswurst der Politik begreift. Auch das ist von Erich Kästner.

Und vergessen Sie nicht das Lachen, selbst wenn es gelegentlich im Hals stecken bleibt. Es hilft nicht, sich nur über die in diesem Buch aufgeführten Irrsinnsstücke wie den deutschen Größenwahn, den Skandal um das marode Atommülllager Asse oder die vertuschten Spuren im Heilbronner Polizistenmord aufzuregen und resigniert zu denken: So ist es eben, man kann sowieso nichts dagegen tun. Lachen macht das Denken leichter, um den Ernst der Lage zu begreifen.

Sagen, was ist

JOSEF-OTTO FREUDENREICH

Die Leser unseres letzten Buches haben es auf einen kurzen Nenner gebracht: Endlich sagt's einer. Der Band trug den Titel »Wir können alles – Filz, Korruption und Kumpanei im Musterland«, und er fasste offenbar die Erfahrungen vieler Menschen zusammen, die dem nicht mehr trauen, was sie lesen, hören oder sehen. Die Reise mit dem Buch quer durchs Land war so auch eine Erkundungsfahrt durch die Gemütslage der Gesellschaft, die sich zunehmend betrogen fühlt. Von denen, die vorgeben, zu ihrem Wohl zu arbeiten, und jenen, die diese Legende verbreiten.

Das Vertrauen in Politik, Wirtschaft und Medien ist seitdem nicht gewachsen. Im Gegenteil. Wer Banken mit aberwitzigen Milliardenbeträgen retten will und gleichzeitig behauptet, wir hätten über unsere Verhältnisse gelebt, braucht sich über seine Glaubwürdigkeit keine Gedanken mehr zu machen. Wer schon wieder Casino spielt, kaum dass er den letzten Kunden abgezockt hat, muss um seinen Ruf nicht mehr fürchten. Wer sich zum Apologeten dieses Systems macht, darf sich nicht wundern, wenn ihm das Publikum davonläuft. Eine Demokratie lebt aber vom Vertrauen der Bürger in ihre Institutionen und damit auch vom Glauben daran, dass wahr ist, was gesagt wird.

Das vorliegende Buch spiegelt diesen Bruch wider. Gleichgültig, ob es um das Bahnprojekt Stuttgart 21 geht, die Phantomfrau von Heilbronn, den schwarzen Kiespatron aus dem Südbadischen, die Milliarden-Zocker der Göttinger Gruppe oder die skandalöse Privatisierung des Wassers – das Muster ist stets dasselbe: die Manipulation der Öffentlichkeit. Dass sich dabei auch noch die Justiz – ob freiwillig oder unfreiwillig – als willfähriger Helfer zeigt, vervollständigt das Bild.

Und deshalb trägt das neue Buch den Titel »Die Taschenspieler«. Es handelt von Gauklern und Hütchenspielern, die den Menschen Wunder versprechen und die Wahrheit verbergen, vom Tricksen, Tarnen und Täuschen – und von kritischen Zeitgenossen, die sich das nicht gefallen lassen. Oder sie mit den eigenen Waffen schlagen wie der Künstler Peter Lenk. Ihnen ist besonders zu danken, weil ohne sie das Buch nicht möglich gewesen wäre.

Die Zukunft ist unterirdisch

Bei Europas größtem Bahn-Projekt Stuttgart 21 gerät der Glaube an die Demokratie unter die Räder

Josef-Otto Freudenreich

Stuttgart 21 ist ein monströses Projekt. Nicht nur wegen der Kosten. Monströs ist es auch wegen seines Charakters. Es ist ein Projekt der herrschenden Elite, die definiert, was Fortschritt ist. Ängste, Bedenken, Widerstand der Bürger spielen dabei keine Rolle. Es wäre freilich falsch, die Betreiber für eine Bande von Finsterlingen zu halten. Sie sind Getriebene in ihrem System, das nie still stehen darf. Sonst kämen sie ins Grübeln.

Schade, dass Hartmut Mehdorn keine Märklin-Eisenbahn in seinem Büro hat. Dann könnten wir seine Vision gleich nachspielen. Platz genug wäre da, in der Frankfurter Liebigstraße am Rande des Bankenviertels. Aber da stehen nur ein Intercity Express unter Glas, sein feuerwehrroter Stuhl, den er schon als Bahnchef hatte, und die beiden Samuraischwerter an der Wand, die einen störungsfreien Betriebsablauf auch nicht garantieren. So muss ein Blatt Papier genügen. Darauf zeichnet er einen Kreis, den er in verschiedene Abschnitte teilt. München, Nürnberg, Leipzig, Berlin, Hamburg, Köln, Frankfurt, Mannheim, Stuttgart, Ulm. Die dicken Linien dazwischen sind die fertigen schnellen Strecken, die dünnen sind die langsamen. Gestrichelt und dann fett ausgemalt ist die Verbindung zwischen Stuttgart und Ulm.

Diese Lücke schmerzt ihn besonders, weil sie, neben ein paar anderen, seine Vision (noch) nicht zur Vollendung hat kommen lassen. Seine Vision vom deutschen Hochgeschwindigkeitskreisverkehr. Alle halbe Stunde sollen die Intercitys mit 250 Sachen in diesem Kreis herum sausen, die einen links rum, die anderen rechts rum. Nur so, sagt er, sei der Quantensprung bei der Bahn zu schaffen. Nach 150 Jahren Flicken und Stückeln sei dafür höchste Eisenbahn. Und deshalb müssen der unterirdische Bahnhof in der baden-württembergischen Landeshauptstadt und die Neubaustrecke nach Ulm kommen.

Das Ganze heißt Stuttgart 21, abgekürzt S 21, kostet, je nach Berechnung, zwischen sechs und zwölf Milliarden Euro, und spaltet die Stadt wie mit einem scharfen Hackebeil. Wahlweise könnte man auch von Dynamit, Pressluft- oder Herrenknecht-Bohrern sprechen. Aber dazu später. Für die einen ist es Projekt Zukunft, für die anderen Projekt Größenwahn, und für die öffentliche Debatte ein Kristallisationspunkt, in dem sich eine politisierte Gesellschaft wiederfindet. Quer durch alle Schichten, Generationen, Bildungsmilieus und politische Lager.

Hartmut Mehdorn ist nicht mehr Boss der Bahn. Er war es von 2000 bis zur Datenaffäre 2009. Aber, so viel ist sicher, ohne ihn gäbe es Stuttgart 21 nicht. Sein Vorgänger Johannes Ludewig, ein früherer Staatssekretär, hatte das Projekt abgelehnt. Zu teuer. Die rot-grüne Bundesregierung interessierte sich nicht dafür, bis Mehdorn befand, es sei ein gutes Geschäft für die DB und eine echte Herausforderung für einen wie ihn. Für ihn, den ständig hochgeklappten Stromabnehmer, ist eine Gesellschaft ohne Speed eine tote Gesellschaft. Er hat das Projekt, als es bereits gestorben schien, wieder zum Leben erweckt. Deshalb ist er noch kein böser Mensch. Er hat damals, Ende der 90er Jahre, nur Ja gesagt, als ihn sein Kumpel Gerhard Schröder gefragt hat, ob er Chef der Schiene werden wolle. Dafür brauche er eine Wildsau. Unter richtigen Männern fallen manchmal solche Worte, aber das muss jetzt nicht heißen, dass Mehdorn grunzend über die Gleise gezogen wäre. Der heute 68-Jährige hat an seine Mission geglaubt, ob das bei Airbus, der Dasa, bei Heideldruck oder bei der Bahn war. Und die Mission hieß eben, das Unternehmen, das er führte, profitabel zu machen. Dass das bei einer Staatsfirma schwierig werden würde, dürfte er gewusst haben, zumal bei einer, deren Funktionieren jeder Staatsbürger überprüfen konnte. Dass er darüber bisweilen zum bestgehassten Manager der Republik wurde, auch wegen der Spitzeleien im Betrieb, hat ihn getroffen, weil er nur das Gute wollte: dem Fortschritt den Weg frei machen.

Stuttgart 21 ist ihm ein Symbol dafür und zugleich eines für den Rückschritt. Er versteht nicht, warum man gegen dieses Glück ist. Warum Tausende von Menschen Montag für Montag hinter dem Stuttgarter Bahnhof stehen und dagegen protestieren. Haben die nichts Besseres zu tun, die reichen Witwen vom Killesberg? Sollen sie den Bonatzbau doch grün anstreichen, wenn ihnen danach ist, aber bitte die Ingenieure und Techniker in Ruhe lassen, die für die Zukunft ihrer Enkel sorgen. Für einen Mann der Wirtschaft, der global im Einsatz ist, ist das Heimatliche, das Vertraute, das Geschichtliche wahrscheinlich nicht so wichtig, als dass es nicht eingerissen werden könnte. Ruhe ist beunruhigend, das Große sticht das Kleine immer.

Da tut es gut, Gast bei der CDU zu sein und über alle Maßen gelobt zu werden. Aufs Herzlichste sei er willkommen, schwärmte Iris Ripsam, die Vorsitzende der Stuttgarter Ratsfraktion, bei ihrem Neujahrsempfang 2009, der ihr Auftakt sein sollte für die Wiederwahl der Christdemokraten als stärkste Kraft in der Stadt. (Dass das die Grünen werden sollten, dürfte sie dann genauso überrascht haben wie der Verlust ihres Amtes.) Was taugte dazu besser, als das »Gesicht der Bahn«, der »kompetenteste Mann« zum Thema Stuttgart 21, der Mensch mit »Ecken und Kanten« und der »gradlinigen Art«, der – »lassen Sie es mich so sagen« – »durchaus zu uns passen« würde. Mit ihm müsste es doch zu schaffen sein, den Bürgern die Vorteile des Jahrhundertprojekts noch intensiver zu vermitteln, damit sie dieses »beneidenswerte städtebauliche und ökologische Projekt voller Stolz im Herzen tragen können«. Frau Ripsam sagte dann noch, dass sie gerne mit der Bahn reise und ihn als CDU-Mitglied haben wolle. Ohne die Unterschrift unter den Aufnahmeantrag dürfe er nicht nach Hause.

Das hat die Freude bei dem Geehrten etwas getrübt. Nicht, weil ihm die Sache mit der Herzensvermittlung unlösbar erschien. Irgendwann würden es auch die Witwen vom Killesberg kapieren, wenn sie eine halbe Stunde früher zum Shoppen in München seien. Nein, der bullige Bahner hat einfach keine Lust auf Politiker und Parteien, die ihm meistens nur im Weg rum stehen. Zu häufig haben sie ihm in die Suppe gespuckt, die Vier-Jahres-Populisten, wenn er seine Bahn an die Börse bringen wollte, wenn er rastlos unterwegs war, seinen Visionen hinterher zu eilen. Das hat schon damit angefangen, als er zu Beginn seiner Amtszeit in den Hubschrauber gestiegen ist und die Bahnhöfe überflogen hat, die alle 21-er werden sollten. Darunter Stuttgart, Frankfurt, München, Berlin, Hamburg, Neu-Ulm. Den Stadtchefs hat er erklärt, dass sie nur eine Wahl hätten: entweder einen neuen Bahnhof und das Geld dazu oder Abstellgleis. Alle wählten Letzteres, bis auf Stuttgart und Neu-Ulm, was ihn in seiner Sicht der Dinge bestätigte, die Züge aber nicht daran hinderte, im Kopfbahnhof weiterhin ein- und auszufahren.

In Stuttgart waren die Visionäre schon vorbereitet und nicht kleinmütig. Vorneweg Ministerpräsident Günther Oettinger, der zweite Pate von S 21, dem klar war, so erinnert sich Mehdorn, dass das Projekt ein Knaller für die baden-württembergische Wirtschaft werden würde. Auch ihm hat er sein Kreismodell aufs Papier gemalt, worauf der Landespremier seine Anstrengungen verstärkte, die Schnellbahn auf die Schiene zu setzen. Selbst die Gespräche bei Verkehrsminister Wolfgang Tiefensee (SPD), dessen liebstes Möbelstück die lange Bank gewesen sei, wie Mehdorn weiß, hat Oettinger mit Bravour überstanden. Auch dann, wenn ihm Hartmut unterm Tisch gegen das Schienbein getreten hat. Das musste in dem Augenblick sein, in dem der Sozi wieder ein neues Gutachten forderte.

Bei so viel blindem Verständnis verzeiht der Manager auch dem Politiker die Geschichte, die S 21 zur puren Notwendigkeit macht. Oettinger hat sie immer wieder erzählt. Es geht um die Magistrale Paris – Stuttgart – Bratislava, also um Europa. Man stelle sich vor, warnt der Schwabe, Nicolas Sarkozy kommt mit dem TGV in die Schwabenmetropole, mit 300 Sachen, um dort Angela Merkel zu treffen, mit der er nach Wien zum Endspiel der Fußball-Europameisterschaft reisen will. Vom Sackbahnhof rumpelt er rückwärts nach Ulm, die Geislinger Steige mit 60 Kilometern in der Stunde hoch, und schon schüttet Nicolas seinen Bordeaux auf Angies Kostüm. Was für eine Schande. Da lächelt Mehdorn doch ein wenig gequält. Staatschefs, die solche Distanzen mit dem Zug bewältigen? Was für ein Quatsch. Und dieses ständige Verweisen auf die europäische Dimension. Was für ein Bullshit. Der deutsche Kreisverkehr ist's. Der ist wichtig.

Ob deutsch oder europäisch – in Stuttgart sollte einfach die Jahrhundertchance nicht verpasst werden. So sagte es im April 1994 Ministerpräsident Erwin Teufel (CDU), der täglich von seinem Wohnort Spaichingen mit dem Zug zur Arbeit fuhr, wenn er nicht gerade bei den Barmherzigen Schwestern im Stuttgarter Marienhospital Zuflucht fand. Das schärft den Blick. So sagte es auch der damalige Verkehrsminister Matthias Wissmann (CDU), dem darüber hinaus ein »Pilotprojekt für ganz Europa« im Kopf herum spukte, das im Jahr 2008 fertig sein sollte. Für gut angelegte 4,5 Milliarden Mark. Und so sagte es auch Heinz Dürr, der Bahnchef jener Zeit, der als der eigentliche Erfinder gelten darf. Ihm erschien eine »völlig andere Stadt« vor dem geistigen Auge, und der gebürtige Stuttgarter wusste auch schon wie: mit dem Regierungssitz hinterm Bahnhof, sprich dort, wo das Gewürm der Gleise lag. Dorthin sollte die Avenue 21 führen, auf der die Bürger zu ihrem Regenten pilgern konnten. Das hat Teufel gefallen, erinnert sich Dürr, insbesondere deshalb, weil er ihm einen schmucken Balkon zum Winken in Aussicht gestellt hatte.

Fortan wehte ein »Hauch von Geschichte«, wie die Stuttgarter Zeitung spürte, durch das enge Nesenbachtal, durch den Kessel zwischen Bopser, Wagenburg, Kriegs- und Hasenberg, der Schnelligkeit auf der Schiene stets verhindert hat. Jetzt konnte der Knoten durchschlagen werden. Alle Gleise unter die Erde, ein unterirdischer Durchgangsbahnhof um

90 Grad gedreht, 33 Kilometer Tunnel, und schon fielen der Stadt 100 Hektar Bauland in den Schoß, mit dessen Verkauf die ganze Chose finanziert und wo eine Wohnqualität wie im Münchner Nobelviertel Nymphenburg erreicht werden könnte. Als dann noch die Rede war von 24 000 Arbeitsplätzen, die dort angesiedelt werden könnten, war auch die SPD begeistert. Man werde das Projekt mit »Leidenschaft und heißem Herzen« unterstützen, bekundeten die Genossen, schließlich gehöre »Schienenschrott« nicht in die City.

15 Jahre später war Erwin Teufel Pensionär, Matthias Wissmann Präsident des Verbandes der Automobilindustrie und Heinz Dürr Vorsitzender seiner Stiftung, die sich der Bildung und Erziehung verschrieben hat. Hartmut Mehdorn hat die Bahn im April 2009 verlassen, Günther Oettinger hat sich im Februar 2010 als EU-Kommissar nach Brüssel verabschiedet. Der »Schienenschrott« liegt noch immer, die SPD ist noch immer mit Herzblut dabei.

Wenn Heinz Dürr sich heute an die Anfänge erinnert, wird ihm etwas wehmütig ums Herz. Der Großaktionär der Dürr-Gruppe ist im gediegenen Fünfsternehotel Schlossgarten abgestiegen, wo er immer das gleiche Zimmer bezieht, seitdem er seine Wohnstatt in Stuttgart aufgegeben hat und nach Berlin gezogen ist. Er bringt zwei Luftbilder mit, Datum 1993, auf denen das Gelände hinterm Bahnhof zu sehen ist. Einmal mit Gleisen, einmal mit Modellbauten, darunter auch die erwähnte Avenue 21, die mit grünen Bäumchen versehen ist. Beide Fotos hat er damals Wissmann gezeigt, als er mit ihm in der Regierungsmaschine nach Köln-Bonn geflogen ist, und der Herr Verkehrsminister war auf Anhieb begeistert. »Das müssen wir machen«, habe er ausgerufen, erzählt Dürr. Dasselbe meinte auch Manfred Rommel, der Stuttgarter Oberbürgermeister, der 1994 die »zweite Stadtgründung« in jeder Hinsicht »ausgesprochen günschtig« fand.

Doch offenbar hat die Euphorie des Wüstenfuchs-Sohnes keine nachhaltige Wirkung entfaltet. 13 Jahre später, als schon viele Planungs-Millionen den Nesenbach hinunter geflossen waren, wehrten sich 67 000 Bürger per Unterschrift gegen das drohende »Milliardengrab«. Nur, dafür interessierten sich die Verantwortlichen bei Stadt, Land, Bund und Bahn wenig. Alles war abgesegnet von den bürgerlichen Blöcken in den Parlamenten, inklusive der SPD, hieß es, und damit demokratisch legitimiert. Basta.

Stuttgart 21 ist so zu einer Metapher für eine kaltschnäuzige Cliquenwirtschaft geworden, aber auch für einen brutalen Verteilungskampf. Viele haben nur bitter gelacht, als die Werbestrategen wieder einmal die Illusionsmaschine angeworfen haben. »Stuttgart – das neue Herz Europas« lautete der Slogan, und die Menschen fragten sich, wann der Infarkt kommt und wie viele Milliarden noch in dieses Fass ohne Boden gepumpt werden sollten. Sie hatten gelernt, dass man den Job im Kaufhaus verlieren kann, wenn der Verdacht besteht, Pfandbons im Wert von 1,30 Euro könnten unterschlagen worden sein. Beim Bahnhof aber kommt es auf ein paar hundert Millionen mehr nicht an. Sie hatten gelernt, dass sie Objekte eines Modernisierungsprozesses sein sollen, auf dessen Verlauf sie keinen Einfluss haben, von dem sie nur ahnen, dass er noch schneller, noch technischer, noch undurchschaubarer werden wird. Wo aber ist der geschützte Platz für das Emotionale, für den Nahraum, in dem sie leben, den sie mitgestalten wollen, wo sie nicht nur Zaungäste der Veränderung sind? In einer globalisierten Gesellschaft, deren Bindungen immer brüchiger werden, ist Heimat ein wichtiger Teil der Identität. Für die Technokraten ist sie keine Kategorie, es sei denn als Chiffre für Rückständigkeit, Ewiggestriges und geistiges Verhocktsein. Achtung vor den Ängsten des Mitmenschen, so anders er sein mag, ist darin nicht inbegriffen, und deshalb stehen sich Befürworter und Gegner so unversöhnlich gegenüber. Wer seine Absichten nicht klarlegt, nur scheibchenweise mit der Wahrheit herausrückt und die Ängste der anderen nicht respektiert, ist unfähig zur Kommunikation.

Da hilft auch das gemeinsame Frühstück mit Harald Schmidt nicht, das Heinz Dürr gerade hinter sich hat. Dirty Harry gehört zwar offiziell zum Unterstützerkreis von Stuttgart 21, aber mit seinem Motto »Unterirdisch in die Zukunft« verleiht er auch keine Flügel. Seine Kolumne im Focus, die er S 21 widmete, hätte er auch locker an die andere Fraktion verkaufen können, vorausgesetzt, sie hätte das Geld dazu gehabt. Schmidt spricht von sechs Milliarden Euro Kosten und Steigerungen von 30 bis 50 Prozent, was nicht weiter auffällt, weil die Beträge wie Bälle sind, die mal höher und mal tiefer fliegen. Derzeit, Stand Juli 2010, gelten 4,5 Milliarden Euro als offizielle Obergrenze für den Tiefbahnhof plus Tunnels. Die Neubaustrecke Wendlingen – Ulm kommt mit offiziellen zwei Milliarden noch oben drauf. Trotzdem, sagt der Nürtinger Schwabe, sei das Geld gut investiert. Sechs Milliarden würden heute locker an einem Nachmittag von jeder Landesbank verzockt, ohne dass man dafür schneller zum Flughafen käme. Und die Stuttgarter müssten eben mit kleinen Behinderungen rechnen, mit etwas Staub auf den Trekkingsandalen, was aber im Vergleich zum Bau des Panamakanals ein Klacks sei. Mit 25 000 Malaria-Toten würden nicht einmal die Grünen rechnen. Dirty Harry ist und bleibt eben ein Meister des Zynismus.

Was Schmidt auf seine Weise bricht, ist für Dürr der Kern des Problems: sagen, was wahr ist. Dem amtierenden Bahnchef Rüdiger Grube hat er geraten, nichts zu verheimlichen. Bei seinem Unternehmen bleibe, über kurz oder lang, ohnehin nichts geheim. Dem Sprecher des Projekts, Wolfgang Drexler, der einst die Sozialdemokraten im Landtag anführte, hat er nahe gelegt, die Bürger endlich darüber aufzuklären, wie viel Lärm, Dreck und Gestank sie zwölf Jahre lang zu erwarten haben. Und was machen die Betreiber? Sie engagieren eine neue Werbeagentur. So nimmt es nicht Wunder, dass selbst Dürr von einer katastrophalen Kommunikation spricht. Den Namen des Oberbürgermeisters, Wolfgang Schuster (CDU), nennt er auch noch, die Beurteilung überlässt er seinen Augen, die er hinter der runden Hornbrille verdreht. Der knöcherne Rathauschef gibt den Kritikern das ideale Feindbild ab, seitdem er bei seiner Wiederwahl 2004 das Versprechen gebrochen hat, einen Bürgerentscheid zuzulassen, wenn »erhebliche Mehrkosten« auf die Stadt zukämen. Viele Millionen Euro waren offensichtlich unerheblich.

Ob Mehdorn, Grube, Drexler oder Schuster, sie alle, betont der weltläufige Schwabe Dürr, hätten nicht kapiert, dass Stuttgart 21 viel mehr sei als ein Verkehrsprojekt. Statt ständig über Geld, abgesägte Bäume und zu dünne Betonwände hätte er lieber über das neue Stadtviertel geredet, über Theater, Kinos, Kneipen, Läden und fröhliche Menschen. Die Banker hinterm Bahnhof, die erste Schritte in die Öde gewagt haben, zählt Dürr nicht dazu. Er fühlt sich der Initiative »Ehrbarer Kaufmann« verpflichtet. Gegenwärtig wird vor allem über Hotels, Kaufhäuser und Parkplätze spekuliert, und Schuster, dem die städtebauliche Dürre von irgendjemandem hinterbracht worden sein muss, philosophiert neuerdings über eine

Ökocity und eine Philharmonie. Sein Ordnungsamt ventiliert die Frage, ob sich das Rotlichtmilieu dort ausbreiten könnte, und kommt zu einem klaren Nein, zumindest in der Phase des Baus. Erfahrungsgemäß seien die Arbeiter auf Großbaustellen, so die Expertise, nach Feierabend »einfach zu müde«. Von schlechter Bezahlung beziehungsweise von bezahlbarem Wohnraum ist nicht die Rede.

Aber nun soll Heinz Dürr, der altersmilde Kapitalist, nicht in den Verruf geraten, die Seiten wechseln zu wollen. Er steht weiterhin zu seinem Kind, er will die Menschen nur mitnehmen, einbinden und davon überzeugen, dass sie, im Falle der Verweigerung, unter den Platanen im Schlossgarten sitzen – in einer chinesischen Kolonie. Weil der Chinese überall ist, wenn man nicht auf dem Quivive ist. Und Peter Conradi, der Altsozi und Frontmann der Gegner, müsse sich eben überlegen, ob sein Argument für den alten Kopfbahnhof sticht: seine Frau. Die holt er immer am Prellbock ab, hat er Dürr erzählt, um sie am vertrauten Ort in den Arm nehmen zu können. Wer weiß, wo er sie sonst auf der Durchgangsstation fände?

Da lacht das Männerherz, vielleicht aber auch nur, weil Conradi einer der führenden Köpfe des Widerstands ist. Der ehemalige SPD-Bundestagsabgeordnete und Präsident der Bundesarchitektenkammer kennt alle Winkelzüge seit Beginn, ist ein wortmächtiger Redner, und er nimmt kein Blatt vor den Mund. In seiner Philippika (»Lügen haben kurze Beine«) gegen die Befürworter listet er die wesentlichen Punkte auf. Im O-Ton:

»Sie sagen, S 21 sei ein untrennbarer Teil der Neubaustrecke von Stuttgart über Wendlingen nach Ulm. Das ist gelogen. Die Strecke zwischen Wendlingen und Ulm ist nicht strittig. Strittig ist das Projekt S 21, mit dem der Bahnverkehr in

Stuttgart unter die Erde gelegt werden soll. Bei der von uns vorgeschlagenen Alternative K 21 würde der Kopfbahnhof erhalten und modernisiert und über Obertürkheim und Neuhausen auf den Fildern an die Neubaustrecke angebunden. Diese Alternative würde den Schlossgarten und den Bahnhof erhalten und wäre weit billiger. Statt 33 Kilometer Tunnel nur 13. Doch das wurde nie ernsthaft erwogen.
Sie sagen, Stuttgart werde von der Schnellbahntrasse Paris – Budapest abgehängt. Das ist reiner Blödsinn. Denn die Fahrtzeit wird durch die unstrittige Neubaustrecke um 29 Minuten, durch das strittige Teilstück Stuttgart 21 zwischen Feuerbach und Wendlingen gerade mal um drei Minuten verkürzt.
Sie sagen, ein Durchgangsbahnhof sei moderner als ein Kopfbahnhof. Aber warum sind München, Frankfurt, Leipzig, warum sind London, Paris, Rom und Madrid bei ihren Kopfbahnhöfen geblieben? Diese Frage wurde nie beantwortet.
Sie sagen, ein Durchgangsbahnhof mit acht Gleisen könne mehr Züge abfertigen als ein Kopfbahnhof mit 16. Dazu führen sie Gutachten von Professoren an, die uns beweisen würden, dass sich die Sonne um die Erde dreht, würde man sie dafür bezahlen.«

Wie Recht er haben sollte, erfuhr Conradi im Juli 2010. Ein halbes Jahr lang drängte er die Landesregierung, eine Studie herauszurücken, die sich mit den Fahrplänen von Stuttgart 21 beschäftigte. Gefertigt von der Zürcher Firma SMA, die in Europa als führend bei der Planung von Eisenbahnverkehr gilt. Immer wieder sei er rüde abgewiesen worden, berichtet Conradi, woraus zu schließen war, dass es sich in diesem Fall offenbar nicht um ein Gefälligkeitsgutachten handelte. Letztlich gelang es dem Magazin »Stern«, das brisante Papier, das im Giftschrank des Innenministeriums lagerte, in die Hände zu bekommen. Das Ergebnis ist vernichtend. Eine Gestaltung des Fahrplans, urteilten die Schweizer Experten, sei »nur in sehr geringem Maße möglich«. Sie prophezeiten Engpässe, Konflikte zwischen Hauptbahnhof und Flughafen mit dem Regionalverkehr, hinter S-Bahnen her zuckelnde ICEs und Fahrtzeitverlängerungen. Die Reaktion des staatlichen Auftraggebers fiel sehr schmallippig aus: Studie veraltet. Wie aktuell die Prognose jetzt schon ist, erlebten die Pendler im Großraum Stuttgart, denen die Bahn einen Notfahrplan bis zum Ende der Sommerferien 2010 präsentierte. Sie durften sich schon mal mit ausgefallenen und verspäteten S-Bahnen herumplagen.

Das steigert die Akzeptanz von Stuttgart 21 gewiss enorm und bestärkt Conradi in seiner Bilanz des Schreckens. »Wenn das Projekt mit seinen gigantischen Kosten und mit seinen stadtzerstörerischen Folgen irgendwann im Jahr 2019 fertig ist,« sagt er, »sind die Verantwortlichen alle nicht mehr im Amt. Keiner kann sie dafür haftbar machen und davonjagen.«

Warum nur haben die Herren Oettinger & Co. nie im Schlossgarten gelegen und zu Graf Eberhard im Bart, Württembergs geliebtem Herrn, hinüber geblickt? Er, der dort in Stein gehauen ist, war so gütig zu seinen Untertanen, dass er getrost sein Haupt in ihren Schoß betten konnte. Doch dazu hatten sie die Zeit nicht oder sie sich nicht genommen, weil der Fahrer wartete, das Flugzeug oder der nächste Termin, und darüber haben sie den Blick für Mensch und Natur verloren und nur noch den Blick für die Darstellung ihrer Politik behalten. Über den Wolken und fern vom Volk entwickelt man gerne Allmachtsphantasien, in denen Menschen zur Verfügungsmasse und die Nullen hinter den Millionen zur Marginalie werden. Das Gesicht, das sie zu verlieren glauben, sollten sie eine Entscheidung revidieren oder einen Fehler eingestehen, ist keines. Das Denkmal, das sie sich zu errichten glauben, ist keines, zumindest kein gutes, wenn die Betrachter nur Ungutes dabei empfinden. Und das finale Argument, zu ihrem Plan gebe es keine Alternative, schließt das Denken aus. Alternativlos ist nur der Tod.

Der Grüne Winfried (»Winne«) Hermann hat schon viele Male unter den Platanen gelegen, was nicht weiter verwunderlich ist, hat er doch seinen Beitrag zum Naturerhalt bereits zum Amtsantritt im Stuttgarter Landtag anno 1984 geleistet. Er kam auf Rollschuhen. Der gelernte Lehrer hat viel darüber nachgedacht, warum die Betreiber so viel Energie in das Projekt stecken, das er als größenwahnsinnig bezeichnet, bis hin zum massiven Verlust von Wählerstimmen, worauf gerade Politiker im Allgemeinen nicht besonders scharf sind. Der 58-jährige Bundestagsabgeordnete sucht die Antwort zunächst in den Mythen der herrschenden Elite, in deren unbedingtem Glauben an Fortschritt, Wachstum und die Bezwingbarkeit der Natur durch Technik. Wer immer nur fliegt oder gefahren wird, glaubt er, hat kein Barfuß-Gefühl mehr, kein Auge für die Schnecke, kein Ohr für die Eule. Die 200 Jahre alten Bäume im Schlossgarten müssen eben weichen, dafür werden doch zwölf Meter hohe Ersatzhölzer gepflanzt. Also wo ist das Problem?

Hinzu kommt die immer währende Angst, abgehängt zu werden, nicht mehr an der Spitze zu stehen, sondern am Rand, am Abgrund des Bedeutungsverlusts, oder gar an der Kante des Sandkastens, ohne Schäufele in der Hand. Stuttgart 21 ist ihre Antwort auf diese Angst. Hermann kennt die Argumente alle, ob sie nun von Günther Oettinger, Stefan Mappus, Wolfgang Schuster oder von ihren Parteifreunden in

Berlin stammen. Baden-Württemberg darf nicht abseits der großen Verkehrsströme liegen, was durch die Randlage seit der Wiedervereinigung akut droht. Das Musterländle muss der Turbo Deutschlands, wenn nicht gar Europas, bleiben, allein der Arbeitsplätze halber. Und überhaupt haben wir Schwaben und Badener genug gelöhnt für die Brüder und Schwestern im Osten, Westen und Norden. Jetzt sind wir mal dran. Davon habe Oettinger, berichtet Hermann, seine Kanzlerin in mühevoller Lobbyarbeit überzeugt, worauf sich Angela Merkel und mit ihr die Steuerzahler mit dem Titel schmücken durften, die Hauptfinanziers von Stuttgart 21 zu sein. So hat's zumindest der Bundesrechnungshof ermittelt, der den Anteil des Bundes auf 2,553 Milliarden Euro beziffert. Dass dieselbe Behörde nahezu eine Verdoppelung der S 21-Kosten befürchtet, sei nur nebenbei erwähnt. Dass das Bundesverkehrsministerium selbst von Kostensteigerungen bis zu hundert Prozent bei Großprojekten ausgeht, sei auch noch gesagt. Und dass danach kein Geld mehr da ist für Strecken in der Fläche, liegt auf der Hand. Aber wer regt sich, im Zeitalter der vielen Nullen, noch über diese oder jene Zahl auf?

Auch der Vorsitzende des Verkehrsausschusses im Deutschen Bundestag, und der heißt Winfried Hermann, hat gelernt, dass dies unerheblich ist. Er ist wahrscheinlich derjenige, der am nachdrücklichsten versucht hat, in Berlin die Black Box namens Stuttgart 21 zu öffnen. Ohne Erfolg. Seine Anfragen an die Regierung füllen Ordner, die Antworten hinterlassen Leere. Der damalige Verkehrsminister Tiefensee verspricht Aufklärung über die Zahlen, reagiert danach aber nicht mehr auf Briefe. Wenn die Grünen im Haushaltsausschuss einen Bericht über S 21 haben wollen, schickt ihnen der passionierte Cellist eine PowerPoint-Präsentation von externen Wirtschaftsprüfern, die der Bahn bescheinigen, sauber kalkuliert zu haben. Wenn sie eine Sondersitzung zum Thema Wirtschaftlichkeitsberechnung von Stuttgart 21 beantragen, lehnt die Regierung ab. Die Begründung ist immer die gleiche – geheim. Oder wie es im Amtsdeutsch des Ministeriums lautet: Die Deutsche Bahn verweigert die Zustimmung zur Einsichtnahme in die Unterlagen, weil sie »Daten und Informationen enthalten, die den Kernbereich der unternehmerischen Betätigung der DB betreffen«. Daran schloss sich auch die schwarz-gelbe Regierung nahtlos an, die sich gleich für unzuständig erklärte. Stuttgart 21 sei kein Projekt des Bundes, schrieb das Ministerium von Peter Ramsauer (CSU) im März 2010, sondern ein »eigenwirtschaftliches Projekt der DB AG«.

Da saß er nun, der Vertreter des Steuerbürgers, und sann darüber nach, wie es sein konnte, dass er keine belastbaren Informationen erhielt über ein Milliarden teures Vorhaben, das der Bund zu großen Teilen zahlt und das ein Unternehmen vorantreibt, das dem Bund gehört, der seinerseits sagt, er habe da nichts zu sagen? Irgendwann hat Hermann begriffen, dass er in ein Spiel geraten war, das er nicht gewinnen konnte. Die Kollegen von der CDU und der SPD, so weit sie nicht aus Baden-Württemberg waren, erzählt er, hätten sich nie für die größte Baustelle Europas interessiert, nie das getan, was jedem aufrechten Gemeinderat als Pflicht erscheint: die Bilanzen seiner Stadtwerke prüfen. Stattdessen sei er als Provinzpolitiker geschmäht worden, mit seinem ewigen Thema S 21, das er bitteschön im Stuttgarter Landtag vortragen solle. Der Bundestag, beschied ihn ein Bremer Sozialdemokrat, sei dafür die falsche Adresse. Endgültig kapiert hat es Hermann, als ihm ein alter Hase in dem Geschäft verklickert hat, wie der Lauf der Dinge ist. Georg Brunnhuber sei's gewesen, der Vorsitzende der CDU-Landesgruppe, erzählt der Grüne, der ihm die Augen geöffnet habe. Es gebe Projekte, die durchgerechnet würden, so erfuhr er, und politische Projekte. Der Mann von der Ostalb, Jahrgang 1948, ist heute Aufsichtsrat der Deutschen Bahn.

Die Bahn hat gerechnet. Was es denn kosten würde, wenn das Projekt platzte. Nicht geheim, weil es nicht geheim bleiben sollte, schließlich überzeugt nichts mehr als die normative Kraft des Faktischen. Unter Punkt vier zum aktuellen Sachstand Stuttgart 21 (Folgen eines Ausstiegs) hält der Aufsichtsrat am 10.12.2009 folgende »erheblichen nachhaltigen Konsequenzen« fest:

Zurückgezahlt werden müsste das Geld, das die Bahn von der Stadt Stuttgart für die Grundstücke hinter dem Bahnhof erhalten hat. Kaufpreis im Dezember 2001: 459 Millionen Euro, Zinsanspruch heute 243 Millionen, macht zusammen 702 Millionen. Rückerstattet werden müsste der Betriebskostenzuschuss des Flughafens Stuttgart. Er beträgt 112,4 Millionen ohne Zinsen. Angefallen sind bisher Planungskosten in Höhe von rund 300 Millionen. Teuer würde die Kündigung von Ingenieursverträgen. Die Bahn schätzt sie auf 51 Millionen. Gefährdet wäre die Neubaustrecke (NBS) Wendlingen – Ulm, weil das Land seinen Zuschuss von 950 Millionen nur unter der Bedingung gewährt hat, dass S 21 und NBS realisiert werden. Wenn die Neubaustrecke nicht kommt, fürchtet die Bahn um die erwarteten Zusatzerlöse in Höhe von 361 Millionen. Sollte S 21 scheitern, müsste der Bahnknoten Stuttgart trotzdem erneuert werden. Kostenpunkt: 1,35 Milliarden Euro.

Gerichtet ist die Rechnung an all jene, die jetzt nicht wackeln sollen. Die so beharrlich für ihr Kind gekämpft haben, die den Anfeindungen standgehalten haben und sich nicht haben beirren lassen. Auch nicht vom Volk. Wenn man diese Gruppe von Menschen beschreibt, dann können einem die Begriffe schwarzer Filz oder schwarzes Kartell oder schwarze Mafia einfallen, wobei Letzteres von Gangolf Stocker bevorzugt wird, der hinter jedem Prellbock einen Pistolero vermutet, im weniger schlimmen Fall einen Vertreter der bürgerlichen Presse. Der 66-Jährige ist Gründer, Klammer und seit 16 Jahren unermüdlicher Antreiber der Bürgerinitiative Leben in Stuttgart, und er darf jeden Tag an den Plakaten im Rathaus vorbei gehen, die eine grüne Stadt, glückliche Menschen und voll verglaste Büros zeigen. Stocker ist auch Stadtrat der sozialökologischen Partei SÖS, in deren Büro, zwei Stockwerke unterhalb des Oberbürgermeisters, mit Vorliebe Faltblätter über die »schwarze Mafia« verteilt werden.

Das verwundert so wenig wie die aufgelisteten Personen, die eben zum Who is who in Stuttgart gehören und nun eine neue Loge gefunden haben, hinter deren Vorhängen sie ihren Geschäften nachgehen können. Sie alle gehören zum Unterstützerkreis Stuttgart 21:

An der Spitze Günther Oettinger, der am besten verdrahtete Politiker im Musterland. Der frühere Ministerpräsident hat sich stets als CEO der Baden-Württemberg AG gesehen, als Gelenkstelle zwischen Politik und Wirtschaft, was ihn insbesondere im Geldwesen als Aufseher über die kränkelnde Landesbank Baden-Württemberg (LBBW) bewegt hat. Dort traf er naturgemäß auf seinen Spezi Heinrich Haasis, der einst Vorsteher der Landessparkassen und Chef des LBBW-Verwaltungsrats war und später Präsident des Deutschen Sparkassen- und Giroverbandes wurde. Auf Haasis folgte der Landrat und Vielfachfunktionär Peter Schneider, mit dem Oettinger auch gerne Bläsergruppen auf dem Dorf ehrte. Politisch mag das korrekt gewesen sein, ökonomisch wurde es bedenklicher, als bekannt wurde, dass der Sparkassenverband bis 2008 Teilhaber der Oettinger-Gruppe war, einer Wirtschaftsprüfungs- und Unternehmensberatungsfirma in Ditzingen. Mit dabei seinerzeit Ministerpräsident Oettinger sowie Haasis und Schneider, dessen Sprecher ausdrücklich die »ordentliche Rendite« lobte, die das Engagement Jahr für Jahr abgeworfen habe. Das ist gut so, will doch auch der für 40 Millionen Euro geplante Neubau der Sparkassenakademie hinterm Bahnhof bezahlt sein.

Selbstverständlich ist auch Stuttgarts Oberbürgermeister Schuster bei der LBBW, der Hausbank von Stadt und Land, vertreten. Er steht ihrem Kreditausschuss vor und fungiert als Vizechef der Trägerversammlung. Darüber hinaus ist er stellvertretender Aufsichtsratsvorsitzender des Flughafens, der als Millionenmitfinanzier von Stuttgart 21 glänzt, und Oberaufseher der Straßenbahnen, deren Technikvorstand Wolfgang Arnold wiederum Vorsitzender des Stuttgarter verkehrswissenschaftlichen Instituts von Ulrich Martin ist, der im Auftrag der DB die Kapazitäten des tiefer gelegten Bahnhofs berechnet hat. Ergebnis: Er löst den Knoten der 16-Schienen-Sackgassen auf. Ob Schuster im Jahr 2012 noch einmal antritt, lässt er offen. Der Protest der Gegner, so heißt es, schlage ihm schwer aufs Gemüt, zumal auch noch bekannt wurde, dass sein Stellvertreter, Finanzbürgermeister Michael Föll, privat jene Baufirma berät, die den Nordflügel des Hauptbahnhofs abreißen soll.

Wann immer in Stuttgart Großes gebaut wird, ist Senator E.h. Rudolf Häussler mit von der Partie. Der 82-jährige Baulöwe, Inhaber der Häussler-Gruppe, die sich als führender Komplettanbieter für Bürogebäude in Europa bezeichnet, zählt ebenfalls zur Nomenklatur der Stadt und schmückt sich gern mit bedeutenden Kunden. Mit Daimler zum Beispiel. Dort sah Rüdiger Grube, enger Vertrauter von Big Boss Jürgen Schrempp und früherer Büroleiter von Hartmut Mehdorn bei Airbus, 1999 die Zeit für gekommen, zu Häussler als geschäftsführender Gesellschafter zu wechseln. Der autokratische Alte wollte ihn zu seinem Nachfolger machen, aber offensichtlich nicht in alle Geschäftsgeheimnisse einweihen, worauf Grube zu Daimler zurückkehrte und zehn Jahre später Bahnchef werden sollte. Für die DB war es ein Zeichen von Kontinuität, für Häussler war es zu verwinden, weil die Old Boys zusammenhalten, auch wenn sie nicht mehr zusammen sind. Jetzt trifft man sich eben über den Beirat von Stuttgart 21 wieder. Als hilfreich und angemessen hat es der Firmenpatriarch gewiss auch empfunden, dass ihm Oettinger im Dezember 2009 das Große Verdienstkreuz des Verdienstordens der Bundesrepublik Deutschland umgehängt hat, unter anderem für sein Mäzenatentum, das er den Jugendkickern des VfB Stuttgart angedeihen lässt. Eine Herzensangelegenheit, sprach der Ex-Premier, sei Häussler ebenfalls die Hilfe für das Multiple-Sklerose-Projekt Amsel. Angeführt wird es von Ursula Späth, der Gattin des ehemaligen Ministerpräsidenten.

Selbstredend ist auch Lothar Späth ein feuriger Fan der schnellen Schiene. Nach seinem turbulenten Abschied aus der Politik, Stichwort Traumschiff-Affäre, heuerte er bei Jenoptik an, danach als Talkmaster bei n-tv (»Späth am Abend«) und als Geschäftsführer bei der Investmentbank Merrill Lynch. Nebenbei saß er noch dem Aufsichtsrat der Stuttgarter Verlagsgruppe Georg von Holtzbrinck vor und trat insbesondere als furioser Auktionator für wohltätige Zwecke auf. Der 73-Jährige, der während seiner Regierungszeit als einer der besten Luftballonspezialisten galt, präsentiert sich heute als glühender Verfechter der Globalisierung, was ihn zwangsläufig auf den Hochgeschwindigkeitszug seiner Kompagnons setzte – und an die Spitze des Aufsichtsrats der Herrenknecht AG. Die Firma im südbadischen Schwanau ist der Welt größter Tunnelbohrer, ihr Wahlspruch lautet: Wer mit uns bohrt, kommt weiter.

Ihr Eigentümer Martin Herrenknecht hat Späth 1986 auf einer Reise in die Türkei kennen und schätzen gelernt, weil das allseits gerühmte Cleverle sagte, was er dachte. Dass Deutschland auf den Abgrund zusteuert, wenn es nicht lernt, den Gürtel enger zu schnallen und den Blödsinn mit der 35-Stundenwoche ad acta zu legen. Darüber vermag sich das 68-jährige CDU-Mitglied derart aufzuregen, dass es sogar einmal für den Bundestag kandidiert hat, um der Politik zu zeigen, wie wenig sie vom wirklichen Leben versteht. Das war so ziemlich das Einzige, was schief gegangen ist, dürfte aber verschmerzbar sein, weil Herrenknecht der Typ des Unternehmers ist, der die Entscheider nicht unbedingt im Parlament heimsuchen muss. Dafür eignet sich auch der Flieger. Sein Freund Mehdorn erzählt, der Martin sei bei jeder Kanzlerreise mit ökonomischem Hintergrund dabei. Er wisse eben, dass heute kein Großauftrag mehr ohne politische Vernetzung zu akquirieren sei. Herrenknecht selbst rühmt, parteiübergreifend, Gerhard Schröder und Walter Steinmeier (beide SPD), die er auf seinen Auslandsreisen als verlässliche Partner erlebt habe. Und die Freunde im Land sind sowieso auf seiner Seite. Wirtschaftsminister Ernst Pfister etwa lässt keinen Zweifel offen, dass Herrenknecht bei Stuttgart 21 graben muss. Bei den Ausschreibungen der Bauarbeiten sei es »zwingend notwendig«, betonte der Meister der Mundharmonika, den Weltmarktführer aus Südbaden zu berücksichtigen.

Für Günther Oettinger ist das bereits beschlossene Sache – auch ohne Ausschreibung. In seiner Regierungserklärung vom 25. Juli 2008 vor dem Stuttgarter Landtag machte er sich Gedanken, wie man die Risiken bei der Untertunnelung des Albaufstiegs ausschließen könne. Durch eine möglichst hohe finanzielle Vorsorge, erläuterte Oettinger, denn man könne nicht wissen, »ob dort die Firma Herrenknecht mit ihren Maschinen schnell durch kommt oder ob sich das Gestein als hart erweisen wird, ob da etwas bröckelt oder nicht«. Unter der Alb mag es krachen, bröckeln und brechen, nur bei Freund Herrenknecht wird nicht gewackelt. Insofern hätte sich der Schwanauer Christdemokrat seine 70 000-Euro-Spende an die Landes-CDU, die am 10. Juli 2009 floss, eigentlich sparen können. Es sei denn, er hat sie als Dankeschön verstanden. Unwichtig dabei, dass noch viele Einsprüche der Kommunen gegen die Neubaustrecke anhängig sind, dass sie zu steil für Güterzüge ist.

Zu guter Letzt soll, behaupten feindselige Geister, auch noch ein mächtiger Medienmensch zur Großen Koalition der Unterirdischen gehören. Sie meinen Richard Rebmann, den Geschäftsführer der Südwestdeutschen Medien Holding (SWMH), unter deren Dach die Stuttgarter Zeitung und die Stuttgarter Nachrichten erscheinen. Doch damit tun sie dem 52-jährigen Schwarzwälder unrecht. Es ist zwar richtig, dass ihn Stuttgarts Oberbürgermeister Schuster im Verwaltungsrat der LBBW haben wollte, genau so richtig aber ist, dass er dort nicht sitzt, weil ihn die Grünen im Gemeinderat verhindert haben. Rebmann hätte den Job wohl auch nur widerwillig angenommen, aus purer Pflichterfüllung im Amte, das vielleicht eine gewisse Nähe zur Landesbank erforderlich erscheinen lässt. Aber nicht in politischer Absicht. Dazu hat er in seinem Reich, das von Südbaden bis nach Frankfurt/Oder reicht, gar keine Zeit. Dafür gibt es Chefredakteure. Und die haben, sehr zum Verdruss großer Teile der Leserschaft, Stuttgart 21 zu ihrem Projekt gemacht. Lange vor Rebmann im Übrigen, der erst im Jahr 2008 ins Stuttgarter Pressehaus eingezogen ist.

Journalistisch war das nicht. Es war die Nähe zur Macht, die über viele Jahre einen anderen Blick verboten, fast keine Debatten über Für und Wider zugelassen und darüber den Leser vergessen hat. Es gibt dafür sogar einen gedruckten Hinweis, der den Möhringer Meinungsmachern wie ein Stein auf die Füße gefallen ist. Er stammt aus der Stuttgarter Zeitung (StZ) vom 27. Februar 2010, verfasst vom damaligen Ressortleiter Außenpolitik, Adrian Zielcke, der in frappierender Offenheit schrieb: »Ohne die Zustimmung der Stuttgarter Zeitung zu diesem Großprojekt würde, so vermute ich einfach einmal, Stuttgart 21 nie gebaut werden.« Seitdem ist dieser Satz einer der meist zitierten bei den Kundgebungen der Gegner. Der ehemalige Chefredakteur Uwe Vorkötter, heute bei der Berliner Zeitung, sagt, es sei ein Fehler gewesen, S 21 zu StZ 21 zu machen.

Es mussten erst 67 000 Stuttgarter gegen die Pläne protestieren, viele von ihnen die Blätter in der Plieninger Straße mit zornigen Leserbriefen überziehen und mit Abbestellungen drohen, danach zwei Drittel der Einwohner in Umfragen ihr Nein ausdrücken, bis die Einsicht in den Chefköpfen durchsickerte, dass man es – nachdem das Grundsätzliche entschieden war – vielleicht mal mit einer etwas ausgewogeneren, inzwischen durchaus respektablen, Berichterstattung probieren könnte.

Einer, dem das weniger gefällt, ist Wolfgang Drexler. Seitdem das so ist, muss er sich zunehmend in den Chefetagen beschweren, wo ihm zwar generelles Wohlwollen versichert, aber keine Rückkehr zu den alten Augen-zu-und-durch-Zeiten in Aussicht gestellt wird. Der 64-jährige Sozialdemokrat ist seit Juli 2009 der Sprecher der Betreiber und seitdem so oft in der Zeitung wie nie zuvor in seiner Zeit als Abgeordneter und Landtagsvizepräsident. Das sei ein Grund gewesen, den Job anzunehmen, sagen sie in der SPD, weil die Rolle des Grüß-gott-Augusts im Parlament keine Schlagzeilen hervorbringe. Andererseits habe er sich nicht verbiegen müssen, weil er schon immer für Stuttgart 21 war, wie seine Spitzengenossen eben auch, die stets tapfer an der Seite der CDU gestanden sind. Auch zum Preis der weiteren Marginalisierung der SPD. Und zum Dritten habe es gutgetan, dass ihn Oettinger gefragt hat, ob er das Amt ausüben wolle. Einem Duzfreund schlägt man eine solche Bitte nicht aus, auch wenn sich damit wieder einmal die These beweisen sollte, dass die SPD dann zur Stelle ist, wenn die Karre besonders tief im Dreck steckt. Auch auf die Gefahr hin, dass der Dreck an der Partei hängen bleibt.

Wer Drexler in der Stuttgarter Jägerstraße besuchen will, muss durch den Hinterhof. Vorne ist dicht, nachdem Autonome den Haupteingang zugemüllt haben und die Bombendrohungen zunehmen. Im sechsten Stock sitzt die 15-köpfige Abteilung für Kommunikation hinter Glasscheiben, die Drexler hat anbringen lassen, weil sie ihm als Symbol erscheinen. Offenheit nach allen Seiten, Durchsicht für alle, wie es eben gesagt wurde, als er der staunenden Öffentlichkeit präsentiert wurde. Er sei ein Mann der Transparenz und der Vermittlung, lobten Bahnchef Grube und der SPD-Fraktionsvorsitzende Claus Schmiedel, worüber sich mancher Genosse gewundert hat. Der frühere Generalsekretär und Fraktionschef war bis dahin eher als Rabauke aufgefallen, der seine Kritiker niedergebügelt hat, und nur abends, wenn er am Lagerfeuer zur Gitarre griff, versöhnlichere Töne anschlug. Drexler war mal Oberpfadfinder in Esslingen. Aber immerhin: Heute trinkt er Tee statt Kaffee. Das Koffein, bekennt er, mache ihn aggressiv.

Jetzt wird er »Mister S 21« genannt, und er weiß nicht, ob er darauf stolz sein soll oder ob es nicht ein wenig albern klingt, wie Mister Germany vielleicht. Groß ist er ja schon, aber das Gesicht ist blass, weil er von Termin zu Termin hetzt. »Mein Hauptproblem«, glaubt er, »ist die Zeit.« Wahrscheinlich fühlt er sich wie ein Wanderprediger, der seine Botschaft dort verkünden muss, wo die Menschen noch guten Willens sind. Und weil der Glaube an Großprojekte schwindet, wie er feststellt, ist Eile geboten. Den wohlmeinenden Menschen versichert er, dass er nicht ins Schema passe, nicht gekauft sei, nur tausend Euro Aufwandsentschädigung erhalte, kein Teil der Mafia sei, aber davon überzeugt, dass S 21 kein Atomendlager, sondern gut sei. Er soll ja einbinden, Ängste nehmen, gewinnen. All das tun, was vor ihm keiner getan hat.

Das verlangt scharfe Kritik. Die Kommunikation sei desaströs gewesen, schimpft er, jahrelang habe man sich der Debatte nicht gestellt, stattdessen den Verschwörungstheoretikern vom Schlage eines Gangolf Stockers das Feld überlassen. Mit der Folge, dass die Menschen in dem segensreichen Bau einen naturfressenden Leviathan sehen, anstatt das Glücksgefühl zu spüren, künftig durch grüne Wiesen bis zum Rosenstein wandern zu können. Bei den Eiskunstläufern würde man von der B-Note sprechen, also vom künstlerischen Wert des Vortrags, ungeachtet der sportlichen Leistung. Vielleicht hat Drexler gedacht, wenigstens die Haltungsnote hätte die Fahrer jener Porsche Cayennes beeindruckt, die er bei den Montagsdemonstrationen hinterm Bahnhof gesichtet hat. Aber nicht einmal die. Stattdessen haben sie, vermutet er dunkel, den Spendentopf eines gewissen Peter Dübbers gefüllt. Der Enkel des Bahnhoferbauers Paul Bonatz klagt gegen den geplanten Abriss der Seitenflügel und hat dafür ein Spendenkonto eingerichtet. Das Angebot Grubes, eine Bonatz-Gedenkstätte einzurichten, hat ihn nicht davon abgehalten.

Wir erinnern uns: Bei Mehdorn waren es die Witwen vom Killesberg, bei Drexler sind es die Cayenne-Fahrer von der Montagsdemo. Man könnte das auch als eine Form des Reichen-Rassismus bezeichnen, wenn es nicht darum ginge, den Widerstand zu diskreditieren. Schaut her, was diesen Leuten wirklich wichtig ist: der Marktwert ihrer Immobilien in Halbhöhenlage über dem Bahnhof. Hier habt ihr den personifizierten Eigennutz, dem das Gemeinwohl schrecklich gleichgültig ist. Doch dahinter stecken im Grunde nur die Unfähigkeit, die andere Seite zu begreifen, der Unwille, sich mit ihr zu beschäftigen, und die Hilflosigkeit im Umgang mit ihr. »Das Problem ist,« sagt Drexler, »dass ich mit dem Kopf argumentiere, die Gegner mit dem Herzen.« Wer das auseinander hält, kann nicht verstehen. Nicht den Prozess des Protests, nicht die Dynamik der Bewegung, die eben nicht über Einzelpersonen oder Kleingruppen zu identifizieren ist. Das ist uralte Parteipolitik. Natürlich sind attac, BUND, Greenpeace, Robin Wood, Verkehrsclub Deutschland, inzwischen sogar DGB und Teile der IG Metall im Bündnis, aber weit darüber hinaus hat sich hier eine Menge von Menschen zusammengefunden, die von Schülern, Studenten, Professoren über Kriminalschriftsteller, Theaterleute bis ins Milieu des duldsamen Bürgertums reicht. Sie alle eint das Motto: Oben bleiben und den Oberen widerstehen.

Fast 20 000 haben sich am 10. Juli 2010, einem brüllend heißen Samstag, im Schlossgarten versammelt. Familien mit ihren Kindern, der Frauenverband Courage, Landschaftsgärtner mit Stihl-Sägen (der Unternehmer Hans Peter Stihl zählt selbstverständlich auch zum S 21-Unterstützerkreis), Punks, Rapper, Sopranisten, die Händel singen. Redner auf der Bühne geißeln Stuttgart 21 als Kannibale, der alles frisst – »unsere Stadt, den letzten Rest an demokratischen Strukturen und des Anstands«. Auch hier taucht sie wieder auf, die zentrale Frage: Wem gehört die Stadt?

Der CDU, die das jahrzehntelang wirklich dachte? Den Bankern, Baulöwen, Immobilienmaklern, Bilfinger und Bergers, Hochtiefs und Züblins? Hier ist etwas passiert, was diese Klasse bis heute nicht verstanden hat: Stuttgart hat sich geändert. Das alte System funktioniert nicht mehr, das Kungeln in den Hinterzimmern der Macht läuft nicht mehr ungestört, seitdem ihnen unzählige Gruppen, von den »Anstiftern« bis zu den Wasserschützern, auf die Finger schauen. Kunst und Kultur sind lebendig wie nie, schmerzen auch als Stachel im Fleisch der Bourgeoisie wie Volker Löschs Staatsschauspiel. Der politische Arm sind vor allem die Grünen, die nicht von ungefähr die stärkste Fraktion im Stadtrat sind. Und ihr gemeinsames Projekt heißt Stuttgart 21, als Sammelplatz des Widerstands.

Der PR-Politiker Drexler könnte sich darüber Gedanken machen oder machen lassen. Warum mal nicht eine Studie in diesem Feld? Am Geld würde es nicht scheitern. Aber dafür ist keine Zeit mehr, weil er keine mehr will. Denn Stuttgart 21 ist für ihn »unumkehrbar, nicht rückholbar und nicht kompromissfähig«. Auch das Moratorium, das Tübingens grüner Oberbürgermeister Boris Palmer ins Gespräch gebracht hat, erscheint ihm unsinnig. Was soll dann kommen? Der modernisierte Kopfbahnhof vielleicht, dessen Sinn sich nur seinen Protagonisten erschließe? Außerdem müssten Verträge aufgelöst werden, für deren Rückabwicklung mindestens eine Milliarde Euro fällig würden. Nein und nochmals nein. Das steht so fest wie das Stück Schiene neben seiner Tür. Es ist ein Teil des Prellbocks 049, den Bahnboss Grube im Februar 2010 im Hauptbahnhof hochgehoben hat, als symbolträchtiges Signal des Baustarts. Seitdem ist für Drexler Schluss mit den Grundsatzdebatten, seitdem wird gedroht. Es gilt die Warnung an Stocker und Mitstreiter, sie würden unverantwortlich handeln, wenn sie dem Publikum weismachten, daran sei noch etwas zu ändern.

Damit schließt sich der Kreis. Geredet werden soll nur noch darüber, was die Herrschaften von Bahn, Bund, Land und Stadt beschlossen und als Beschluss auf ihre Grabplatten gemeißelt haben wollen. Die Bürger sollen ihn lesen und in Andacht versinken, als lebten sie noch im Königreich Württemberg. Denn, so behaupteten die großen und kleinen Regenten, es sei das bestgerechnete Projekt Europas. Beim Rechnen ist ihnen, wie bekannt, mancher Fehler unterlaufen. Der schlimmste aber war der Mensch. Ihn hatten sie einfach vergessen.

Chronologie Stuttgart 21

1988: Der Stuttgarter Verkehrswissenschaftler Gerhard Heimerl präsentiert erstmals die Idee eines Durchgangsbahnhofs und einer Neubaustrecke nach Ulm, die parallel zur Autobahn verlaufen soll.

April 1994: Ministerpräsident Erwin Teufel, Oberbürgermeister Manfred Rommel sowie die Verkehrsminister Matthias Wissmann und Hermann Schaufler (alle CDU) und Bahnchef Heinz Dürr stellen das Projekt Stuttgart 21 vor. Dürr sagt heute, der größte Fehler sei der Name gewesen.

Januar 1995: Eine 18 Bände umfassende Machbarkeitsstudie der Projektpartner DB, Bund, Land und Stadt kommt zu dem Schluss, dass alle Probleme bewältigt werden können. Grüne und Umweltschützer sprechen von einem teuren Firlefanz.

November 1995: Die Projektpartner unterzeichnen eine Rahmenvereinbarung zur Finanzierung von Stuttgart 21. Veranschlagt sind Kosten von fünf Milliarden Mark. Das verkehrswissenschaftliche Institut an der Uni Stuttgart ermittelt einen volkswirtschaftlichen Nutzen von 314 Millionen Mark pro Jahr.

November 1997: Der Architekt Christoph Ingenhoven gewinnt den Wettbewerb für den unterirdischen Bahnhof. Sechs Meter hohe Bullaugen auf dem Dach sollen die Bahnsteige erhellen.

Juli 1999: Die Bahn sieht keine Möglichkeit, das Projekt auf einen Schlag zu realisieren. Sie will entweder nur Stuttgart 21 oder die Neubaustrecke nach Ulm. Auch die rotgrüne Bundesregierung geht auf Distanz.

November 1999: Das Land Baden-Württemberg, Stadt Stuttgart, Regionalverband und Flughafen Stuttgart bieten an, sich mit 1,3 Milliarden zu beteiligen, um beide Projekte, die sie als untrennbar verbunden sehen, zu realisieren.

Dezember 1999: Hartmut Mehdorn wird Chef der Deutschen Bahn.

Dezember 2000: Ministerpräsident Teufel fordert die Bundesregierung ultimativ auf, beide Projekte bis zur Landtagswahl im März 2001 positiv zu bescheiden. Die Planung war im Jahr 2000 gestoppt worden.

März 2006: Der Verwaltungsgerichtshof Mannheim weist Klagen von BUND und zweier Wohnungseigentümer ab, die das Alternativkonzept eines Kopfbahnhofes verfechten.

Juli 2007: Um das Projekt wieder zum Leben zu erwecken, bietet Ministerpräsident Oettinger an, die Neubaustrecke mit 950 Millionen Euro vorzufinanzieren, damit der Baustart zeitgleich mit Stuttgart 21 im Jahr 2010 beginnen kann.

November 2007: In einer Unterschriftenaktion wenden sich 67 000 Bürger gegen Stuttgart 21.

Dezember 2007: Der Stuttgarter Gemeinderat lehnt mit 45 zu 15 Stimmen den Antrag auf Zulassung eines Bürgerentscheids ab. Mit der Begründung, er sei rechtlich unzulässig.

Juli 2008: Auch das Regierungspräsidium weist die Widersprüche als unbegründet zurück.

Juli 2008: Die Münchner Vieregg-Rössler GmbH, ein Beratungsbüro für Schienenverkehr, errechnet Gesamtkosten zwischen 6,9 und 8,7 Milliarden Euro.

August 2008: Die Landesregierung gibt Gesamtkosten in Höhe von 5,08 Milliarden Euro an. Davon sollen auf Stuttgart 21 exakt 3,076 (plus 1,45 Milliarden Risikovorsorge), auf die Neubaustrecke zwei Milliarden Euro entfallen.

Dezember 2008: Der Bundesrechnungshof ermittelt Mehrkosten von 2,4 Milliarden Mark. Das Verkehrsministerium weist das Gutachten als unbegründet zurück.

Juni 2009: Bei den Stuttgarter Gemeinderatswahlen werden die Grünen zur stärksten Kraft. Sie legen um mehr als sieben Prozent zu und steigen auf 25,3 Prozent. Die CDU verliert mehr als acht Prozent und liegt bei 24,3 Prozent. Wahlentscheidend war Stuttgart 21.

Dezember 2009: Bahnchef Rüdiger Grube versichert, die Kosten für Stuttgart 21 würden nicht über die »Sollbruchstelle« von 4,5 Milliarden Euro hinausgehen.

2. Februar 2010: Ex-Ministerpräsident Günther Oettinger, Verkehrsminister Peter Ramsauer, Oberbürgermeister Wolfgang Schuster, Bahnchef Rüdiger Grube und Projektsprecher Wolfgang Drexler heben den Prellbock 049 aus den Gleisen. Es ist der offizielle Baustart.

13. August 2010: Die Bagger rücken an und beginnen das Dach des Nordflügels am Hauptbahnhof abzureißen. Zuvor hat es mehrere Großdemonstrationen sowie einen »Stuttgarter Appell« gegeben, den 20 000 Bürger innerhalb einer Woche unterzeichnet haben. Darin wird ein Moratorium sowie ein Volksentscheid gefordert. In den überregionalen Medien ist von einem »Schwabenaufstand« die Rede.

Die Deutsche Größenwahn AG

Finanzjongleure und Banken spielten Casino, vergessen wird aber die Gier der Gesellschaft und die ganz alltägliche Hybris. Eine Polemik

Rainer Nübel

Plötzlich war es da, dieses merkwürdige Wort, völlig fremd klingend, exotisch, wie aus einer anderen Welt. Im Oktober 2008 war es, mitten im ersten Strudel der weltweiten Finanzkrise, als Michael Glos tief in die Mottenkiste deutscher Moral gegriffen und den verstaubten Wertebegriff ans grelle Tageslicht befördert hatte: Demut. Der damalige Bundeswirtschaftsminister forderte allen Ernstes Demut. Und dies ausgerechnet von Bankern, jenen egogestählten Zockerkönigen und Topvertretern des Turbokapitalismus.

Sein Wort zum schwarzen Montag, der sich in jenem Trauer-Herbst fallsüchtiger Börsenkurse und gefallener Immobilienspekulanten fast täglich wiederholte, irrlichterte in Sekundenschnelle durch den deutschen Blätterwald: »Den Bankern, die für die Krise verantwortlich sind, würde mehr Demut gut zu Gesicht stehen.« Und weiter hatte es aus dem christsozialen Minister gesprochen: »Ein Zeichen der Reue und Umkehr würde vielleicht etwas von dem verloren gegangenen Vertrauen in die Banken und ihre Manager wieder zurückbringen.«

Gut möglich, dass die angeprangerten Manager dieses seltsame Wort zum allerersten Mal gehört hatten und ihre Chief Assistents erst einmal anwiesen, die Google-Maschine anzuwerfen. Suche: Demut. 722 000 Eintragungen in 0,13 Sekunden. Von der »Woche der Demut«, die der italienische Rennstall Ferrari nach einem miserablen Auftakt der Formel 1-Weltmeisterschaft zu durchleiden hatte, bis zur Definition aus einem philosophischen Wörterbuch: »die Tugend, die aus dem Bewusstsein unendlichen Zurückbleibens hinter der erstrebten Vollkommenheit (Gottheit, sittliches Ideal, erhabenes Vorbild) hervorgehen kann«.

Wie bitte? Sollte das etwa heißen, dass Finanzmanager und all die anderen vollkommenen Schöpfer einer globalen Welt des Geldes, der Geltung und der Gier auf das Normalmaß von 08/15-Menschen schrumpfen sollten? Ja, genau das hieß es. Hochmut kam vor dem Börsen-Fall ins Bodenlose. Als in jenem Herbst 2008 Banken, die Kathedralen des Kapitalismus, wie Kartenhäuser zusammenbrachen, im Domino-Effekt ein Automobilkonzern nach dem anderen ins Umsatz-Tief raste und die gesamte Wirtschaft in die Rezession schlitterte, verging kaum ein Tag, an dem nicht Umdenken, Umkehr oder ein Wertewandel postuliert oder gefordert wurden. In politischen Fensterreden und öffentlichen Diskussionen, in TV-Talks und Leitartikeln, in privaten Gesprächsrunden und an Stammtischen. Eine zentrale Chiffre für diese Ahnung, dass es »so nicht weitergehen kann«, und zugleich für die Sehnsucht nach einer anderen, menschlicheren Welt war dieser merkwürdige, fremd klingende Begriff: Demut – das Gegenteil von Hochmut und damit der elementare Kontrast zu einem System, das scheinbar plötzlich und unvermittelt aufgebrochen oder aufgeflogen ist, in der Finanz- und

Wirtschaftswelt, und das doch schon seit vielen Jahren in der gesamten Gesellschaft prächtig gedeihen konnte. Das System Größenwahn.

Der Dax ist das Maß aller Dinge, der Shareholder Value der höchste zu erstrebende Wert und das Immer-mehr oberstes Gebot – so predigten jahrelang die Gralshüter der Geldherrschaft. Smart lächelnde, aber knallharte Mammonmanager mit eingebautem Hyper-Ego, die zackig das Hohe Lied des freien Finanzmarktes sangen und sich jede Einmischung oder gar Kritik der Politik aufs Strengste verbaten. Superhelden des Neoliberalismus wie der Deutsche-Bank-Chef Josef Ackermann, der partout kein Verständnis für jene Versager hatte, die unter der von ihm propagierten Eigenkapitalrendite von 25 Prozent herumwurschteln wollten.

Jetzt saßen die wahnsinnig großen und wichtigen Macher zwar immer noch in der ersten Reihe, beim europäischen Bankenkongress zu Frankfurt. Doch ziemlich unbehaglich und sehr betroffen wirkten sie, als ihnen der höchste politische Repräsentant der Republik die Leviten las, ausgerechnet auf ihrer eigenen Showbühne. Es sei an der Zeit, sich auf die Tugenden des soliden Bankiers zu besinnen, mahnte der inzwischen zurückgetretene Horst Köhler mit besorgter bundespräsidialer Miene. Da nickten seine Zuhörer weise und wissend. Josef Ackermann gab zu, dass seine Branche Mitschuld an der Finanzkrise habe und dass Fehler gemacht worden seien. Aber persönliche Kritik an seiner 25-Prozent-Rendite-Progammatik, nein, dagegen musste er sich doch verwahren. Sein Kollege Martin Blessing übte sich williger in der Sünderpose. Man müsse wieder bescheidener werden, die Bank wolle keine zu riskanten Geschäfte mehr machen. So sprach der Commerzbank-Chef – just jener Manager, der gerade die hochriskante

Milliardenübernahme der Dresdner Bank in die Wege geleitet hatte. Ein Coup, wie sich kurze Zeit später weisen sollte, der ohne staatliche Milliardenhilfe zum Desaster taugte.

In diesen ersten Wochen und Monaten der großen Money-Life-Krise hatte sich die Politik regelmäßig zu Warn- und Brandreden veranlasst gesehen. Gesucht und gefordert wurde der »ehrliche Kaufmann«. Gerade der Bundespräsident hatte, moralisch entrüstet, immer wieder den Zeigefinger gereckt: Die Wirtschaftseliten müssten wieder lernen, was Maß und Mitte sei und was Bodenhaftung bedeute. Es sei eine Menge Unaufmerksamkeit, Selbstzufriedenheit und Zynismus im Spiel gewesen. Man habe geglaubt, aus nichts Gold machen zu können, und das dauerhaft. Es sei nur noch um die Maximierung der Rendite gegangen.

Zur Weihnachtszeit bescherten oberste kirchliche Moralhüter neue Superlative der Sündenrhetorik. »Wir haben ein Wort wieder verstehen und buchstabieren gelernt, das ganz fremd geworden ist: Gier«, wetterte Kardinal Karl Lehmann. Der Münchner Erzbischof Reinhard Marx nannte das Handeln vieler Finanzmanager »inhuman und würdelos«, es zerstöre die Grundlage des Miteinanders. Besonders scharf formulierte auch der damalige Ratsvorsitzende der Evangelischen Kirche, Bischof Wolfgang Huber: »In den aktuellen Zusammenhängen ist das Geld zum Gott geworden.« Mit fast alttestamentarischem Eifer ging er Josef Ackermann an. Dessen Renditevorgaben seien eine »Form des Götzendienstes«, der ihn an den »Tanz ums goldene Kalb« erinnere.

Das alles sprach dem Volk aus der Seele. Auch die Medien griffen in Kommentaren und Leitartikeln zum Vokabular ehrlicher Empörung, geißelten die Gierigen in den Geldtowern und beschwörten, dass jetzt Schluss sein müsse mit dem Größenwahn im Finanzwesen. Dass so manche Tageszeitung und Zeitschrift selbst jahrelang flammende Plädoyers für die Liberalisierung des Finanzplatzes Deutschland gedruckt und auf ihren Finanzmarkt-Seiten renditeschwangere Anlagetipps gegeben hatte, blieb geflissentlich unerwähnt.

Es schien, als ob eine ganze Gesellschaft Zuschauer eines monströsen Schauspiels geworden war. Einer schauerlichen Attraktion, wie man sie früher auf den Jahrmärkten präsentierte, um am Ende die Moral von der Geschicht' zu lehren. Jetzt wurde sie auf dem Geldmarkt geboten. Und scheinbar nur dort. Auf einem klar abgegrenzten Terrain. Mit grusligem Schauern blickte das Publikum in den goldenen Käfig, in dem das wüste Raubtier auf und ab ging und seine Wunden leckte. Das Raubtier Kapitalismus.

Man blieb tunlichst auf Distanz. Da drinnen, und nur da war sie, die gefährliche Gier, mit der Finanzmanager auf Teufel komm raus gezockt hatten, mit Immobilien und Highest-Risk-Anlagen, ohne reale Gegenwerte. Ganz deutlich sah man auch die gebleckten Zähne, das breite Grinsen der Großbankenchefs, die sich neben ihrem Millionengehalt auch noch mit Bonuszahlungen die Taschen vollgestopft hatten, und ihr gönnerhaftes Lächeln über jene Kleingeister, die sich mit Normalrenditen biederer Provinzbanken zufriedengegeben hatten. Zum Greifen nah war der sonnengebräunte Größenwahn, ein immer riesigeres Rad zu drehen – ohne Rücksicht auf Verluste.

Es gehörte mit zu dem schauerlichen Schauspiel gebrochener Schein-Riesen, dass Josef Ackermann in beharrlicher Selbstüberschätzung postulierte, auf jede staatliche Unterstützung verzichten zu wollen. Bis auch seiner Deutschen Bank satte 11,8 Milliarden US-Dollar aus der amerikanischen

Regierungshilfe an den US-Konzern AIG weitergereicht wurden. Das passte ins Bild vom egomanischen Parade-Buhmann der Finanzwelt. Allzu lebendig war noch die Erinnerung an jene unselige Geste, die Ackermann im Mannesmann-Verfahren gezeigt hatte, in dem er wegen millionenfacher Untreue angeklagt war: das Victory-Zeichen im Gerichtssaal, zu Beginn des Prozesses, damit die Richter gleich mal wussten, mit wem sie es zu tun hatten und wie diese lächerliche Justiz-Veranstaltung gefälligst auszugehen hatte. Es war Ausdruck einer schamlosen Hybris, die zum Sinnbild kapitalistischer Großmannssucht geworden ist.

Wobei Deutsche-Bank-Chefs in dieser Disziplin offenbar so etwas wie Trendsetter zu sein scheinen. Ackermanns Vorgänger Hilmar Kopper hatte im Jahr 1994 durch eine traumwandlerisch sichere Wortwahl eindrucksvoll demonstriert, wie weit der Realitätsverlust abgehobener Manager schon damals gediehen war, als er im Zusammenhang mit der Pleite des Immobilienunternehmers Jürgen Schneider die Schadenssumme für die betroffenen Handwerker als »Peanuts« bezeichnet hatte. Klar doch, es waren ja auch nur 50 Millionen Mark. So groß der Zynismus im Herunterspielen eines Skandals war, so ausgeprägt war auch Koppers zweifelhaftes Bestreben, jede Mitschuld der Deutschen Bank an der Milliardenpleite weit von sich zu weisen. Eine Strategie, die fortan Vorbild werden sollte für so manche Wirtschafts- und auch Politgröße, die sich mit garstigen Vorwürfen und unverschämten Angriffen herumzuschlagen hatte. Jetzt, im Herbst 2008, als das Desaster Namen wie Lehman Brothers oder Hypo Real Estate trug, wurde derselbe Hilmar Kopper Dauergast in Talkshows. Als »Experte« reflektierte und räsonierte er auf fast allen Kanälen über Heilmittel aus der Krise. Experte wofür, fragte man sich da leise – etwa, um selbst verschuldete Krisen wieder klein zu reden? Kopper war jedenfalls wieder ganz in seinem Element.

Und sprachbewusst wie eh und je. Eines schien ihm besonders wichtig zu sein: dass das Wort »Gier« unbedingt aus der heftig entbrannten Debatte übers Finanzmanagement zu nehmen sei. Damit, so meinte der erfahrene »Experte«, habe das Ganze doch wahrlich nichts zu tun. Der Mann blieb sich einfach treu.

Auffällig war, dass sich deutsche Wirtschaftsführer mit Kommentaren zu den abgrundtief gefallenen Finanzgiganten sehr zurückhielten. Kein Wunder, viele von ihnen waren selbst längst schon demaskierte Protagonisten eines rapiden Glaubwürdigkeitsverfalls geworden. Und saßen mit im goldenen Show-Käfig des Raubtierkapitalismus, auf den das Volk nun entrüstet zeigte. Ihre Namen standen für Profitgier, Größenwahn und Doppelmoral. Leute wie Peter Hartz, der in seinen sozialpolitischen Konzepten Wasser gepredigt, als VW-Personalvorstand jedoch Wein getrunken hatte und ziemlich lustvoll unterwegs war. Oder VW-Betriebschef Klaus Volkert, der nicht immer dazu kam, die Belange der Arbeitnehmer wirklich intensiv zu vertreten, weil er allzu häufig von Lustreisen und Prostituierten angestrengt war, die er sich vom Automobilkonzern hatte bezahlen lassen. Oder der schwäbische Schrauben-Milliardär Reinhold Würth, der Steuern in Millionenhöhe hinterzogen hat, aber öffentlich im Brustton der Überzeugung und in völliger Absenz von Schuldbewusstsein erklärte, er habe nur an das falsche Finanzamt bezahlt – ausgerechnet in einem Vortrag über Verantwortung von Unternehmern. Dass er einen Strafbefehl über maximal 3,5 Millionen Euro kassierte und damit vorbestraft war, erfüllte den

Milliardär mit größter Bitterkeit. Seitdem droht er, Deutschland zu verlassen. Wie ein trotziges Kind.

Oder Klaus Zumwinkel. Als Post-Chef ließ er mit harter Hand hunderte von kleinen Postagenturbetreibern, bei denen aufgrund konzerninterner EDV-Probleme merkwürdige Außenstände angefallen waren, mit Schadensersatzklagen und teilweise auch Ermittlungsverfahren überziehen und damit kriminalisieren. Zur gleichen Zeit schaffte der Bundesverdienstkreuz-Träger mindestens eine Million Euro am Fiskus vorbei nach Liechtenstein. Oder Heinrich von Pierer, in dessen Ära als Siemens-Vorstandschef der Konzern weltweit Schmiermittel in Höhe von mehr als einer Milliarde Euro eingesetzt hatte. Und der sich jeden Hauch von Mitverantwortung für die gigantische Korruption in seinem Unternehmen aufs Schärfste verbat. Oder sein Nachfolger Klaus Kleinfeld, der in der Anfangszeit des Korruptions-Skandals Promianwälte auf Medien hetzte, die über weitere Bestechungsvorgänge bei Siemens berichteten. Als die Affäre dann just diese Weiterungen nahm, war er bereits nicht mehr Vorstandschef, sondern führte ein anderes Unternehmen. Oder, oder.

Als die Finanz- und Wirtschaftskrise Anfang 2009 gerade die alten Märchen vom ethisch properen Kapitalismus wegätzte, hatte am Stuttgarter Staatstheater eine moderne Hamlet-Inszenierung Premiere. Regisseur Volker Lösch ließ auf der Bühne seinen Helden leere Flaschen in den Sumpf rammen. Zetsche, Cordes, Cromme oder Bischoff – Hamlet zitierte die Namen von Konzernchefs und Topmanagern, die wiederum in den Aufsichtsräten anderer Unternehmen sitzen. Ein geschlossenes System, hermetisch. »Wer kontrolliert eigentlich die Kontrolleure?«, brüllte Hamlet. Das Publikum applaudierte heftig.

Dabei weiß man, dass manche Konzerne die totale Kontrolle durchaus beherrschen und gerne auch anwenden – wenn es um ihre eigenen Mitarbeiter oder mögliche Kritiker geht. Die Spitzelaffären bei Lidl, Telekom oder Deutscher Bahn, ein Terrain mit hohem Dunkelziffer-Potential, offenbarten eine schaurige Realität: Ihr Größenwahn hatte Wirtschaftsmächtige schon derart misstrauisch und gleichzeitig skrupellos werden lassen, dass sie Methoden aus dunkelsten Zeiten anwandten, um in die Köpfe ihrer Untertanen und ihre intimsten Bereiche hineinschauen zu können. Macht-Mittel der Menschenverachtung.

Dass solche Auswüchse selten sind, ist ein frommer Wunsch. Und ein fataler Irrtum. Wer sich in Konzernen, aber auch in mittelständischen Unternehmen umhört, jenseits der offiziellen Pressestellen-Propaganda, und Zeuge mancher interner Gespräche wird, der stößt immer wieder auf einen eklatanten Tabubruch. Fühlen sich Firmenchefs unbeobachtet oder wähnen sie sich sicher in ihren trauten Zirkeln am offenen Kamin, rutschen laut Ohrenzeugen so manchem schon mal ungeheuerliche Bekenntnisse in puncto Elite-Denken aus dem Mund: »Es gibt doch gravierende geistige Unterschiede zwischen uns und der Belegschaft. Dass sie dasselbe Wahlrecht haben soll wie wir, geht einfach nicht.« Managerkollegen nicken verständig: »Die Unterschicht als Mehrheit bestimmt politisch. Ein Unsinn. Man sollte ihr Wahlrecht halbieren.«

Nicht wenige Politiker ahnen oder kennen solche gefährlichen Denkweisen in Chefetagen der Finanz- und Wirtschaftswelt. So war es kein Zufall, dass im Januar 2009 der damalige SPD-Chef Franz Müntefering, der bereits firmenfressende Hedgefonds als »Heuschrecken« gegeißelt hatte, in einem Zeitungsinterview erneut Klartext redete: Bei vielen

Menschen könne das Gefühl entstehen, die Demokratie werde gar nicht mehr gebraucht. Denn: »Für manche Manager bedeutet Demokratie – auch als Arbeitnehmerrechte – nichts anderes als überflüssige Bürokratie, die den Schwung ihrer Geschäfte bremst.« Müntefering zeigte sich in Sorge, dass die Demokratie Schaden nehme, »wenn die Menschen befürchten, dass die Politik unverantwortliches Verhalten in der Wirtschaft nicht mehr verhindern kann«.

Das war griffig gesagt. Doch nur die halbe Wahrheit. In trauter überparteilicher Einigkeit übte sich die Politik nämlich in ihren Brandreden zum Finanzmanagement meist darin, jede eigene Mitverantwortung an diesem System Größenwahn ins Reich der Fiktion zu verweisen. Ein plumpes Ablenkungsmanöver. Denn Realität war und ist, dass auch Politiker in Aufsichtsgremien jener Banken sitzen, die tüchtig mitgezockt und dabei Milliarden an Kreditrisiken angehäuft haben. Dazu zählen auch und besonders diverse Landesbanken, für die Ministerpräsidenten und Finanzminister der jeweiligen Bundesländer die Aufsichts- und Kontrollpflicht haben. Vor ihren Augen hatten Bankchefs wie Glücksritter agiert und mit dem Geld der Steuerzahler sich lieber um hochriskante internationale Geschäfte gekümmert als um den finanziell soliden Ausbau der Wirtschaftsunternehmen in ihren Ländern – wofür sie eigentlich zuständig und verpflichtet sind.

Die Landesbank Baden-Württemberg (LBBW) zum Beispiel tummelte sich mit Zweckgesellschaften in Steueroasen auf den Cayman Islands, auf der Ärmelkanalinsel Jersey oder in Irland. Den Firmen gab man so poetische Namen wie »Lake Constance« oder »Mainau Funding«. Gleichzeitig pflegte man diskrete Drähte in andere Steuerparadiese wie Liechtenstein, das Sultanat Brunei im südchinesischen Meer oder Singapur. Ende 2008 kam der damalige Stuttgarter Regierungschef Günther Oettinger, der bis dahin öffentlich stets die unerschütterbare Solidität und Seriosität seiner Landesbank betont hatte, an der Realität partout nicht mehr vorbei: Die Kreditrisiken der LBBW gingen in die Milliarden. In einer Vorstandssitzung der Landes-CDU war angeblich gar von 40 Milliarden Euro die Rede. Eine tickende Polit-Bombe für den Ministerpräsidenten. Denn die Frage drohte, ob er seine Aufsichtspflicht verletzt hatte, wenn in der Öffentlichkeit evident würde, welches Desaster der Landesbank tatsächlich ins Haus stehen könnte. Was tat Oettinger? Flugs wurde er zum feurigen Befürworter der »Bad Bank«, einer Sondermülldeponie für toxische Papiere aus der ganzen Republik – in der jeder Kreditschrott, auch der der LBBW, diskret entsorgt und damit jedes anrüchige Bankgeschäft kaschiert werden konnte.

Der Versuch von Politikern, sich in die größte anzunehmende Distanz zu jenen schuldigen, gierigen, außer Kontrolle geratenen Finanzjongleuren zu reden, war allzu durchsichtig. Viele von ihnen hatten so etwas wie Beihilfe zum Größenwahn geleistet. Jetzt gaben sie den staatlichen Krisenmanager und spannten einen milliardenschweren Riesen-Rettungsschirm für Banken, Unternehmen und Versicherungen auf. In ihren Reden zum Volk beschworen sie den Ernst der Lage, aber auch die »Chance«, die in dieser Krise liege. Die Chance zu einem Neubeginn, zu einem Umdenken, zu einem Wertewandel. Als ob man nur einen Schalter umlegen müsste.

Sie schienen vergessen zu haben, dass hochrangige Vertreter ihrer eigenen Spezies in den vergangenen Jahren selbst einiges dazu beigetragen hatten, das System Größenwahn salon- und gesellschaftsfähig werden zu lassen. War es etwas anderes als Hyper-Hybris, wenn ein ehemaliger Kanzler und CDU-Chef namens Helmut Kohl am Gesetz vorbei Millionen für die Parteikasse eingesackt hatte, hinterher das Schwarzgeld niedlich als »Bimbes« titulierte und sich hartnäckig weigerte, die Spender zu nennen? Spendenaffäre, nachweisbare Verstöße gegen das Parteienfinanzierungsgesetz? Ach was! Drängende Fragen nach Recht und Gesetz schnippte der schwarze Riese damals, im Jahr 2000, wie lästige Fliegen weg. Kanzlerte in der bewährten Macht-Manier seiner sechzehnjährigen Amtszeit alle ab, die von Verantwortung oder gar von Schuld sprachen. Und schmollte schwer angesichts der unglaublichen Tatsache, dass selbst seine eigene CDU, die er immer unter Kontrolle hatte, ihm Vorwürfe machte und ihm rüde den Ehrenvorsitz nahm. So rüde, wie er selbst immer in Ungnade gefallene »Parteifreunde« abserviert hatte.

Als gelte es, eine Große Koalition des Egokults zu schmieden, übte sich fünf Jahre später auch Gerhard Schröder in der Pose des realitätsresistenten Hochmut-Spezialisten. Es war am Abend des 18. September 2005. Hochrechnungen und erste Ergebnisse der Bundestagswahl hatten gezeigt, dass die CDU knapp vor den Sozialdemokraten liegen würde. Schröders SPD-Kanzlerschaft war passé, er musste das Kanzleramt, an dessen Zaun er in Bonner Zeiten einst so heftig gerüttelt hatte (»Ich will hier rein!«), verlassen. Alle wussten es, nur Schröder nicht. Er wollte nichts davon wissen. So kam es in der TV-Elefantenrunde zu jenem denkwürdigen Auftritt: Zunächst warf der gescheiterte Medienkanzler den Medien eine Kampagne gegen sich vor – bei Egomanen sind gemeinhin immer die Anderen schuld. Dann fuhr er ZDF-Chefredakteur Nikolaus Brender an. Er, Schröder, sei noch Bundeskanzler, »auch wenn Sie dagegen arbeiten«. Das Drama um den unbelehrbaren Ego-Helden näherte sich seinem Höhepunkt. Sie möge »die Kirche im Dorf lassen«, schmetterte Schröder seiner Widersacherin Angela Merkel entgegen – er werde Regierungschef bleiben. Basta.

Wer als Journalist arbeitet, kennt die einschlägigen Hybris-Verhaltensmuster von Politikern: In einer Affäre weisen sie zunächst jeglichen Vorwurf aufs Heftigste als »völlig abwegig und unhaltbar« zurück, als ob es sich um einen bitterbösen Akt von Majestätsbeleidigung handele, um danach peu à peu nur das zuzugeben, was ihnen gerade nachgewiesen wurde. Da gleichen sich politische Skandale wie die frühere Visa-Affäre um Joschka Fischer und Otto Schily oder die jüngere Kunduz-Affäre um die Spitze des Verteidigungsministeriums wie ein Ei dem anderen. Und da ähneln sich Politiker und die von ihnen inzwischen so gegeißelten Manager so sehr, als ob sie Brüder im Geiste wären. Gerne wird in solchen Fällen auch mit juristischen Schritten gedroht oder postwendend bei Chefredaktionen angerufen, um an das bisher doch so gute Verhältnis zu dem Medium zu erinnern. Ein probates Mittel von Politikern, die Medienhorde nach kritischer Berichterstattung zu bestrafen und wieder zur Ordnung zu rufen, ist es, die unliebsamsten Missetäter nicht mehr auf Reisen mitzunehmen oder ihnen keine Interviews zu geben. Vorübergehend zumindest – bis sie wieder funktionieren. Machtspiele nach Gutsherrenart.

Viele Journalisten, und das wissen wiederum die Politiker, schmerzt ein solcher Liebesentzug sehr. Gerade im Medien-Moloch Berlin, wo ganze Heerscharen von Presseleuten Schlange bei der Polit-Prominenz stehen, um ein exklusives Bonmot zu ergattern. Was Hybris, Geltungssucht und Größenwahn angeht, da kennt man sich als Journalist aus. Nicht etwa erst seit der Finanzkrise oder wegen der langjährigen empirischen Erfahrungen mit der Polit- und Wirtschaftselite, sondern durchaus auch in eigener Sache. Die sogar per Grundgesetz verbriefte Rolle, als vierte Gewalt die anderen Mächte zu kontrollieren, macht die Bedeutung von Journalisten groß. Vor allem in deren Selbsteinschätzung. Wahnsinnig groß. Und das nehmen viele wörtlich. So begründet sich fast naturgesetzlich das gerne wahrgenommene Privileg, Protagonisten des öffentlichen Lebens entweder hochschreiben oder in die Versenkung kommentieren zu können. Es gibt viele Menschen, die das erleben durften. Oder mussten. Kurt Beck gehört ganz sicher dazu. Wobei er eher in den Genuss der zweiten Variante journalistischer Fertigkeiten kam: des Totalverrisses. Mit welcher Hingabe und Ausdauer einige politische Redakteure, Kommentatoren und Leitartikler der Berliner Bundespressekonferenz den SPD-Chef aus der fernen Pfalz wahlweise als provinziell oder hinterwäldlerisch, bärtig-bräsig oder tollpatschig, charismafrei oder zumindest politisch unglücklich agierend beschrieben, das alles fiel am Ende – an Becks Ende als Parteichef – selbst in der medialen Kollegenschaft auf: Das war journalistischer Hochmut. Beck hatte in Berlin nie eine Chance.

Nein, Größenwahn ist auch für die »vierte Gewalt« beileibe kein Fremdwort. Medien seien ein »selbstreferentielles System«, sagen erfahrene Journalisten, die lieber anonym bleiben wollen, aus nicht ganz abwegiger Angst, von Kollegen als Nestbeschmutzer gebrandmarkt zu werden. Es ist eine diskrete Umschreibung für ausgeprägte Ich-Bezogenheit und Eitelkeit. Bei einschlägigen Branchenevents kann man mitunter den Eindruck gewinnen, dass dies so falsch nicht ist. Eine Medienpreis-Verleihung im Januar 2009: Die Branche ist unter sich, wichtige Vertreter aus Fernsehen und Presse sind anwesend. Und auch manche, die sich für wichtig halten. So wichtig, dass sie dies auch loswerden wollen, mit dem ganzen Gewicht ihrer Stimme.

Die Feier geht in die dritte Stunde, in mehreren Kategorien werden die Preisträger ausgezeichnet. Der Veranstalter, ein Medienmagazin, hat sich viel Mühe gemacht und namhafte Laudatoren eingeladen. Auch das Essen ist delikat. Als die Hauptfütterung vorüber ist, beginnen an den Tischen die ersten Medien-Matadoren weithin vernehmbar ihrem Kerngeschäft, der Kommunikation, nachzugehen. Sie schwadronieren über aktuelle Projekte, die harmlose Konkurrenz, die mal wieder den deutlich schlechteren Bericht geschrieben hat – und über sich selbst. Vorne wird gerade eine Journalistin geehrt, die im Irak junge Kollegen ausgebildet hat. Der Laudator, eine Instanz des deutschen Journalismus, würdigt ihre wichtige Arbeit und ihren Mut, hebt die Bedeutung der Pressefreiheit hervor. Er muss die Stimme heben, trotz Mikrofon drohen seine Worte im Saal übertönt zu werden – von lautstarken Monologen der Kollegen. In den verbalen Selbstbespiegelungen (»Wie war ich?«) geht seine Nachricht fast unter: Mehrere irakische Jungjournalisten, die von der Preisträgerin ausgebildet wurden, sind inzwischen getötet worden.

Überdimensionierte Egos, Hybris, Hochmut, Geltungssucht, Gier und Größenwahn – wie komfortabel wäre es doch, wenn all diese negativen Eigenschaften nur den bösen Finanzmanagern zuzuordnen wären. Den Ackermanns dieser Republik. Vielleicht auch noch den Zumwinkels, von Pierers oder Würths. Als Fanal dafür, wie weit es mit dieser so genanten »Elite« gekommen ist – oder wie tief sie gesunken ist. Und als beruhigender Beleg dafür, dass dies alles mit der Gesellschaft an sich nichts zu tun hat. Und noch weniger mit einem selbst. Darin steckt ein großer Irrtum. Und bewusstes Missverständnis. Die Politik, aber auch ein Großteil der Medien tun wenig bis gar nichts, diese Fehldeutung zu korrigieren. Weil sie sonst Gefahr laufen, selbst in den Spiegel blicken zu müssen.

Ehrlichkeit wird propagiert, seitdem die Krise über die Deutschen gekommen ist. Wer aber den »ehrlichen Kaufmann« fordert, muss auch die Offenheit und Courage haben, die höchst unangenehme Wahrheit auszusprechen: Das Finanzdesaster hat das Zerrbild einer gesamtgesellschaftlichen Realität ans Tageslicht befördert. Die hochproblematischen Strukturen, die hinter der Krise stehen und sie begründen, haben lange vor ihrem scheinbar so plötzlichen Ausbruch Einzug in die ganze Gesellschaft gehalten. Natürlich gab es viele, zu viele Banker, die ihre Kunden im Unklaren ließen, in welche Hochrisiko-Geschäfte oder gar Schneeballsysteme sie ihr Geld pumpen. Doch wahr ist auch: Sie nutzten nicht selten die Zocker-Mentalität, die selbst frühere Sparstrumpf-Sparer in den vergangenen Jahren ergriffen hat. Und sie konnten im Laufe der Jahre recht sicher sein, dass angebliche Renditen von mehr als zwanzig, zuweilen bis zu vierzig Prozent die Augen der Kunden glänzen ließen. Obwohl Experten sich mit ihren Warnungen, solche Margen seien unrealistisch, die Münder fusselig geredet hatten. Der Kugelschreiber war zur Zeichnung der Anlage bereits gezückt, bevor auch nur die leiseste Skepsis entstehen konnte. Nur so ist etwa erklärbar, dass das Frankfurter Unternehmen Phoenix tausenden von gutgläubigen Kunden Traumrenditen bis zu 40 Prozent vorgaukeln konnte. Bis der gigantische Anlagebetrug aufflog – und die meist kleinen Anleger in den Ruin getrieben waren. »Wir wollten das schnelle Geld machen«, gaben Betroffene danach bei der Gläubigerversammlung zu. »Wir wollten von diesem Hype auch etwas abbekommen – für unsere Kinder.«

Gier der Großen kann ansteckend sein. Größenwahn auch. Das Börsen-Wunder in den 90er Jahren, an allen Medienfronten gefeiert, hat ein ganzes Land langfristig infiziert. Die Börsenreporter im Fernsehen wurden populärer als manche Moderatoren. Und die aspiringestärkten Parketttänzer in Frankfurt, London oder an der Wall Street zu Stars. Kleinbanken oder die gute alte Sparkasse schrumpften in der breiten Wahrnehmung zu Tante-Emma-Läden. Sie waren für viele Anleger nicht mehr »zeitgemäß« genug. Weil sie nur lächerlich kleine Zinserträge versprachen. Es musste das große Rad sein, wie es die Macher drehten, die aus dem Fernsehen, mit ihrem unerschütterlichen Selbstbewusstsein und dem unwiderstehlichen Frechdax-Lächeln. Wenn ein scheinbarer Winnertyp wie Daimler-Chef Jürgen E. Schrempp mal wieder vom Shareholder Value predigte, mit mahlenden Zähnen und hartem Erfolgsblick, schrieb die Wirtschaftspresse keine Berichte, sondern enthusiastische Rezensionen. Die Blase wuchs und wuchs und wuchs. Bis sie mit lautem Knall platzte. Und Schrempp Frühpensionär war.

Wahr ist auch: Im Arbeitsalltag läuft oft längst nicht mehr nur ein Wettbewerb darum, wer der Beste ist. Konkurrenz gehört zum Kapitalismus, keine Frage. Und ein Streit um beste Strategien und Lösungen zu einer sozialen Marktwirtschaft. Und zu einer intakten Demokratie. Doch fast jeder Bürger, ob Arbeitnehmer oder Arbeitgeber, hat schon einmal die Erfahrung gemacht: Es sind schon lange nicht immer nur die Besten, die sich durchsetzen – sondern diejenigen, die ihr Hyper-Ego, ihre spitzen Ellenbogen und mitunter so manchen schmutzigen

Trick erfolgreich eingesetzt haben. Skrupellose Überholer. Im doppelten Sinne des Wortes. Sind es etwa ausschließlich größenwahnsinnige Finanzmanager, die auf Autobahnen – wie am Arbeitsplatz – vorbeidrängeln, die Fahrspuren oder Positionen schneller wechseln als ihr Hemd, wenn es gilt, ihre Konkurrenten hinter sich zu lassen? Und die hämisch den Mittelfinger strecken, wenn sich die »Loser« über solch rüde Methoden beschweren?

So viel Hyper-Egoisierung und Größenwahn diffundiert in einer Gesellschaft. Vor allem, wenn weithin der Eindruck entsteht, dass darin der Weg zum beruflichen und privaten Erfolg liegt. Und nur darin. Dafür gibt es groteske, aber reale Beispiele, häufig unbemerkt von der Öffentlichkeit. Hunderttausende von Menschen haben sich in Deutschland inzwischen Gruppierungen angeschlossen, die versprechen, in kurzer Zeit vollkommen und sogar »göttlich« werden zu können, Schöpfer des eigenen Seins. Es sind neue Psychosekten, die in den vergangenen Jahren wie Unkraut aus dem Boden gewuchert sind. Manager, Angestellte, Beamte, Lehrer und sogar Kommunalpolitiker gehen, wie Sektenexperten berichten, den selbsternannten Gurus auf den Leim. Sie zahlen tausende von Euro für Kurse, die ihnen allen Ernstes die Erlangung eigener Göttlichkeit bringen sollen, anwendbar im Büro wie auch zu Hause. Drunter geht's offenbar nicht. Wenn's damit schon in sieben Tagen klappen soll, müssen sie drauflegen. Instant-Göttlichkeit. Als ein solcher Abzock-Fall aufflog und vor Gericht verhandelt wurde, trauten Beobachter des Prozesses ihren Ohren nicht: Ein namhafter Sportfunktionär hatte sich von seinem Guru – einem durchgeknallten Psychotherapeuten, den er buchstäblich anbetete – die Aufstellung der Nationalmannschaft diktieren lassen.

Das Lachen bleibt einem da im Halse stecken. Wie auch bei jenen Fernsehszenen, die sich regelmäßig dann abspielen, wenn Millionen von jungen Menschen suggeriert wird, sie könnten als ganz normale Nobodys Deutschlands Superstars werden. In den ersten Casting-Runden der quotenträchtigen Bohlen-Show hält die Kamera besonders gerne und lange auf jene Probanden, die völlig talentfrei sind, was das Singen angeht. Die aber meinen, das heiß ersehnte Ziel ganz sicher erreichen zu können: endlich jemand sein, mit 16 oder 17, ein Star, mit viel Geld und Anerkennung, der gefeiert wird, ganz oben steht – und nicht in der letzten Bank der Berufsschule sitzt oder beim Discounter die Regale auffüllt. Der Wahn, größer sein zu wollen als man ist, wichtiger und bedeutender, schreit aus den Gesichtern, vor allem dann, wenn sie sich nach dem verbalen Knockout des »Pop-Titanen« zu heulenden Masken verzerren. Und die Eltern völlig aufgelöst und wütend mitweinen.

Die RTL-Show wird zum »Unterschichten-Fernsehen« gezählt. Diesen vom konservativen Historiker Paul Nolte kreierten Begriff kann man so verstehen, dass derartige Bildschirm-Events strikt und fein säuberlich von der Kultur der höheren gesellschaftlichen Schichten zu trennen seien. Eigentlich fast schon ein Zynismus. Denn die kulturellen Bezüge dieser – schauderhaften – Szenen zum Selbstverständnis der Mittel- und Oberschicht könnten enger und unmittelbarer nicht sein. In ihnen spiegelt sich derselbe fast manische Drang, als mehr erscheinen zu wollen als man ist. Und derselbe Etikettenschwindel, dieselbe Selbstlüge und Hybris. Nur offener, unverblümter und hilfloser, nicht so diskret kaschiert wie vielleicht in den höheren Schichten.

Zuweilen bricht das System Größenwahn aber auch in der »besseren« Gesellschaft auf, in einer Deutlichkeit, die einen fassungslos macht. Schulen sind solch ein Terrain. Und Elternhäuser. Es passierte an einer Grundschule im Schwäbischen, auf dem Land, wo das soziale Leben noch weitgehend als intakt gilt. Vordergründig betrachtet. In der vierten Klasse standen die Empfehlungen für die weiterbildenden Schulen an. Ein Thema, das überall in Deutschland viele Eltern enerviert. Immerhin geht es um die künftige Karriere der Sprösslinge. Die zehnjährige Miriam kam heulend nach Hause. »Lea hat gesagt, dass sie von jetzt an nicht mehr mit mir spielen darf«, weinte sie. Lea war bis dahin ihre beste Freundin gewesen. Ihr Vater ist Ingenieur, die Mutter halbtags als Sekretärin tätig. Miriams Mutter war verblüfft und fragte ihre Tochter, ob Lea denn einen Grund dafür genannt habe. »Ja«, sagte Miriam schluchzend, »weil sie bald aufs Gymnasium gehen wird – und ich nur auf die Hauptschule.«

Ein Fall von sozialer Hybris. Aber beileibe kein Einzelfall. Elitarisierung des Bildungsdenkens im Mittelstand nennt man so etwas in neutraler Umschreibung. Im Klartext: Mittelstands-Familien tun immer mehr dafür, dass ihre Kinder die bestmögliche Ausbildung erfahren. Sie suchen etwa Schulen mit möglichst geringem Anteil an Migrantenkindern. Wenn's der Geldbeutel zulässt, sind auch Internate immer mehr ein Thema. Oder gleich Eliteschulen. Das Bestreben, seinen Kindern einen möglichst optimalen schulischen Weg zu ermöglichen, ist an sich etwas Positives. Wenn es nicht zu einer Diskreditierung von Kindern und Eltern führt, die auf diesem Weg nach oben als nutzlos oder sogar störend erscheinen.

Wie gebannt starren viele Eltern von Viertklässlern beispielsweise in Baden-Württemberg auf die Marke 2,5. Bei diesem Notendurchschnitt liegt die Richtwert-Grenze, ab der eine Empfehlung fürs Gymnasium eigentlich nicht mehr ausgesprochen wird. Eigentlich. Ausnahmen bestätigen die Regel. Es sind Ausnahmen, die oft in bemerkenswerter Weise zustande kommen. Ein Besuch der Eltern beim Rektor, die Mutter ist engagierte Elternvertreterin und der Vater ein hohes Tier in einem Unternehmen. Und siehe da, tags darauf verkündet der Sprössling voller Stolz seinen Klassenkameraden: »Ich muss nicht auf die Realschule, ich gehe aufs Gymnasium!« Man könnte es so sagen: So weit weg von der gesellschaftlichen Realität ist Josef Ackermann mit seiner 25-Prozent-Programmatik dann doch nicht.

»Viele Kinder haben heutzutage ein derart übersteigertes Ego, dass sie sich in den Klassenverband nicht einfügen können. Sie müssen immer die tollsten Hechte sein, produzieren sich vor der Klasse, sind laut und lachen nur über uns.« Lehrer beklagen dies – sie unterrichten an Gymnasien. Ihre Namen wollen sie nicht veröffentlicht sehen. Obwohl sie vieles zu erzählen hätten, etwa über ihren tiefen Frust, vor so großer Egomanie immer öfter kapitulieren zu müssen. Doch sie haben Angst, dass ihnen in diesem Fall wieder das passiert, was sie in den vergangenen Jahren immer öfter erleben: dass Eltern sie verklagen, wenn sie ihnen die Wahrheit über den Filius oder die Tochter sagen. Etwa, dass der Zehntklässler sich geweigert hat, auf Bitte des Lehrers die Tafel zu putzen. Wozu er an diesem Tag eingetragen war. »Das mache ich nicht, das ist nicht mein Niveau – das ist Ihre Sache«, habe er gesagt und dabei einen eher verächtlichen Ton in der Stimme gehabt. Als der Lehrer ihn rügte, drohte er mit seinem Vater. Und dessen Anwalt. Es war keine leere Drohung.

Wer seit Jahren durch diese Republik reist und in die verschiedensten gesellschaftlichen Bereiche und Realitäten blickt, stößt immer wieder auf dasselbe: Bürger schimpfen über die

Arroganz »da oben«, über abgehobene Politiker, denen die wirklichen Belange des Volkes doch völlig egal seien, solange keine Wahl anstehe, und die einem eh nur in die Tasche langen würden. Arbeitnehmer regen sich über Firmenchefs auf, die nur in ihren Chefetagen dirigierten, sich nie herabließen, die Belegschaft ernst zu nehmen, und sich mit einer dicken Abfindung auf einen neuen Chefposten verabschiedeten, wenn sie das Unternehmen gegen die Wand gefahren hätten. Soziale Kälte wird beklagt, das Zerbrechen von Gemeinschaft, Isolierung, Egoismus. Und immer wieder das Gefühl formuliert, dass die Menschen aneinander vorbei leben, »weil jeder sich für den Größten und Besten hält und den anderen nicht hochkommen lässt«. Nachbarschaftsstreit hat in Gerichtssälen Hochkonjunktur. Scheidungen auch. Eltern strömen in Scharen zu Vorträgen darüber, wie man den »kleinen Tyrannen« zu Hause Herr werden kann. Pädagogen und Psychologen sind alarmiert über mangelnde soziale Kompetenz und Empathie bei immer mehr Kindern und Jugendlichen.

So viele Krisenzeichen. Es sind, zumindest größtenteils, Symptome einer Größenwahn-Gesellschaft. Sie waren in diesem Land schon spürbar und mit Händen zu greifen, bevor gierige und hochmütige Geldmanager in die Schlagzeilen und an den Pranger gerieten. Die Finanzkrise hat die Gefährlichkeit und fatalen Folgen einer Hyper-Hybris drastisch ins öffentliche Bewusstsein gerückt. Doch das Problem sitzt tiefer – und (be-)trifft alle: Diese Gesellschaft ist in vielen Bereichen an chronischem Hochmut erkrankt. Er ist das eigentliche und fundamentale Problem, das die weit verbreitete Krisenstimmung und auch die real existierenden Krisen in diesem Land maßgeblich begründet. Umkehr, Wertewandel, Neubesinnung, die Chance in der Krise. Sie klingen gut und schön, all diese

Schlagwörter, die seit dem Crash-Herbst 2008 die Runde machten. Doch bestimmende Teile der Größenwahn-Gesellschaft wischten sie rasch vom grünen Tisch, als es langsam wieder bergauf ging – fast so schnell, wie Banker schon wieder nach Boni riefen und Finanzjongleure wieder Casino zu spielen begannen.

Demut kommt nach dem Fall? Da lachen ja die Taschenspieler. Und all die anderen Gesellschafter der Deutschen Größenwahn AG.

Wer sich nicht fügt, fliegt

Wehe, eine Frau im Management hält sich nicht an die Spielregeln der Bosse. Ein Lehrstück

Susanne Stiefel

Die Novembersonne wirft ein bleiernes Licht in den Verhandlungssaal des Stuttgarter Landesarbeitsgerichts. Der Richter ist fassungslos. »Wir haben keinen Schimmer, was das heißen soll«, poltert der Mann in der schwarzen Robe und zitiert die Gründe für die Freistellung der großen gepflegten Frau, die hier gegen ihre Entlassung klagt: »Der Vorstand wurde schlecht gemacht – was soll denn damit gemeint sein?« Die Firmenanwältin zur Linken des Richters redet schnell und viel, als ginge es um ihr Leben, von Nörgelei ist die Rede, von Nicht-Mitziehen, von hintenrum schlecht reden. Der forsche Ton täuscht nicht darüber hinweg, dass die Unternehmensvertreterin wenig arbeitsrechtlich Relevantes zu bieten hat. Der Anwalt der Entlassenen lächelt süffisant, die Frau, um die es geht, sitzt mit unbeweglichem Gesicht daneben.

Die Sonne in ihrem Rücken hat sich inzwischen ermattet hinter Schleierwolken zurückgezogen. Hintenrum schlecht reden, das ist es also, was bleibt, wenn eine nicht mit allem einverstanden ist, was ein neues Management an Tricks aus dem Hut zaubert. Wenn eine Personalchefin von einer Geschäftsführung Verantwortung einfordert. Wenn eine Frau, die 25 Jahre in leitender Position gearbeitet hat, den Mund aufmacht und es wagt, den Vorstands-Herren zu widersprechen. Nicht alles, was neu und schick und bei den großen Konzernen abgeguckt ist, passt. Schon gar nicht, wenn es um einen bodenständigen schwäbischen Mittelständler geht. Hintenrum schlecht reden also. Wer sich nicht fügt, fliegt.

Anne Reiber (Name geändert) ist keine Rechthaberin. Und schon gar keine Querulantin. Die Mittfünfzigerin ist eine äußerst korrekte, klare Person, der Selbstdarstellung fremd und Verantwortung vertraut ist. Hintenrum schlecht reden käme ihr nie in den Sinn, und das will sie auch nicht auf sich sitzen lassen. Sie ist es gewohnt, für ihre Meinung einzustehen. Das hat sie von ihren Eltern gelernt, das hat sie in ihrem Arbeitsleben so gehalten, das fordert sie auch von anderen. Selbst dem Betrieb gegenüber, dessen neues Management sie rausgeschmissen hat, fühlt sie sich heute noch zur Loyalität verpflichtet. Wenn sie ihren wirklichen Namen und den der Firma nicht nennen will, so geschieht dies genau aus diesem Grund: Dass sie dem langjährigen Arbeitgeber und den Menschen, die dort beschäftigt sind, nicht schaden will. Und aus demselben Verantwortungsgefühl heraus redet sie. Sie weiß, dass dies nicht nur ihre persönliche Geschichte ist. Es ist eine Geschichte, die überall dort passieren kann, wo ein Mittelständler bei den Global Players mitspielen will. Eine Geschichte, die jede Frau treffen kann, die männliche Spielregeln nicht unhinterfragt übernimmt. Mobbing ist nicht nur ein Modewort. Anne Reiber hat es erlebt. »Sie wollten mich nicht mehr haben«, sagt sie, »ich war zu unbequem«. 2007 war ein hartes Jahr für Anne Reiber.

Sie war 24 Jahre alt, als sie bei dem schwäbischen Metallunternehmen anfing. Geisteswissenschaften hatte sie studiert, und eher zufällig ist sie in der Metallindustrie gelandet, weil man dort interessiert war an der Quereinsteigerin. Es ist eine Männerwelt, in der Maschinen für Männer hergestellt wurden. »Das Mädle« durchläuft Vertrieb, Verwaltung und Produktion, wird großherzig aufgenommen und als Neuling in die Firmenphilosophie eingeführt. Da fahren die Azubis schon mal mit einem Ausbilder zum Zweigwerk aufs Land, reden mit den Leuten im Betrieb, sehen, wie und was die Kollegen dort arbeiten, alles wird geduldig und bereitwillig vor Ort erklärt. Und danach geht's in den Landgasthof zum ausgiebigen Mittagessen. Das hat die Corporate Identity gestärkt, wie man das Jahre später nennt, als die Azubis längst in Einführungsseminaren, sozialpädagogischen Wochen und künstlichen Trainingssituationen lernen müssen, wie ihr Betrieb tickt. Sie gehen raus in soziale Einrichtungen, und zurück im Betrieb präsentieren sie, was sie draußen gelernt haben. Als Anne Reiber anfängt, geht man in der Firma selbst noch sozial miteinander um. Damals arbeiteten hier noch mehr als 2 000 Menschen, hauptsächlich Männer. Dennoch wusste man von jedem, wie es der Familie geht, und wenn einer länger krank ist, schickt der Chef Blumen und Genesungswünsche. Es ist ein waschechter Mittelständler, ein Familienbetrieb mit der typischen Mittelstandsphilosophie. Man war unter den Kleinen ein Großer, der Firmenerfolg lag den Chefs am Herzen und das Wohl der Mitarbeiter auch.

Anne Reiber versinkt nicht in Nostalgie, sie ist keine, die das Alte schönredet und das Neue schlecht. Sie hat noch einmal angefangen zu studieren. Ein neues Leben. Draußen vor ihrem kleinen Reihenhaus hat der Schnee an einem Wintertag weiße Hauben auf das Vogelhäuschen und die Sträucher gesetzt, drinnen sitzt die freigestellte Personalchefin und analysiert mit scharfem Verstand den Werteverlust eines Mittelständlers, wie sie ihn hautnah erlebt hat. Das Arbeitsgericht hat die Kündigung abgewiesen, die Anwälte einigen sich auf eine Abfindung, sie will nicht mehr zurück in diesen Betrieb. Seit einigen Monaten ist sie Studentin, nun beschäftigt sie sich wissenschaftlich damit, was jahrzehntelang ihre Berufspraxis war: mit Personalmanagement. Das alte Leben schimmert auch im neuen auf. Man sieht ihr die Anstrengung der vergangenen Monate an. Dünn ist sie geworden, die schon immer schlank war, die sorgfältig gezupften Augenbrauen ziehen sich oft zu einem nachdenklichen Stirnrunzeln nach oben. Es macht einsam, wenn die Kassandrarufe ungehört verhallen. Es zehrt, wenn erst versteckt, dann ganz offen gemobbt wird.

Anne Reiber weiß, dass ihr Betrieb damals voll im Saft stand, als sie jung war und Globalisierung noch kein Wort. Die Zeiten sind härter geworden. Sie kennt durchaus Situationen, in denen die Herren dem »Mädle« im Betrieb gönnerhaft und von oben herab begegnet waren, nicht alles war schön. Doch als junge Auszubildende lernt sie die Werte einer Firmenphilosophie schätzen, die auch ihrer Weltsicht entsprechen: Verantwortung. Ehrlichkeit. Verlässlichkeit. Menschlichkeit. Anne Reiber hat keine sozialistischen Ambitionen, sie ist auch kein Gutmensch oder gar eine Umstürzlerin. Sie ist eine pragmatische, vernünftige Frau, die in ihrem beruflichen Leben mit ihrem eigenen Erfolg auch gelernt hat, dass genau diese Werte nicht nur den Mitarbeitern gut tun, sondern auch für den wirtschaftlichen Erfolg eines Unternehmens sorgen. Firmenidentität nannte man das früher, was heute Corporate Identity heißt.

Fünf Geschäftsführer hat sie in ihrer beruflichen Laufbahn erlebt, manchen erduldet, den letzten bekämpft. Sie ist in dieser Zeit vom Neuling zur Personalchefin aufgestiegen, eine Frauenkarriere in einem Männerbereich. Als sie einsteigt, ist das keineswegs ausgemacht, obwohl ihr Abschluss perfekt ist. Sie hat ein BWL-Studium als Beste ihres Jahrgangs abgeschlossen. Und obwohl kein passender Job für sie da ist und keiner so recht weiß, wohin mit der Jahrgangsbesten, wird die Vorzeigefrau eingestellt. Sie landet in der Personalstelle, die ein alter Haudegen gemeinsam mit seiner Sekretärin organisiert. Die verwaltet die Ausbildung, einen Bereich, den sie mit Zähnen und Klauen verteidigt gegen die Neue. Der Chef kümmert sich um die Buchhaltung. Als die junge ehrgeizige Frau sich langweilt, darf sie Organigramme malen. Um Datenschutz schert sich zu dieser Zeit keiner, und so studiert Anne Reiber neugierig die Personalakten und lernt dabei viel über ihren Arbeitgeber, die Mitarbeiter, den Familienbetrieb. Beharrlich hat sie sich ihren Platz erkämpft, oft gegen den Widerstand des alten Personalleiters, der nicht so recht wusste, was er mit dieser klugen und ernsthaften jungen Frau anfangen soll. Sie raufen sich zusammen im Laufe der Jahre, später teilen sie sich die Stelle. Und als der alte Mann sich in den Vorruhestand verabschiedet, steht sie allein an der Spitze. Zuletzt ist Anne Reiber Chefin von einem Dutzend Mitarbeitern. Sie verwaltet die Personalangelegenheiten der inzwischen geschrumpften Belegschaft. Kümmert sich um die Mitarbeiterzeitung. Organisiert die Ausbildung. Und dann kommt mit ihrem fünften Geschäftsführer ein neues Management. Und alles wird anders. Ein frischer Wind sollte es werden, das wünschten sich die drei Eigentümer-Familien. Es wird ein Orkan.

Anne Reiber hat ihre Erinnerungen daran aufgeschrieben, als ob sie ihre zunehmende Entfremdung damit fassbarer machen könnte. Emotionslos, fast buchhalterisch hat sie festgehalten, was ihr tagsüber Magenschmerzen bereitete und sie nachts schlecht schlafen ließ. Zunächst staunt sie noch über die Taschenspielertricks, mit denen der neue Manager die Firmenkultur umkrempelt und die er zelebriert, als wären es Offenbarungen. Die bunten PowerPoint-Präsentationen, die Probleme hübsch aufbereiten, aber keine Lösungen aufzeigen. Das Heer an schicken Assistenten, mit dem die drei Vorstände ihren persönlichen Stab aufstocken und damit ihre Wichtigkeit dokumentieren, dieser Hofstaat, ohne den sie bedeutungslos sind. Die Vorstandssitzungen, zu denen die Personalchefin manches Mal gebeten wird und über deren Ineffizienz die pragmatische Arbeiterin zunächst staunt, dann wütend wird. Probleme gibt es zu dieser Zeit schließlich nicht zu knapp, das Geschäft mit den Maschinen läuft schlecht, es soll gespart werden, Entlassungen stehen an. Und in den Vorstandssitzungen hört sie nur Worthülsen, anglistisch auf modern getrimmt. »Das ist ein nice to have, aber kein must.« Anne Reiber ist keine geduldige Frau.

Sie will keine Wortgirlanden, sie will anpacken und erwartet dazu Ideen, Lösungen von der Geschäftsführung, das ist schließlich deren Job. Doch sie stellt fest, dass Probleme entweder an Berater ausgelagert oder so lange in unverbindlichem Management-Slang zerredet werden, bis keiner mehr weiß, worum es eigentlich geht. Sie hasst diese Sitzungen, die sie nur den »Beweihräucherungskreis« nennt, in denen jeder der Männer zeigen will, dass er der Größte ist. Die anstehenden Probleme werden nur gestreift, danach verkündet der Vorstand einmütig, man sei sich ja einig. Verantwortung und Ehrlichkeit sehen für Anne Reiber anders aus. Bedrohlich sinkende Absatzzahlen und hunderte drohender Kündigungen sind für die Personalchefin keine Plattform, auf der man Selbstdarstellungs-Pirouetten dreht. »Ich dachte, ich bin bei Aliens gelandet«, erzählt Anne Reiber, »die sprechen eine Geheimsprache.« – »Dazu fehlt Ihnen einfach der Horizont«, schießen die neuen Herren zurück, gekränkt, dass es jemand wagt, ihr Mantra des modernen Managements in Frage zu stellen, dass da eine ist, die nicht mitspielen will. Bald hatte Anne Reiber nichts mehr zu lachen. Sie gilt als altmodisch, humorlos, unlocker, wird bedacht mit all den Attributen, die gegenüber Kritikern und Mahnern gerne verwendet werden und die nicht nur auf die Sache, sondern auf die Person zielen. Mit ihren beharrlichen Fragen, ihrer Suche nach dem Sinn von Entscheidungen wird sie den Herren zunehmend lästig. Sie nennt es Rückgrat. Die neuen Herren nennen sie undiplomatisch. Und das sind noch die harmloseren Injurien. Sie wird geschnitten, übergangen, öffentlich gerügt. Sie fragt sich, warum ticken die so? Ist es Bösartigkeit oder Unvermögen? Warum ich? Nur weil ich den Mund aufmache? Die Fragen wuchern in ihrem Kopf, breiten sich aus, nagen an ihrem Selbstwertgefühl. Sehen die anderen denn nicht, dass hier was ganz entschieden schief läuft? Warum unterstützt mich keiner?

In jeder Personalabteilung spiegelt sich die Unternehmenskultur. Die Personalchefin Anne Reiber sieht, wie eine gewachsene Firmenkultur den Bach runtergeht. Da ist der Geschäftsführer, der sich wenig um Kommunikation schert und der Kritikern bescheidet: »Wer meine Sprache nicht kapiert, braucht nicht zu verstehen. Es reicht, wenn er ordentlich arbeitet.« Was hier als Business-Sprache daherkommt, ist für sie nur Arroganz und bewusste Verschleierung. Da ist der zweite Vorstand, der nur noch Einzelbereiche sieht und kein gemeinsames Ziel mehr vor Augen hat: »Der Vertrieb soll verkaufen, das ist mir egal, mit welcher Kultur er das macht.

Wenn man outsourct, gibt es schließlich auch keine gemeinsame Firmenkultur.« Da ist der dritte Vorstand, der sich nicht an Abmachungen hält und ihr leger erklärt: »Ich habe unser besprochenes Paket nach Rücksprache mit den Kollegen etwas modifiziert.« Sie wehrt sich, pocht auf Verlässlichkeit von Absprachen, Durchschaubarkeit von Entscheidungen, auf Menschlichkeit im Umgang. Und macht sich immer unbeliebter.

Anne Reiber ist eine scharfe Beobachterin. Unter ihren Augen wird sich mancher Chef wie in des Kaisers neuen Kleidern gefühlt haben. Sie ist diejenige, die ruft: »Sie sind ja nackt.« Wenn ihr schonungsloser Blick die Einrichtung der Arbeitszimmer ihrer Chefs scannt und entlarvt, wähnt man sich versetzt in Martin Suters bissige Glossen aus der Welt des Managements. »Das erste, was man bei der Wahl der Büroeinrichtung falsch machen kann, ist, sie nicht wichtig zu nehmen, das zweite, sich dabei erwischen zu lassen, dass man sie wichtig nimmt«, spottet der Ex-Manager und Buchautor in seinem Buch »Business Class« und beweist einmal mehr die These, dass die Kritiker der Elche früher selber welche waren. Der eine Vorstand, erzählt Anne Reiber lächelnd, hat immer im Dunkeln gesessen, nur beleuchtet von einem Spot am Arbeitsplatz. Er machte erst Licht, wenn er ging. So kann man auch unermüdlichen Einsatz für die Firma demonstrieren. Vielleicht liegt er tot im Zimmer, hat sie anfangs noch mit anderen gespöttelt und damit auf eine Glosse Martin Suters angespielt, in der ein toter Manager in seinem Büro nur gefunden wird, weil das Licht nicht ausgemacht wird.

Der andere Vorstand hat die Büro-Einrichtung seines Vorgängers übernommen und versucht, sich durch Urkunden und Iso-Zertifizierungen an den Wänden Bedeutung zu verleihen. Einer, der das Spiel selbst nicht richtig beherrscht. Und der Geschäftsführer macht, was alle Alphatiere machen. Er lässt radikal renovieren, vom Boden bis zur Decke, ordert gediegene Businessmöbel, hängt teure, moderne Kunst an die Wände und stellt ein großes Foto von Frau und Kind auf den Schreibtisch. Sein Büro ist natürlich das größte, und seine individuelle Note und Weltläufigkeit demonstriert er durch eine Espresso-Maschine, mit deren Hilfe er seinen Gästen auf schickem Geschirr selbst gebrauten Kaffee anbietet. Anfangs bekommt Anne Reiber manchen Espresso serviert.

Fredmund Malik kennt die Management-Generation, die Business Administration studiert hat und darauf brennt, alles umzukrempeln, auszumisten, anders zu machen: das Arbeitszimmer, den Führungsstil, die Firmenphilosophie. Seit mehr als 30 Jahren berät der 66-Jährige Unternehmen, er gehört zu den renommiertesten der Branche in Europa. Viele Mittelständler suchen den Rat dieses Mannes, der ein scharfer Kritiker gängiger Wirtschaftspolitik ist, die da heißt: Menschen entlassen, Kosten sparen, Gewerkschaften klein halten. Sie fühlen sich bei dem Titularprofessor der Universität St. Gallen, der seit 1984 ein eigenes Institut betreibt, gut aufgehoben. Schließlich singt dieser Mann schon fast gebetsmühlenhaft das Hohelied des Mittelstandes als Rückgrat der deutschen Wirtschaft und wettert seit mehr als 20 Jahren gegen die Fixierung auf den Shareholder Value, der bis zur Finanzmarktkrise geradezu als heilige Kuh galt. Ein florierendes Unternehmen, so sein Credo, braucht langfristige Planung und kein kurzfristiges Schielen auf den Börsenkurs. Braucht angstfreie Mitarbeiter, die nicht jeden Tag mit Kündigung rechnen müssen und die wissen, was in ihrem Betrieb passiert. Und zufriedene Kunden, deren Wünsche berücksichtigt werden. Der Erfolg eines komplexen Gebildes, das ein Unternehmen nun mal ist, lässt sich nicht in Quartalsabschnitten messen. Erfolg braucht Zeit. Die Neoliberalen nennen ihn altmodisch.

Fredmund Malik sitzt in seinem Büro, das graue Wellenhaar mit Schwung nach hinten frisiert, und lächelt leise. Er hat schon viele Etiketten angeklebt bekommen, Schönfärber etwa, wenn er allen Unkenrufen zum Trotz der deutschen Wirtschaft bescheinigt hat, dass sie stolz auf ihre Leistung sein könne. Altmodisch oder Schönfärber – ihn stören solche Labels nicht. »Ich kritisiere dort, wo ich glaube, die besseren Lösungen zu haben«, sagt der gebürtige Österreicher. Das Ego darf nicht klein sein, wenn man gegen den Strom schwimmt. Manche nennen den schlanken Mann auch einen kleinen Napoleon. Der kontert ungeniert: »Der liebe Gott hat mir eben für gewisse Dinge einen Blick gegeben.« Fredmund Malik kann mit diesem Blick geübt Zahlen aufdröseln, weil er täglich mit Führungskräften zu tun hat. Dabei ist dieser Mann nicht der gute Mensch von St. Gallen. Malik ist kein Gewerkschafter, die Mitbestimmung würde er sofort ändern. Doch er ist überzeugt davon, dass Arbeiter eine Interessensvertretung brauchen, »sonst wachsen den Unternehmen die Bäume in den Himmel«. Als überzeugter Ordoliberaler kritisiert er jedoch auch ein Denken, das sich nur an Gewinnen orientiert. Und so schilt er unfähige Manager ebenso wie ihre linken Kritiker, ein unabhängiger Kopf, der sich das Denken nicht verbieten lässt.

Seine Hoffnung liegt beim Mittelstand, bei »unternehmerisch geführten Unternehmen«, wie er sie nennt. Meist sind das Familienunternehmen, die oft schon von der dritten Generation geleitet werden und deren besondere Stärke in der Identität von Person und Firma liegt. Ein Geschäftsführer dieses Schlags lässt seine Firma und seine Mitarbeiter auch in schwierigen Zeiten nicht im Stich. Es gebe bei diesen Chefs eine hohe Verantwortungsbereitschaft, die sich nicht nur in einem Gefühl erschöpfe, so Malik: »Der Mittelständler haftet in der Regel nicht nur für die Sorgfaltspflicht der Führung, sondern auch für den unternehmerischen Erfolg. Und das ist mehr als die Verantwortung in einem allgemein philosophischen Sinne, wie sie auch in Großunternehmen betont wird.« Wer für den Erfolg haftet, engagiert sich für die ökonomische Idee. Dessen stärkste Motivation ist nicht das Geld, sondern die Überzeugung, dass er von seinem Geschäft am meisten versteht. »Der zufriedene Kunde ist der Leitstern des Mittelständlers«, charakterisiert Malik das Erfolgsrezept. Da spricht einer aus langjähriger Beratungstätigkeit. Und so nebenbei ist Fredmund Malik der Schwiegersohn von Alexander Grupp, einem Fabrikanten im schwäbischen Donzdorf und Onkel von Trigema-Grupp in Burladingen. Das ist sicher nicht hinderlich.

Fredmund Malik weiß aber auch um die Verführbarkeit von Mittelständlern durch die Management-Strategien der Großkonzerne, die so modern, dynamisch und weltmännisch-global daher kommen. Beeindrucken lässt er sich nicht davon. »Diese bis zum Infantilismus gehende Nachahmungswelle amerikanischer Managementgepflogenheiten ist Blödsinn«, sagt der Mann, der deutliche Worte liebt. Er weiß, dass sein Ruf als Management-Papst, Querdenker und Paradiesvogel immer wieder Führungskräfte in seine Seminare lockt. Er pflegt diesen Ruf mit klaren Positionen, die sich nicht um den Mainstream scheren. Auch Anne Reiber hat schon Seminare des Schweizer Professors besucht. Manchmal hat sie gewünscht, auch die neuen Herren hätten sich dort mal umgehört. »Ein guter Manager braucht eine Strategie und eine solide Unternehmenskultur genauso dringend wie ein Formel-Eins-Fahrer die beste Boxenmannschaft, sonst kann er nicht gewinnen.« – Solche Malik-Sätze möchte sie den neuen Herren am liebsten ins Poesiealbum schreiben. Nachträglich. Von heute aus betrachtet.

Eigentlich könnte sich Anne Reiber freuen. Oder zumindest schadenfroh die Hände reiben. Seit der Wirtschaftskrise 2008, verursacht durch die Casinomentalität auf den Finanzmärkten, werden wieder Werte wie Ehrlichkeit und Verantwortung beschworen. Das Abweichen vom Pfad der Tugend gilt als eine Ursache des Zusammenbruchs, Solidarität ist kein Wort aus der Mottenkiste mehr. Es ist genau dies, was sie vom Management immer eingefordert hat. Genau dies, wofür sie gekämpft hat. Doch Anne Reiber ist eine skeptische Frau. Sie kann nicht glauben, dass nun die Zeit der Reue angebrochen ist, trotz demonstrativer Demutsgesten aus Politik, Wirtschaft und Finanzwelt. Sie sieht doch, dass das Casino längst wieder eröffnet ist. Anne Reiber hält die Rückbesinnung auf Verantwortung, Ehrlichkeit und Mäßigung, gar Demut, für nicht mehr als Pop-up-Fenster in einem abgekarteten Wirtschaftsspiel, für nützliche Werbung in schwierigen Zeiten, die so bald wie möglich weggedrückt wird, weil sie stört.

Die Krise ist männlich? Mit mehr Frauen in Führungspositionen wäre das nicht passiert? Anne Reiber lächelt über diese Fragen, die mit dem Zusammenbruch der Finanzmärkte ebenso hochgespült wurden wie alte Tugenden. Vielleicht stimmt das. Vielleicht wäre manches anders gekommen. Was wäre gewesen, wenn: Sie hält diese Gedankenspiele für müßig. Die Realität sieht anders aus: Noch immer sind Frauen in Führungspositionen in Deutschland so selten sind wie Starengezwitscher im Dezember, noch immer holen sie sich eine blutige Nase, wenn sie die gläserne Decke zum Topmanagement durchstoßen wollen. Mittleres Management – mehr ist im Moment kaum drin. Auch Anne Reiber hat bei ihrem neuen Chef bald keinen Espresso mehr aus der schicken italienischen Maschine bekommen. Weil sie widerspricht. Aber auch, weil sie nicht in sein Beuteschema passt, das ein begrenzt originelles ist: blondes, langes Haar, eine angemessene Größe, weil der Chef von eher kleinem Wuchs ist, ein angemessen geschmeidiges Verhalten. »Ich war immer die lange dürre Latte«, sagt die Frau mit dem praktischen Kurzhaarschnitt, die den Vorstand um einen Kopf überragt. Es hilft wenig, dass sie wie Carla Bruni flache Schuhe trägt. Sie ist und bleibt eine Außenseiterin, eine Spielverderberin.

Und was ist mit dem sattsam zitierten Spruch: Krise als Chance? Gerade jetzt, gerade für Frauen nach dem Merkel'schen Erfolgsrezept: In einer Krisensituation handeln und dann unaufhaltsam aufsteigen? Nach dem Spruch von Barbara Streisand: »In vermintem Gebiet sind alle Männer Gentlemen nach dem Motto: Ladies first.« Marion Knaths lacht. Der Hamburger Unternehmensberaterin gefällt dieses Bonmot, aber ihre Erfahrung der letzten Monate spricht dagegen. »Ich hatte einige Frauen hier beim Coaching sitzen, die wurden gefeuert, weil das Management in der Krise verschlankt wurde, und da hat man auf die einzige Frau in der Runde verzichtet«, sagt die Chefin von Sheboss. In die Krise setzt die 42-Jährige nur wenig Hoffnung. Sie ist der Überzeugung: Wer in der Wirtschaft die männlichen Spielregeln nicht kennt oder nicht mitspielen will, ist ganz schnell draußen. Aus diesem Wissen hat Marion Knaths ein Buch und ihre eigene Firma Sheboss gemacht, denn sie kennt Spiele mit der

Macht bestens. Nach dem Studium an der Wirtschaftsakademie Hamburg beginnt ihre steile Karriere beim Otto Versand, mit Anfang 30 ist sie Leiterin der Beschaffung Damenoberbekleidung, ist Chefin von 50 Mitarbeitern – die meisten davon Männer –, und verwaltet ein Budget von mehreren Millionen. »Ich habe von Anfang an geahnt, dass es Spielregeln gibt«, sagt die dynamische Frau mit der klaren Stimme, »und die habe ich genau studiert, denn ich wollte oben mitspielen und nicht daran scheitern.« Und so hat die ehrgeizige Frau vom ersten Tag an ihr Umfeld scharf beobachtet. Von der Mutter in einen Schreibmaschinenkurs geschickt und perfekt im Zehnfingersystem, hat sie ihre Post dennoch immer zum Schreiben ins Sekretariat getragen, als sie merkte: Kein Mann schreibt etwas selbst. Von da an hatte sie offiziell zwei linke Hände. Sie analysiert das Gruppenverhalten in Konferenzen (»Die ersten Minuten kann man fachlich vergessen, sie dienen nur dazu, die Hierarchie festzulegen«), das Auftreten des Chefs (»Raum greifend, Raum füllend«). Sie erfährt am eigenen Leib, dass Frauen als Chefs immer wieder ausgetestet werden. Und sie lernt typische Frauenfallen kennen.

Eine schildert sie besonders gerne. Ein neuer Chef richtet das Wort an seine Abteilung, stellt sich vor, will die einzelnen kennen lernen, wirbt für offene Mitarbeit, betont die Wichtigkeit von Kommunikation, kurz: Er tut alles, was man von einem kompetenten Chef erwarten kann. Zum Schluss beteuert er: »Meine Tür steht immer offen, ich freue mich über jede Kritik, kommen Sie jederzeit zu mir.« Nur Frauen, so Marion Knaths, nehmen dieses Angebot wahr, verkennend, dass so eine Ankündigung nicht mehr ist als eine Floskel. Sie geben dem Neuen gerne mal einen wohlmeinenden, ehrlich gemeinten Rat, wie er seine Führungsqualitäten noch verbessern kann, und wundern sich, dass der Chef so ungehalten reagiert und sie danach kaum mehr gefördert werden. »Männer wollen nicht kritisiert werden«, sagt Marion Knaths, »das stellt ihre Autorität in Frage.« Marion Knaths hat als junge Frau all diese Spielregeln analysiert und dann versiert mitgespielt. »Man muss das als Frau sportlich sehen«, sagt sie, »als Spiel.«

Inzwischen hat sie sich selbstständig gemacht, seit sechs Jahren ist sie Unternehmensberaterin und bietet Führungsseminare und Coaching für Frauen an. In ihrem Buch »Spiele mit der Macht« benennt und analysiert sie die männlichen Regeln, gibt Tipps für Frauen, warnt vor Fallen und weiß doch selbst am besten: »Man muss wirklich ganz nach oben wollen.« Marion Knaths ist eine Art Übersetzerin männlicher Verhaltens- und Ausdrucksweisen. Sie kennt viele Frauen, die sich wie Anne Reiber über die Geheimsprache beschweren oder sich wie Aliens fühlen, denn sie weiß: »Frauen kommunizieren anders als Männer.« Frauen diskutieren eher problem- als lösungsorientiert. Sie legen mehr Wert auf Inhalte als auf Machtgeplänkel. Das mag erstrebenswert sein, entspricht aber nicht den männlich geprägten Mustern in der Wirtschaft. Marion Knaths weiß: Man kann Spielregeln erst verändern, wenn man drin ist im Spiel, wenn man ganz oben ist und etwas zu sagen hat. Eine Frau im Vorstand allerdings ändert weder die Stimmung dort noch das alteingespielte Männerverhalten. Es müssen mindesten drei sein oder mindestens ein Drittel, damit sich wirklich etwas ändert. Das, so Knaths, belegen Studien aus den USA, wo es heute schon mehr Frauen ins Topmanagement geschafft haben.

»Männer sind die Hüter der gläsernen Decke«, weiß auch Carsten Wippermann. Im Auftrag des Bundesministeriums für Familie, Senioren, Frauen und Jugend hat der Soziologe vom Sinus-Institut in Heidelberg »Brücken und Barrieren für Frauen zu Führungspositionen« untersucht. Seine Ergebnisse – mehr Barrieren als Brücken, wer hätte das gedacht! – hat er Ende 2009 vorgestellt. Auch diese neueste Studie zum Thema kommt zu einem traurigen Schluss: Obwohl seit Jahrzehnten eine Erhöhung des Frauenanteils gefordert wird, hat sich bisher kaum etwas verändert. Wippermann macht drei Mentalitätsmuster bei Männern im Management aus, die wie ein undurchlässiger Riegel wirken: Wenn Frauen durch das eine Netz schlüpfen, bleiben sie garantiert an einem der anderen hängen. Der konservative Typ Manager hält Frauen qua Geschlecht für ungeeignet. Der emanzipierte Typus nimmt an, dass die andere Hälfte der Menschheit chancenlos ist gegenüber männlichen Machtritualen. Und der individuelle Typ gibt sich aufgeschlossen, glaubt aber, dass es nicht genügend authentische und flexible Frauen gibt.

Authentizität ist wichtig in Top-Positionen, weiß Marion Knaths. Und genau an diesem Punkt kollidieren Frauen, die nach oben wollen, mit ihrer Geschlechterrolle. »Weiblich und durchsetzungsstark«, sagt die Coacherin, »ist nach dem gesellschaftlichen Rollenbild ein Widerspruch.« Männer und Frauen werden unterschiedlich beurteilt, auch wenn sie das gleiche tun. Gleich ist nicht gleich. So ist ein Top-Manager, der die Beherrschung verliert, durchsetzungsstark und hat seinen Laden im Griff. Während eine Frau, der mal der Kragen platzt, sofort als hysterisch und überfordert gilt. Deshalb gibt Knaths Tipps, wie Frauen ihr Kommunikationsverhalten ändern können, damit sie sich durchschlängeln, damit sie die drei Mentalitätsmuster überlisten, eine Lücke finden können. Raum und Redezeit beanspruchen, Statussymbole fordern, das Wort immer an die Nummer eins richten, sind nur einige dieser Tricks. Aber letztendlich, da sind sich Autorin Knaths und Soziologe Wippermann einig, wird die gläserne Decke nur durch Druck durchlässiger. Deshalb befürworten beide eine Quote wie in Norwegen, wo Aufsichtsräte zu 40 Prozent mit Frauen besetzt werden müssen, sonst hagelt es empfindliche Strafen. Und auch die deutsche Politik diskutiert inzwischen, wie sie mehr Frauen in Chefsessel bringen kann. Vor einer gesetzlichen Quote schreckt man hierzulande jedoch noch zurück. Die Norweger hatten übrigens keine Probleme, kompetente Frauen zu finden.

Anne Reiber fehlt die Lust an diesen Machtspielen. Sie fragt sich, was übrig bleibt vom Leben, wenn man so lange mitgespielt hat, nach Regeln, die nicht die eigenen sind, was aus einer Frau geworden ist, wenn sie es allen Widrigkeiten zum Trotz geschafft hat, ganz nach oben zu kommen. Sie hat keine Freude an diesem Wettbewerb und keinen Spaß daran, die anderen mit deren eigenen Waffen zu schlagen, zurückzufoulen. Sie will auch nicht geschmeidig sein und fragt sich, wie es die wenigen Frauen geschafft haben, die ganz oben sind, und ob sie einfach die besseren Männer sind. Sie würde Barbara Kux, die Vorstandsfrau von Siemens, gerne kennenlernen. Oder Angelika Dammann, die mit ihrer Berufung in den Vorstand von SAP im April 2010 die Frauenquote in Dax-Unternehmen glatt verdoppelt hat, im Juni gefolgt von der frisch berufenen E.ON-Vorstandsfrau Regine Stachelhaus. Oder die neue Entwicklungschefin von Opel, die wie sie selbst in einer Männerdomäne arbeitet. Anne Reiber würde diese Frauen gerne mal fragen, ob sie auch manchmal mit Magenschmerzen zur Arbeit gehen.

Als Personalchefin hat Anne Reiber oft vergeblich zu verhindern versucht, dass Frauen nach einer Schwangerschaftspause in schlechtere Jobs abgeschoben wurden – und sich geärgert. Sie hat erlebt, dass Frauen viel seltener Forderungen stellen. Dass sie sich mit kleinen Aufmerksamkeiten abspeisen lassen wie einer Einladung zum Abendessen oder einem freundlichen Wort, während die Männer auf Gehaltserhöhungen drängen, auf einen Dienstwagen und neue Herausforderungen. Sie hat auch erlebt, wie eine Frau durch Forschheit und Aggressivität versucht hat, die Männerbastion zu schleifen, in den Inner Circle vorzudringen. Sie hat das Befremden der Topmanager gesehen, als die junge Frau ankündigt, dass sie beim Segeltörn der Topmanager mitmachen wolle, einer jährlichen Veranstaltung, bei der das betriebsinterne Männernetzwerk festgezurrt wurde und wo die Herren einmal ganz unter sich sein wollen, ohne sich die lästige Frage stellen zu müssen: Wie pinkelt man über Bord, wenn eine Frau dabei ist? Von den Gesprächsthemen ganz zu schweigen. Anne Reiber hat diese Frau verschwinden sehen wie andere schon vorher. Hängen geblieben im Dreifach-Raster. Ausgewandert nach Übersee. Weg aus Deutschland. Der Frauenanteil in den Kontrollgremien von Unternehmen mit Sitz in Deutschland beträgt derzeit etwa zehn Prozent.

Auch Anne Reiber ist gegen die Männermauer angerannt, immer wieder, beharrlich, überzeugt, dass ihre Argumente die besseren sind. Sie prallt auf verhaltene Abwehr, immer härteren Widerstand, am Schluss auf gezieltes Mobbing, das auch ihr Frausein in Frage stellt. Sie hat die Firma verlassen, als der Schmerz zu groß wird, man lebt nur einmal, hat sie sich gesagt. Sie hätte damit leben können, unbequem zu sein, aber sie wollte nicht länger die Nörglerin sein, die Besserwisserin, die Spielverderberin, die Frau, die stört. Sie wollte nachts wieder schlafen und nicht mit Bauchweh jeden Morgen in die Firma gehen und sich fragen, was kommt jetzt wieder an persönlichen Kränkungen und beruflicher Missachtung. Werde ich wieder nicht eingeladen zur Sitzung des Managementboards, obwohl ich auf der Liste stehe? Wird heute wieder hinter meinem Rücken mein Stellvertreter informiert und mit ins Boot genommen, um mir meine Entbehrlichkeit vor Augen zu führen? Sie hat sich für das neue Leben entschieden.

Anne Reiber hat ihr Aufbaustudium inzwischen abgeschlossen. Sie hat ein Angebot aus der Wissenschaft ausgeschlagen, entscheidet sich gegen die Forschung und für die Wirtschaft. Heute arbeitet sie wieder als Personalchefin eines kleinen Dienstleisters mit mehreren hundert Angestellten. Das Gesicht ist voller geworden, sie fühlt sich wohl unter den meist jungen Menschen, die dort arbeiten, sie genießt die flachen Hierarchien, die Unkompliziertheit des neuen Chefs. »Hier gibt es Menschen, die so groß sind wie ich«, sagt sie mit ihrem hintergründigen Humor. Anne Reiber trägt keine flachen Schuhe mehr. Ihre alte Firma, die Firma, in der sie 25 Jahre lang arbeitete, hat inzwischen das Management komplett ausgewechselt. Von den Vorständen, die ihr das Leben so schwer gemacht haben, ist ein Jahr nach Anne Reibers Freistellung keiner mehr im Amt. Der neue Geschäftsführer hat sich wieder auf die Stärken eines Mittelständlers besonnen, als wäre er bei Fredmund Malik in St. Gallen ins Seminar gegangen oder als hätte er die Mahnung der einstigen Personalchefin gehört. »Wer einem Mittelständler Konzernstrukturen überstülpt, der hat bereits verloren«, so die neue, alte Erkenntnis des neuen Mannes, der das Management wieder völlig umgekrempelt hat. Back to the roots. Anne Reiber hat Recht behalten. Sie ist zu korrekt, um dabei Genugtuung zu empfinden.

Die Polizistin, der Tod und die Lüge

Eine politisch brisante Kriminal-Groteske um mordende Wattestäbchen und vertuschte Spuren

Rainer Nübel

Im April 2007 wird die junge Polizistin Michéle Kiesewetter in Heilbronn brutal ermordet. Eine große menschliche Tragik liegt in diesem Fall, der zwei Jahre später deutsche Kriminalgeschichte schreibt. Als größte Ermittlerpanne, vordergründig. Tatsächlich handelt es sich um eine Rechtsstaats-Groteske mit teils perfider Dramaturgie und dubiosen polizeipolitischen Protagonisten. Dass Ermittlungsbehörden jahrelang statt der angeblichen »Polizeikillerin« faktisch verunreinigte Wattestäbchen jagten, ist der bizarre Aspekt dieses Skandals. Noch schwerwiegender aber ist der bis heute unbekannte Umstand, dass Spuren – die entweder vertuscht, nicht intensiv genug oder gar nicht ermittelt wurden – auf ein kriminalistisches und politisches Tabu-Terrain führen: auf eine mögliche Kooperation von Mafia-Verbrechern und radikalen Islamisten. Die Geschichte eines ungelösten Kriminalfalls.

Vielleicht haben sie sich gerade unterhalten, über ihren Beruf, über Privates oder einfach nur übers Wetter. Vielleicht gab es Ernstes zu besprechen. Oder sie haben gelacht, über einen guten Witz etwa, der auch im Dienst erlaubt sein muss. Oder sie sind in diesem Moment schweigend nebeneinander gesessen, in ihrem Streifenwagen, einem grünsilbernen 5er-BMW, den sie am Rand der Theresienwiese geparkt hatten, nahe des Neckars. Ein Ort, den Polizisten in Heilbronn häufig für Mittagspausen nutzten. Die Frühlingssonne schien, Kirmesarbeiter hämmerten und schraubten auf dem großen Parkplatz, bauten Buden für das Maifest auf. Das weitläufige Gelände war belebt. Es ist der 25. April 2007, ein Mittwoch, gegen 14 Uhr – als der Tod ihnen auflauert.

Die junge Polizeimeisterin und ihr Kollege hatten die Streife eben erst gestartet, eine Viertelstunde zuvor, nach einer Besprechung im Revier. Ihr Einsatz: »Sichere City«, sie sollten in Heilbronn verdächtige Personen kontrollieren. Beide gehörten zur Bereitschaftspolizei Böblingen, waren von dort ausgeliehen worden. Sie hatten direkt die Theresienwiese angesteuert und den Dienstwagen rückwärts neben einem Stromverteilerhäuschen eingeparkt. Dass sich kurz danach zwei Schatten näherten, von hinten, aus dem Bereich des Neckarufers, konnten sie nicht bemerken. Dazu ging alles viel zu schnell. Ein Notruf war nicht mehr möglich. Sie hatten keine Chance.

Es waren zwei Killer. Jeder schoss nur einmal. Gezielt in den Kopf, aus nächster Nähe. Ein Radfahrer fand die blutüberströmten Beamten und verständigte die Polizei. Michéle Kiesewetter ist tot. Dass ihr Kollege Martin A. überlebt, grenzt an ein Wunder. Der 24-jährige Beamte wird lebensgefährlich verletzt. Wochenlang liegt er im Koma. Danach kann er sich an nichts erinnern.

Der Polizistenmord von Heilbronn, eine kaltblütige Hinrichtung, schockierte im Frühjahr 2007 das ganze Land. Von den Tätern fehle jede Spur, sagte die Polizei. Das Bild des 22-jährigen Opfers, das in den Nachrichtensendungen und Zeitungen erschien, neben der dramatischen Schlagzeile, es brannte sich ein. Eine junge Frau in Uniform, mit langen dunklen Haaren, offenem Blick aus großen Augen und einem leichten Lächeln. Am Tag, an dem sie ihr Leben verlor, hatte Michéle Kiesewetter eigentlich Urlaub. Sie hatte sich freiwillig zum Dienst gemeldet. Eine Woche zuvor war sie noch zu Hause gewesen, im thüringischen Oberweißbach, wo ihre Mutter Geburtstag feierte.

Bei Trauerfeiern für Michéle Kiesewetter geißelten Polizeipolitiker die »skrupellose Tat«, den »feigen Anschlag«, die »neue Qualität von Gewalt«. Man dürfe den Tod der jungen Beamtin nicht als Schicksalsschlag hinnehmen, sagte der baden-württembergische Innenminister Heribert Rech. »Ihr Tod ist Verpflichtung – Verpflichtung, aktiv für das Recht einzutreten und alles daran zu setzen, dass Gewalt und Unrecht sich nicht breit machen.« Fast wortgleich äußerte sich zwei Tage später der damalige Landespolizeipräsident Erwin Hetger, tief bewegt, in der Hoffnungskirche in Oberweißbach. »Die Polizei Baden-Württemberg wird alles daran setzen, diese schreckliche Tat aufzuklären«, versprach er den Angehörigen. Michéle sei »eine so wertvolle Kollegin, ein so wertvoller Mensch« gewesen. Dass man sie schon früher einmal in Heilbronn eingesetzt hatte, als in ziviler Kleidung getarnte Beamtin, die bei einer Drogendealerin fünf Gramm Heroin gekauft hatte, und sie jetzt in derselben Stadt in Uniform Streife fahren ließ, über diese Fahrlässigkeit redeten die Polizeifunktionäre nur ungern oder gar nicht.

Die junge Polizistin wurde eine Woche nach dem Mord in ihrem Heimatort beigesetzt, zu ihrer Todesstunde. Noch Monate später wirkte das kleine Dorf wie erstarrt. Bürger kümmerten sich um die Mutter, besuchten sie, sprachen ihr Trost zu. Versuche, die Trauer aufzufangen. »Wenn da jemand wäre, der ein Gesicht hätte und den man vor Gericht stellen könnte, dann könnte man vielleicht mit der Sache abschließen«, sagte der Bürgermeister zu einem Reporter. Ein solches Gesicht wird es nicht geben. Nur ein Phantom. Und Wattestäbchen, die morden. Und viele Lügen.

Vielleicht haben sie vorher besprochen, wie ihr Auftritt besonders überzeugend rüberkommt und wer von beiden welchen Part übernimmt. Vielleicht gab es ernsthafte Bedenken, ob in der Öffentlichkeit nicht doch Zweifel aufkommen könnten. Oder sie haben sich, mit einem souveränen Lächeln auf den Lippen, gesagt, die Presse wird das Ganze schon schlucken. So wie immer. Der Konferenzraum im Landeskriminalamt Baden-Württemberg (LKA) füllte sich langsam mit Journalisten. Es war alles angerichtet. Es ist der 11. Februar 2009 – als die versprochene Aufklärung des »feigen Anschlags« zur Farce verkommt.

Landespolizeipräsident Erwin Hetger und LKA-Chef Klaus Hiller trugen ernste, wenn nicht sogar tief bewegte Mienen, als sie an diesem Tag die Neuigkeit verkündeten: Die Ermittlungen zum Heilbronner Polizistenmord würden, knapp zwei Jahre nach der Tat, beim Landeskriminalamt konzentriert. Damit, so betonten beide unisono, stehe für die Aufklärung dieses verabscheuungswürdigen Verbrechens noch mehr Personal und Fachkompetenz bereit. Hetger und Hiller ließen bei dieser Pressekonferenz keinen Zweifel daran, dass es eine Frau sei, die Michéle Kiesewetter so kaltblütig ermordet habe. Eine Frau, die inzwischen international bekannt war, obwohl sie noch niemand gesehen hatte. Oder gerade deshalb: das »Phantom von Heilbronn«, jene angebliche Serienkillerin, deren genetische Spur nach Darstellung der Behörden am Streifenwagen der ermordeten Polizistin gefunden worden war –

und an rund 40 anderen Tatorten in Deutschland, Österreich und Frankreich. Die hochgefährliche Frau ohne Gesicht, die angeblich durch halb Mitteleuropa zog, mit mehreren Banden verschiedenster Nationalitäten, und die unterschiedlichsten Straftaten beging. Von brutalen Morden, Raubüberfällen und Diebstählen bis zu Einbrüchen in Gartenhäuschen, wo die »unbekannte weibliche Person« (uwP) Kekse aß, Wasser oder Bier trank und ihre ominöse DNA-Spur zurückließ.

Der Landespolizeipräsident und der LKA-Chef legten eine Spur Pathos in ihre Stimmen, als sie jenen Satz in die Notizblöcke, Mikrofone und Fernsehkameras hauchten, der nach Durchbruch und Erfolg klang, nach unmittelbar bevorstehender Aufklärung, und der Hoffnung bedeutete, für die trauernden Angehörigen, Freunde und Kollegen von Michéle Kiesewetter. Hetger und Hiller schauten dabei ernst, entschlossen, sie wurden nicht rot: »Die Schlinge um diese Frau zieht sich immer enger.« Es war eine absurde Aussage. Jenseits der Realität, die den hohen Polizeifunktionären bekannt war.

Schon einen Monat zuvor hatten sich die ersten Ermittler bei uns Journalisten gemeldet, heimlich und konspirativ. Zum Glück arbeiteten sie nicht in Baden-Württemberg. Denn die Spitzen des Stuttgarter Landeskriminalamts entwickeln mitunter eine besonders große Fahndungsenergie und Phantasie, wenn sie nur den leisesten Verdacht haben, Beamte könnten Kontakte zu Journalisten unterhalten und unangenehme Informationen nach außen gegeben haben. Dennoch gingen auch diese »Phantom«-erfahrenen Ermittler jenseits des Musterländles ein Risiko ein. Sie hatten ein klares Motiv: die Wahrheit. Sie konnten und wollten, wie sie erzählten, diese »hochdubiose Inszenierung« nicht mehr mitmachen: »Diese

Frau, diese angebliche Serienkillerin, gibt es in Wirklichkeit nicht. Sie kann es gar nicht geben.«

Und dann berichteten sie von genetischen Spuren des »Phantoms«, die schon im Januar 2009 gefunden worden waren – doch von der Führung des Landeskriminalamts Baden-Württemberg, anderer deutscher Ermittlungsbehörden und des Stuttgarter Innenministeriums unter Verschluss gehalten wurden. Hochbrisante DNA-Treffer, die es nicht geben durfte. Weil sie zum Täterprofil der angeblichen Mehrfachmörderin überhaupt nicht passten. Mehr noch: weil sie eindeutig darauf hinwiesen, dass das »Phantom«, das seit zwei Jahren mit einem Millionenaufwand gejagt wurde, gar nicht existieren konnte. Eine dieser Spuren war nach einem Einbruch in eine Saarbrücker Realschule aufgetaucht, der bereits aufgeklärt war. Eine neunköpfige Gruppe hatte ihn begangen – Kinder und Jugendliche, im Alter von zwölf bis 18 Jahren. Vor dem Sekretariat war eine leere Coladose gefunden worden. Am Öffnungsbügel fand sich die DNA-Spur des »Phantoms«. Eine kaltblütige, professionelle Serienkillerin soll mit Kindern in eine Schule eingebrochen sein?

Noch grotesker die andere geheim gehaltene DNA-Spur. An einem Navigationsgerät, das im April 2008 in Mannheim aus einem Auto gestohlen worden war, hatten Kriminaltechniker sie sichergestellt. Genauer: an der Innenseite eines Steckers – der gar nicht berührbar war, ohne das Gerät vorher zu zerlegen.

Die Polizeichefs Hetger und Hiller kannten längst diese bizarren Spuren, als sie an jenem 11. Februar 2009 an die Öffentlichkeit traten. Und sie wussten daher nur zu gut, dass es das »Phantom« nicht geben konnte. Dennoch hatten sie so emphatisch die baldige Aufklärung des brutalen Polizistenmords verkündet. »Die Schlinge um diese Frau zieht sich immer enger.« Wie weit würden diese hochrangigen Rechtsstaats-Vertreter noch gehen, um die Realität zu biegen, in einem solch gravierenden Fall? Zugegeben, die Frage, die wir daraufhin stellten, war eine Falle: Ob es denn neue Spuren des »Phantoms« gebe, die das Landeskriminalamt bisher noch nicht kommuniziert habe? LKA-Präsident Hiller reagierte verdutzt, er schaute irritiert zu Erwin Hetger, dann sprach es aus ihm: »Nein, im Moment nicht. Wir betreiben ja keine Salamitaktik.«

Es war eine Lüge. Eine glatte Lüge. Jetzt lief Hiller rot an. Wie ein Pennäler, den man beim Abschreiben erwischt hatte.

Sechs Wochen später war der Spuk vorbei. Die Informationen der Ermittler waren so faktisch untermauert, so »hart«, wie es im Medienjargon heißt, dass man sie veröffentlichen konnte. Der Stern meldete am 25. März 2009 über seine Online-Ausgabe die reale Krimi-Groteske: Die jahrelang gejagte »Serienkillerin« hat nie existiert, die millionenteure Großfahndung ist völlig ins Leere gegangen. Des Rätsels irrwitzige Lösung: Die ominöse DNA-Spur des »Phantoms« hatte bereits an den Wattestäbchen geklebt, bevor Kriminaltechniker sie an den verschiedenen Tatorten in Deutschland, Österreich und Frankreich benutzten. Der genetische Fingerabdruck auf den eingesetzten Spurentupfern stammte mitnichten von einer brandgefährlichen Mehrfachmörderin – sondern von einer ganz harmlosen Mitarbeiterin eines Medizinalbetriebs, die beim Montieren oder Verpacken mit den Wattestäbchen in Berührung gekommen sein musste und sie dabei mit ihrer eigenen DNA kontaminiert hatte. Ein reines Versehen, die Arbeiterin traf keine Schuld. Denn: Die verschiedenen Polizeidienststellen – auch das LKA Baden-Württemberg – hatten nie DNA-freie Spurentupfer bei Herstellern und Lieferanten bestellt, sondern nur sterile. Und steril waren die gelieferten Allerwelts-Utensilien, die nun urplötzlich eine bizarre Bekanntheit erlangten. Als mordende Wattestäbchen.

Die Landeskriminalämter und zuständigen Staatsanwaltschaften in Baden-Württemberg und im Saarland ließen sich an diesem 25. März 2009 einige Stunden Zeit, bevor sie auf die höchst unangenehme Pressemeldung reagierten. Dann erklärten sie in einer Mitteilung, es gebe »begründete Zweifel« an der Existenz der mutmaßlichen Täterin, nach der man bisher gefahndet habe. Plötzlich äußerten die Ermittlungsbehörden »begründete Zweifel« – von denen monatelang öffentlich nichts zu hören war, kein Sterbenswörtchen. Im Gegenteil, einen Monat zuvor war es doch angeblich nur noch eine Frage der Zeit gewesen, bis das gefährliche »Phantom« enttarnt und in Handschellen gelegt war. Das Wort »Fahndungs-Panne« vermieden die Ermittlerchefs tunlichst. Stattdessen drohte der baden-württembergische Innenminister Heribert Rech stante pede mit Schadensersatzforderungen, sollte man jenen Betrieb ausfindig machen, der die verunreinigten Wattestäbchen geliefert habe.

Hinter den Polizei-Kulissen brach hektische Betriebsamkeit aus. Fiebernd suchte man jetzt nach jener Frau, von der die DNA-Spur auf den benutzten Wattestäbchen stammte. LKA-Beamte nahmen eilig Speichelproben von aktuellen und ehemaligen Mitarbeiterinnen eines bayerischen Medizinalbetriebs, rasten danach zu einem Labor bei München. Erstaunlich schnell, nach nur zwei Tagen, wurde man fündig. Am Abend des 27. März 2009 gaben beteiligte Behörden eine Pressekonferenz. LKA-Präsident Klaus Hiller trat zusammen mit anderen Ermittlerchefs vor die Mikrofone. Und wieder wurde es eine denkwürdige Vorstellung, besser: ein abgründiger Auftritt. Bereits seit einem Jahr, erklärten Hiller und Kollegen, habe man »erhebliche Zweifel« an der Existenz des »Phantoms« gehabt. Seit einem Jahr? Hillers Aussage von der »Schlinge«, die sich um die Polizistenkillerin immer enger ziehe, war erst sechs Wochen jung. Und auch CDU-Innenminister Heribert Rech hatte gegenüber dem Innenausschuss des Stuttgarter Landtages niemals nur eine Silbe von »erheblichen Zweifeln« erwähnt. Obwohl er das Gremium regelmäßig über den Stand der »Phantom«-Fahndung unterrichten sollte.

Der erneute Presseauftritt von LKA-Chef Hiller hatte derweil seinen Höhenpunkt noch lange nicht erreicht. Seit dem Nachmittag wisse man, dass es sich bei der DNA-Spur des »Phantoms« um den genetischen Code einer Arbeiterin in einem bayerischen Medizinal- und Verpackungsbetrieb handle, berichtete er. Die Frau, von der die seit 2001 immer wieder gefundene Gen-Spur stamme, sei identifiziert. Hiller sprach von »Erfolg«. Allen Ernstes, der Verantwortliche jener Behörde, die faktisch ordinäre Wattestäbchen gejagt hatte, verstieg sich dazu, in diesem Fahndungs-GAU einen Erfolg zu sehen. Als Journalisten ironisch lachten und ungläubig nachhakten, prägte Hiller einen Satz, der selbst seine Vorgesetzten im Innenministerium den Kopf schütteln ließ. Für die Familie und Freunde von Michéle Kiesewetter muss er fast wie Hohn geklungen haben: »Wir haben eine Frau gesucht, und wir haben eine Frau gefunden.«

Gesucht hatte Hillers Behörde die angebliche Mörderin der jungen Polizistin, dieser »so wertvollen Kollegin« und dieses »so wertvollen Menschen«, wie Polizeipolitiker bei ihrer Trauerfeier betont hatten, als sie versprachen, »alles daran zu setzen, diese schreckliche Tat aufzuklären«. Gefunden wurde an diesem Tag eine völlig harmlose, unschuldige Frau – und die Erkenntnis gewonnen, dass die Polizei zwei Jahre danach Welten von einer Aufklärung dieser sinnlosen Tat entfernt war.

Das öffentliche Echo auf diese verbale Entgleisung war verheerend. Klaus Hiller stand unter Druck. Sein Stuhl wackelte. Der LKA-Präsident reagierte. Zusammen mit seinem Vize lud er ausgewählte Journalisten zu einem Hintergrundgespräch und tischte ihnen Vorwürfe und angebliche Belege gegen den schwäbischen Wattestäbchen-Lieferanten Greiner Bio-One auf. Es gebe klare Hinweise darauf, dass der Betrieb den Inhalt seiner firmeneigenen Homepage in Bezug auf die Bewerbung der Spurentupfer frisiert habe, um möglicherweise Schadensersatzforderungen abzuwenden, so berichteten danach manche Medien. Von »bewusster Täuschung« war die Rede. Ein Vorwurf, der sich einige Wochen später als völlig haltlos herausstellen sollte. Doch der kurzfristige mediale Effekt war erreicht, mit tatkräftiger Unterstützung der Staatsanwaltschaft Stuttgart: Sie leitete prompt einen Beobachtungsvorgang, eine Form von Vorermittlungen, gegen das Unternehmen ein. Für zahlreiche Presseorgane war das »Phantom«-Desaster der Polizei jetzt plötzlich eine Affäre des Wattestäbchen-Lieferanten.

Hiller ging noch einen Schritt weiter. Einen perfiden Schritt. Bei dem bayerischen Medizinalbetrieb in Tettau, der Greiner Bio-One zugeliefert hatte, hatten LKA-Beamte bei mehreren Mitarbeiterinnen Speichelproben genommen. Zum Persönlichkeitsschutz der Betroffenen seien, so betonte danach die Führung des Landeskriminalamts, diese Proben völlig anonymisiert ausgewertet worden. Was aus rechtlichen Gründen auch dringend geboten war. Denn die Frauen waren gänzlich unverdächtig, keine hatte sich in irgendeiner Weise schuldig gemacht – die Polizeibehörden hatten ja nie DNA-freie Wattestäbchen bestellt, sondern nur Sterilität gefordert. Und die Frauen hatten die Speichelproben freiwillig abgegeben. »Ein Rückschluss auf konkrete Personen ist uns nicht möglich«, erklärte LKA-Chef Klaus Hiller.

Schon wieder eine Lüge. Denn österreichische »Phantom«-Ermittler hatten von deutschen Kollegen rasch erfahren, dass es sich um eine 71-jährige Frau handele, deren DNA-Profil mit dem des »Phantoms« identisch sei. Mehr noch: Hiller und sein Stellvertreter gaben genau diese Information an ausgesuchte Medienvertreter weiter. Sie schilderten sogar Details ihres Beschäftigungsverhältnisses. Die Identität der harmlosen Arbeiterin war geoutet – von der Stuttgarter LKA-Spitze. Ein fataler Geheimnisverrat. Und eine grobe Verletzung des Persönlichkeitsschutzes.

Kurze Zeit später veröffentlichte ein Boulevardblatt den Hinweis »aus Polizeikreisen«, zeigte schemenhaft ein Foto der 71-Jährigen. Sie sei »am Boden zerstört«, berichteten danach Bekannte der Frau, »sie sage, sie werde ihres Lebens nicht mehr froh«. Das Opfer behördlicher Indiskretion erkrankte schwer, musste vorübergehend in einer Klinik behandelt werden.

Warum all diese dubiosen Vertuschungen, Ablenkungsmanöver und dreisten Lügen hoher Beamter und Polizeipolitiker? Was steckt hinter dieser phantomenalen Großinszenierung, die manche Abgeordnete des Stuttgarter Landtages zu einer pikanten Deutung veranlasste: »Das Phantom sollte offenbar so lange wie nur irgend möglich weiter existieren.« Neue Recherchen für dieses Buch führten zu Hinweisen auf weitere Verschleierungen, Täuschungsmanöver und Lügen. Sie zeigen sich, wenn man den ganzen Fall, seine Verbindungen, möglichen Hintergründe und Ermittlungsansätze kritisch aufrollt – was die Politik, sowohl in Stuttgart als auch in Berlin, tunlichst unterlassen hat. Plötzlich stößt man auf einen Polit-Krimi, der weit über verunreinigte Wattestäbchen und die größte anzunehmende Fahnder-Blamage hinausgeht. Er spielt auf einem kriminalistischen wie politischen Tabu-Terrain. Und er handelt von Vertuschung. Von Anfang an.

Rückblende. Die Ungereimtheiten und Merkwürdigkeiten beginnen schon im April 2007, kurz nach dem Heilbronner Polizistenmord. Die skrupellosen Täter haben der getöteten Beamtin und ihrem Kollegen die Dienstwaffen, drei dazugehörige Magazine und Handschellen abgenommen. Darüber informiert die Polizeidirektion Heilbronn die Öffentlichkeit. Was aber verschwiegen wird: Die Holster der Beamten sind abgerissen worden. Und: Der getöteten Polizistin, die vor dem Dienstwagen lag, wurden auch Pfefferspray und eine Taschenlampe entwendet. Fahnder berichten sogar, dass ein Täter ihr den gesamten Einsatzgürtel abgenommen habe – und dazu den leblosen Körper noch umgedreht habe. Dies wollen die Ermittlungsbehörden offiziell partout nicht bestätigen.

Dabei sagen hochrangige Sicherheitsbeamte, die mit diesem Fall vertraut sind, schon zu diesem Zeitpunkt hinter vorgehaltener Hand: Dieser Mord trage eine bestimmte Handschrift. Die immense Brutalität und Kaltblütigkeit, gezielte Kopfschüsse, das Entwenden von Waffen und Polizei-Einsatzutensilien nach dem Mord, und dies alles am helllichten Tag, immer mit dem Risiko, in der nächsten Sekunde entdeckt werden zu können – all dies seien deutliche Hinweise. »Die Killer können eigentlich nur aus zwei Bereichen stammen: Sie sind der Organisierten Kriminalität, also Mafia, zu-

zurechnen, oder sie hatten eine paramilitärische Ausbildung und arbeiten für extremistische oder terroristische Gruppen. Wobei Verbindungen zwischen beiden Bereichen nicht auszuschließen sind.« Das Tätermuster – Sicherheitskräfte werden gezielt ermordet, ihnen dabei Waffen und andere Insignien ihrer staatlichen Aufgabe abgenommen, wie Trophäen – sehen erfahrene Ermittler als eine Art Ritual. Brutalste Gewalt als Symbol der Macht, kaltblütige Überlegenheit gegenüber einem Staat oder anderen Feinden: Das soll der eigenen oder einer anderen Organisation demonstrieren, dass man zu allem fähig und für besondere Aufgaben geeignet sei. Solch gezielte Hinrichtungen von Staatsbeamten kennen erfahrene Fahnder aus Italien und insbesondere aus östlichen Ländern – aus Tschetschenien etwa und Georgien.

Organisierte Kriminalität, Mafia? Extremistische Täterkreise? Bei diesen Stichworten winken die Polizeibehörden in Heilbronn und Stuttgart während der zweijährigen Jagd nach dem »Phantom« regelmäßig ab. Wenn Frank Huber, der Leiter der Sonderkommission »Parkplatz«, von Reportern gefragt wird, ob der Polizistenmord auf eine bestimmte kriminelle Gruppierung passe, schüttelt er energisch den Kopf: »Nein, es passt nicht.« Es ist Hubers erster großer Fall. Der Kriminalrat mit dem gepflegten Oberlippen- und Kinnbart wirkt pflichtbewusst, zackig. Begegnet er LKA-Chef Hiller, nimmt er Haltung an.

Tatsächlich aber haben bundesweit tätige Ermittler seit mehreren Jahren deutliche Hinweise darauf, dass im Raum Heilbronn hochkriminelle Organisationen agieren – Mafia-Banden aus Italien, aber auch und besonders aus dem östlichen Raum. Die Region mit dem nahe gelegenen Autobahnkreuz Weinsberg, wo sich Transferachsen aus allen Himmelsrichtungen kreuzen, gilt als eine logistische Drehscheibe der Organisierten Kriminalität (OK). »Die Schwerpunkte«, erzählt ein OK-Experte, »liegen bei Drogen, Waffen, Menschenschleusung und Kreditkartenbetrug«. Ein häufig genutzter Umschlagplatz für Lkw mit heißer Ware sei dabei die Theresienwiese in Heilbronn. Ausgerechnet die Theresienwiese – der Tatort des Polizistenmords. Vom Fränkischen über den Großraum Heilbronn bis nach Nordbaden, Rheinland-Pfalz und Hessen ziehe sich geografisch eine Linie von Orten, wo mehrere »Paten« osteuropäischer Mafia-Organisationen lebten. Der Experte nennt einzelne Namen. Darunter den eines mutmaßlichen Hintermannes, der im Raum Heilbronn agiere. Ein Mann aus Georgien.

Und in Heilbronn tummelt sich, was von Polizei und Politik ebenso ungern thematisiert wird, eine weitere Szene mit Zündstoff-Qualität: radikale Islamisten. »Seit mehreren Jahren versuchen wir, ein Auge darauf zu halten«, berichten hohe Sicherheitsbeamte, »in Heilbronn gibt es eine Reihe von Hardcore-Islamisten.« Darunter seien etwa Aktivisten und Unterstützer der radikalen Hamas, außerdem arabische Extremisten, die versuchten, militante Kämpfer für den Jihad, den »heiligen Krieg«, zu rekrutieren. Anvisierte Einsatzziele: der Irak und vor allem der Kaukasus, Tschetschenien, wo seit Jahren islamistische Rebellen im Kampf gegen die russische Herrschaft immer wieder Terroranschläge verüben. Sicherheitskräfte registrierten, dass die Heilbronner Szene in jüngerer Vergangenheit wiederholt »Verstärkung« holte: radikale Islamisten aus anderen deutschen Städten, darunter Bremen, die in klandestinen Zusammenkünften den Jihad predigten und Kämpfer anzuwerben versuchten. Radikale »Brüder« mit denselben Zielen sind auch unweit von Heilbronn präsent, im

Raum Ludwigshafen/Mannheim. Aus Terrorermittlungsakten geht hervor: Dort hat sich in den vergangenen Jahren eine islamistische Zelle gebildet, deren Ziel es sei, »den Jihad in der Kaukasus-Region personell und finanziell zu unterstützen«. Nachrichtendienste interessieren sich zudem für die Frage, ob und in welcher Form diskrete Geldtransfers über die Bühne gehen. Angedachte Versuche, in die Heilbronner Szene über V-Männer einzudringen, wurden verworfen, berichtet ein hoher Sicherheitsbeamter: »Es ist zu gefährlich.«

Und da gibt es ein Szenario, bei dem deutsche Innenpolitiker oder Repräsentanten von Bundeskriminalamt, Bundesanwaltschaft und Bundesnachrichtendienst putativ zusammenzucken und heftig abwinken, wenn man auch nur leise danach fragt: Kooperieren Mafia-Organisationen mitunter mit radikalen Islamisten? »Gibt es nicht, nie und nimmer«, lautet dann stereotyp die rasche Antwort. Ausländische Ermittlerchefs wundern sich über solche vorschnellen Dementis: »Mafia-Organisationen haben keine Ideologie oder politische Programmatik«, sagt etwa der italienische Staatsanwalt Nicola Gratteri, der die Ermittlungen zum Sechsfach-Mord von Duisburg erfolgreich geleitet hat, »sie kennen nur ein Ziel und eine Maxime: viel Geld machen. Mit wem sie Geschäfte machen, an wen sie Waffen oder Drogen liefern, ist ihnen egal. Hauptsache, sie verdienen dabei.« Italienische Terror-Ermittler, so berichten Insider, hätten vor wenigen Jahren mitgelauscht, als ein mutmaßliches Mitglied der kalabrischen Mafia-Organisation 'Ndrangheta mit einem Islamisten über einen Geldtransfer nach Dubai gesprochen habe, anscheinend in Zusammenhang mit einem Waffendeal – das Telefonat sei aus einem Unternehmen in der Region Stuttgart heraus geführt worden. Auch deutsche Sicherheitskräfte sagen vertraulich, jenseits der politisch korrekten Sprachregelung ihrer Behördenchefs: »Es ist ein Tabu-Thema. Offiziell gibt es das nicht – weil es so etwas nicht geben darf. Es würde einen Aufschrei in der Bevölkerung auslösen und die Politik in die Bredouille bringen. Tatsächlich aber beschäftigen wir uns damit, ob es solche Fälle gibt.« Ist der Heilbronner Polizistenmord ein solcher Fall?

Vielleicht ist es ja wirklich Zufall gewesen. Vielleicht haben sie sich gerade die Füße vertreten oder etwas zu besprechen gehabt. Sie sind zur selben Zeit am selben Ort gewesen. Ausgerechnet in diesem Moment. Ausgerechnet an dieser Stelle. Polizeibeamte sind auf sie aufmerksam geworden, haben sie angesprochen. Am Mittag des 25. April 2007.

Die Öffentlichkeit hat davon nie etwas erfahren: Unmittelbar nach dem Anschlag auf die beiden Polizisten werden nahe des Tatorts Theresienwiese zwei arabische Männer angetroffen. Sie werden als Zeugen vernommen. Danach sind die beiden für die Mordfahnder kein Thema mehr. Sie bleiben eine Fußnote in einem riesigen Aktenberg. Doch bundesweit tätige Sicherheitsbeamte, die sich mit Extremismus befassen, ordnen diese beiden Männer der islamistischen Szene zu. Es gibt einschlägige Informationen über sie: Einer soll der radikalen Hamas angehören, gegen den anderen sind Ermittlungen gelaufen. Von beiden sind den Behörden Alias-Namen bekannt.

Definitiv kein Zufall ist es, dass sich ein Jahr später LKA-Beamte einer rheinland-pfälzischen Islamismus-Sonderkommission mit dem Polizistenmord von Heilbronn beschäftigen und vor Ort einer Spur nachgehen. Auch darüber wird die Öffentlichkeit nichts erfahren. Und verborgen bleibt, in diesem Fall offenbar auch den Mordermittlern selbst, dass sich in zeitlicher Nähe zum Attentat auf die beiden Polizisten bei einer Bank im Raum Heilbronn Dubioses zugetragen hat: Arabische Personen, offenbar Islamisten, haben einen zweistelligen Millionenbetrag in bar zu diesem Geldinstitut gebracht, um ihn transferieren zu lassen. Es ist nicht der erste Vorgang dieser Art. Die Bank stellt keine Geldwäscheverdachtsanzeige, obwohl sie das müsste. Ermittler auf Bundesebene, die von diesem Vorgang inoffiziell erfahren, fragen sich: Ist mit den Millionen ein krimineller Deal bezahlt worden – ein Waffendeal? Wenn ja, mit welchem Lieferanten, mit welcher Organisation?

Auf solch politisch heikle Ermittlungspfade begeben sich die Behörden in Heilbronn und Stuttgart nicht. Es gibt ja das »Phantom«. Sechs Wochen nach dem Polizistenmord, im Juni 2007, ist es in der Welt, plötzlich und unerwartet: Am Dienstwagen, so lautet die spektakuläre Mitteilung der Polizeidirektion und Staatsanwaltschaft Heilbronn, hätten Kriminaltechniker die winzig kleine DNA-Spur einer unbekannten weiblichen Person entdeckt – laut Bundeskriminalamt, das die zentrale DNA-Datei führt, handele es sich um eine Frau, die in den vergangenen Jahren wiederholt verschiedene Verbrechen begangen habe. In Windeseile verbreitet sich die Nachricht in ganz Mitteleuropa. Die Polizei, die bis dahin völlig im Dunkeln tappte, feiert die »Phantom«-Spur in öffentlichen Erklärungen als »Durchbruch«. Jetzt wird sie gejagt, die angebliche Polizistenkillerin ohne Namen und Gesicht, mit riesigem personellem und finanziellem Aufwand.

Und die Medien jagen mit. Sie sind hoch elektrisiert. Solch einen Fall gibt es nur selten, eine super Geschichte. Heerscharen von Journalisten, auch aus dem Ausland, fallen in Heilbronn ein, besichtigen mit Soko-Chef Frank Huber den Tatort, fotografieren ihn vor dem Dienstwagen der getöteten Kollegin, fragen nach seiner mentalen Befindlichkeit, notieren jedes Detail, das sie bekommen. Und sie reportieren, quer durch Mitteleuropa, alle Verbrechen und Tatorte, an denen die genetische Spur der Frau bereits aufgetaucht ist. Offiziell werden es am Ende rund 40 Verbrechen sein, an denen das »Phantom« beteiligt gewesen sein soll – nicht mitgerechnet jene völlig abstrusen DNA-Spuren, die vom Landeskriminalamt Baden-Württemberg und auch vom LKA Saarland verschwiegen worden sind. Viele Sprachen hätte die »Polizistenmörderin« sprechen müssen, denn ihre Mittäter sollen Slowaken, Serben und Polen gewesen sein, Rumänen, Kroaten, Deutsch-Iraker, Albaner und Franzosen. Doch solche Widersprüche fallen in den Monaten der wilden »Phantom«-Jagd nicht groß auf. Auch wir Journalisten sind an ihr beteiligt, berichten von der diffusen Spurenkarte und stellen in Reportagen gebannt die Frage, was das Phantom als Nächstes vorhat – auch wir glauben all die Monate daran, dass es diese Polizistenmörderin gibt. Kaum vorstellbar, dass sich Polizeibehörden getäuscht haben könnten. Noch weniger vorstellbar, dass sie Medien und Öffentlichkeit täuschen könnten. Ein Irrtum.

Es gehört mit zu dieser realen Groteske, dass ausgerechnet der Kriminalfall, der die Absurdität in der »Phantom«-Geschichte auf die Spitze treibt, gleichzeitig eine Schlüsselrolle haben könnte. Unweit von Heilbronn, im kaum 100 Kilometer entfernten Raum Ludwigshafen, kommt es am 30. Januar 2008 zu einem Mehrfachmord, der bis ins Bundeskriminalamt und Berliner Innenministerium die Alarmglocken schrillen lässt und höchste Nervosität auslöst: Drei georgische Autohändler, die für ihre Geschäfte in den vergangenen Jahren wiederholt nach Ludwigshafen gereist sind, werden vor Einbruch der Nacht vor einem Schafstall nahe Heppenheim brutal umgebracht. Das eine Opfer stirbt durch einen gezielten Kopfschuss, ein zweites durch einen Schuss ins Herz, der dritte Georgier wird erdrosselt. Den Tatort haben Sicherheitsbeamte seit längerem im Visier – als Treffpunkt von Islamisten. Ausgerechnet in diesem Fall taucht die »Phantom«-Spur erneut auf, an der Windschutzscheibe des Täterfahrzeugs wird sie gefunden. Die genetische Spur, die faktisch keine ist. Und doch weist der Fall des Georgier-Mordes plötzlich Bezüge nach Heilbronn auf.

Politisch brisant ist die Identität der zwei Männer, die festgenommen und später zu einer lebenslangen Haftstrafe verurteilt werden. Der eine: Talip O., ein gebürtiger Iraker, der fünf Jahre für das LKA Rheinland-Pfalz als Verbindungsmann gearbeitet hat – im Islamismus-Bereich. Ein Mann, der vom Autoverkauf lebte, in Ludwigshafen schon vor der Tat als gewalttätig aufgefallen war und sich damit gebrüstet hatte, im Irak für den Geheimdienst von Saddam Hussein gearbeitet und Feinde des Regimes eigenhändig umgebracht zu haben. Was das Mainzer Landeskriminalamt nicht daran hinderte, ihn als V-Mann zu rekrutieren und gegen Entlohnung einzusetzen. Er habe alle drei Georgier getötet, wird später das Landgericht sagen. Nach der Tat war er über Istanbul nach Syrien gereist und hatte sich dort vorübergehend aufgehalten. Der andere Beschuldigte: Ahmed H., ein junger Somalier, nach umfangreichen Erkenntnissen des Bundeskriminalamts ein radikaler Islamist, der Jihad-Kämpfer für Tschetschenien anwarb, Gelder für den Einsatz im Kaukasus einsammelte – und der vor allem eine Rolle im größten islamistischen Terrorfall der Bundesrepublik spielte, im sogenannten »Sauerland«-Komplex. Laut Bundesanwaltschaft und BKA soll er im

Sommer 2007 Fritz Gelowicz, Adem Yilmaz und Daniel Schneider sechs der insgesamt 26 Sprengzünder übergeben haben, mit denen die drei Terroristen verheerende Anschläge auf US-amerikanische Einrichtungen in Deutschland verüben wollten. Talip O., der V-Mann, war auf den jungen Somalier angesetzt.

Von diesen heiklen Hintergründen wollen die rheinland-pfälzischen Mordermittler und später auch das Landgericht Frankenthal auffallend wenig wissen. Für sie steht rasch fest: Es ist ein gemeinschaftlicher Raubmord. Und nichts als ein Raubmord. Rund 12 000 Euro hatten die georgischen Autohändler bei sich getragen. Einen radikal-islamistischen Hintergrund der Tat, den Talip O. in den Vernehmungen wiederholt angeführt hatte, können und wollen die Richter partout nicht erkennen. »Jedem Zeitungsleser oder auch nur halbwegs an Weltpolitik Interessierten«, so das Gericht in seiner Urteilsbegründung, »ist bewusst, dass Tschetschenen und Georgier im Hinblick auf das von ihnen gemeinsam als Aggressor erachtete Russland einen Schulterschluss praktizierten.«

Wenn sich die Frankenthaler Richter da bloß nicht täuschen. Beim gesamten Georgiermord-Verfahren ist ein Umstand feinsäuberlich ausgeblendet worden, der von politischer Brisanz ist: Talip O. und Ahmed H. agierten, jeder in seiner Rolle, in jener islamistischen Zelle Ludwigshafen/Mannheim, die Terrorfahnder in Rheinland-Pfalz und Baden-Württemberg seit mindestens 2005 im Fokus hatten – und die Bezüge zur Heilbronner Islamistenszene hat. Ahmed H. wurde regelmäßig telefonüberwacht. Da kann den Ermittlern nicht entgangen sein, was in dicken vertraulichen BKA-Akten steht: Ahmed H. arbeitete all die Jahre für einen »Chef«, wie ihn der junge Somalier regelmäßig nannte. Der lebte bis 2001 in Ludwigshafen, bis er nach den Terroranschlägen des 11. September in sein Heimatland Türkei floh und seitdem von dort die Fäden zieht. Sein Name: Mevlüt K. Seine islamistische »Visitenkarte« ist laut BKA exklusiv: Kontakte zu hochrangigen Vertretern von El-Kaida, der Terrororganisation von Osama bin Laden, Einsätze als Mujaheddin in Tschetschenien, vom Libanon wegen Terrorplanungen international zur Festnahme ausgeschrieben. Er treibt Gelder ein für »Gotteskrieger«, die er vor allem in den Kaukasus schickt, und hat Dritten gegenüber von eigenen Terrorplanungen in Deutschland gesprochen.

Vor allem aber ist er der fünfte Mann der »Sauerland«-Terrorgruppe: Mevlüt K. hat für sie 2007 von Istanbul aus die 26 Sprengzünder beschafft und nach Deutschland bringen lassen. Sein Handlanger in der Türkei war dazu der Ulmer Islamist Attila Selek, im »Sauerland«-Verfahren deswegen mitverurteilt – in Deutschland war es Ahmed H., der jetzt wegen der Georgier-Morde im Gefängnis sitzt. Nur Mevlüt K., der »Chef« aus Ludwigshafen, erfreut sich seiner Freiheit. Die Bundesanwaltschaft hat zwar, reichlich spät, einen Haftbefehl erlassen, doch festgenommen wurde er bisher nicht. Liegt es daran, dass es sich bei Mevlüt K., wie Sicherheitskreise bestätigen, um einen Kontaktmann des türkischen Geheimdienstes MIT und der amerikanischen CIA handelt?

Doch Mevlüt K. hat noch eine weitere Qualität: Er ist ein Mann der Organisierten Kriminalität, der »Chef« steht für jene Verbindung, die es laut deutschen Sicherheitsbehörden nicht gibt, nicht geben darf: Islamismus und Mafia. Die Gruppierung, über die er 2007 die 26 Sprengzünder für die in Deutschland geplanten Terroranschläge beschaffte und deren Kopf er ist, besteht aus schwerstkriminellen Leuten vom Balkan. Es sind Serben, militärisch ausgebildet, einige mit internationalem Haftbefehl gesucht. Das BKA in Wiesbaden kennt ihre Namen und weiß um die Verbrechen, die ihnen eine serbische Sonderstaatsanwaltschaft für Organisierte Kriminalität unter anderem vorwirft: Betrugsdelikte, Körperverletzung, geplante Sprengstoffanschläge, Terrorplanungen.

Als die verhafteten Mitglieder der deutschen »Sauerland«-Terrorgruppe 2009 ihre Geständnisse gegenüber BKA-Beamten ablegen, berichtet auch Attila Selek umfangreich – über Mevlüt K. Er schildert ihn als radikalen Islamisten mit Mafia-Bezug, der stets eine scharfe Pistole mit sich führe und als sehr gefährlich einzuschätzen sei. Einmal, im Frühjahr 2007, habe Mevlüt K. zwei Leute im Umgang mit Sprengstoff ausbilden lassen wollen. Er wolle sie für eigene Zwecke nutzen, er habe da was am Laufen, habe K. erzählt. Es sei um Anschläge gegangen. Und dann kommt's: In diesem Zusammenhang habe Mevlüt K. erwähnt, das Ganze habe »etwas mit Georgien« zu tun. Als er damals näher nachfragen wollte, so Selek bei seiner BKA-Vernehmung, habe sich K. sehr aufgeregt und sich jede weitere Frage verbeten. Wiederholt schildert Attila Selek, wie brutal K. sein könne – wenn nicht »sauber« mit ihm zusammengearbeitet werde. Einen Tschetschenien-»Verräter« habe man liquidiert, habe der Mann aus Ludwigshafen einmal erzählt. Steht Mevlüt K., wie es in Islamistenkreisen heißt, in Verbindung mit dem Georgier-Mord?

Was im Ludwigshafener Fall ebenfalls fast vollständig ausgeblendet wurde: Er hat Bezüge zu Heilbronn. Am 31. Januar 2008, dem Tag nach der Tat, führt ein Araber zwei Handygespräche mit dem Haupttäter Talip O. Er sagt ihm, drei Georgier seien vermisst, mit denen er doch tags zuvor weggefahren sei, und fragt, was da los sei. Talip O. antwortet, er sei gerade auf dem Weg nach Heilbronn. Später erklärt er, er befinde sich in Heilbronn. Vor Gericht wird der Deutsch-Iraker behaupten, dass dies nicht gestimmt habe. Doch es ist nicht die einzige Spur, die nach Heilbronn führt. Ausgerechnet am selben Tag, dem Tag nach dem Mord, ruft ein in Heilbronn lebender Iraker Talip O. an. Er schickt ihm offenbar auch eine SMS, wie aus Ermittlungsunterlagen hervorgeht. Die beiden kennen sich, in den Wochen zuvor haben sie auffallend häufig, fast ständig miteinander telefoniert. Talip O. sagt später bei seiner Vernehmung, der Landsmann habe sich für einen Pass interessiert, den er ihm bei der Botschaft besorgen könnte.

Als rheinland-pfälzische LKA-Beamte nach Heilbronn fahren und den Iraker vernehmen, erklärt der etwas völlig anderes: Es sei bei den Telefonaten immer nur um einen eventuellen Autokauf gegangen. An den Inhalt der SMS könne er sich nicht mehr erinnern. Ständige Anrufe, mitunter zehn an einem Tag, nur wegen eines Autokaufs?

Die Beamten wittern eine Lüge. »Ich bin nicht bereit, mir weiter solche unglaublichen Geschichten anzuhören«, drängt einer den Mann, »die Wahrheit zu sagen«. Doch der Iraker bleibt bei dieser Version. Merkwürdig: In einem Vermerk schreiben die Beamten später, der Mann »wirkte bezüglich seiner Angaben glaubhaft«. Die Beamten sprechen den in Heilbronn lebenden Iraker auch auf den Polizistenmord an. Für den Tag kann er ein Alibi vorweisen. Ob er die beiden mutmaßlichen Islamisten kennt, die nach dem Mord nahe des Tatortes angetroffen wurden, wird er nicht gefragt. Hatten die Heilbronner Ermittler den Vorgang nicht weitergegeben? Fakt ist: Der wegen des Georgier-Mords mitverurteilte Somalier Ahmed H. kennt einen der beiden – aus der Moschee von Ludwigshafen. Und H. sagt auch bei Vernehmungen, dass er andere Personen aus Heilbronn kenne.

Seit dem Georgier-Mord Anfang 2008, so sagen das baden-württembergische Landeskriminalamt und der Stuttgarter Innenminister Heribert Rech heute, habe man »erhebliche Zweifel« an der DNA-Spur des »Phantoms« gehabt. Diese Aussage ist seltsam. Denn es gab doch Bezüge zu Heilbronn – die freilich unter der Decke gehalten wurden. Sie ist aber vor allem deshalb seltsam, weil ausgerechnet seit diesem Fall jeder intern oder öffentlich geäußerte Zweifel von Verantwortlichen des Landeskriminalamts mächtig abgebügelt wird. Man könnte auch sagen: weil von da an baden-württembergische Polizeipolitiker ein dubioses Spiel spielen. Im Sommer 2008 mehren sich in verschiedenen Behörden kritische Stimmen: Die »Phantomkillerin«, so sagen erfahrene Beamte bei internen Besprechungen, könne es doch gar nicht geben, die ominöse Spur müsse etwas mit den eingesetzten Wattestäbchen zu tun haben. Sie haben festgestellt, dass es auf der Spurenkarte einen weißen Fleck gibt, zwischen Baden-Württemberg und Österreich: Kein einziger Treffer in Bayern – dort verwenden Kriminaltechniker andere Spurentupfer. Und sie finden Berichte, unter anderem in den USA, wonach es in der Vergangenheit immer wieder Fälle gab, in denen verunreinigte Utensilien der Spurensicherung zu Falschfahndungen geführt hatten. Einer dieser kritischen Beamten gibt schließlich seine Sicht der Dinge an LKA-Führungskräfte weiter: Die »Phantom«-Killerin gebe es nicht, die Wattestäbchen müssten schon vor dem Einsatz kontaminiert gewesen sein. Er hat Recht.

Doch dafür, so erzählen später, als das »Phantom«-Desaster enthüllt ist, verärgerte LKA-Mitarbeiter, sei der Kollege von führenden Vertretern des Landeskriminalamts damals kräftig abgebürstet worden. Dabei, so regen sie sich auf, hätte man den Bürgern doch weitere Angst und Schrecken sowie die Ausgabe weiterer Millionen Steuergelder ersparen können, wenn die Behörde auf diesen Vorstoß positiv reagiert hätte.

Ende 2008 wird das Spiel der baden-württembergischen Polizeipolitiker immer fragwürdiger. Statt dass Innenminister Rech die »erheblichen Zweifel« an der »Phantom«-Spur im Innenausschuss des Landtags anspricht oder gar öffentlich macht, schüren Ermittlungsbehörden in der Bevölkerung neue Angst: Im Dezember präsentieren sie einen weiteren DNA-Fund des »Phantoms«, gesichert in einem verschlossenen Fiat Panda am Ufer eines Rückhaltebeckens nahe Heilbronn. Das Fahrzeug gehörte einer 45-jährigen Krankenpflegerin, die dort zwei Monate zuvor tot gefunden worden ist. Wichtige Fakten werden verschwiegen: Die Obduktion hat »zweifelsfrei« ergeben, dass die Frau ertrunken ist. Und: »Konkrete Anzeichen äußerer Gewalt fanden sich nicht.« Die Frau litt seit Jahren an Depressionen, hatte wiederholt Suizidgedanken geäußert. In ihrem Körper hat man Rückstände von Psychopharmaka gefunden. Doch die Polizei spricht öffentlich von »ungeklärten Todesumständen« – und von einem möglichen neuen Mord des »Phantoms«. Sie erhöht kurz darauf sogar die Belohnung zu seiner Ergreifung auf 300 000 Euro.

Dabei ist zu diesem Zeitpunkt österreichischen Ermittlern klar, dass es die »Phantommörderin« nicht geben kann. Bei einer Schlägerei in einer Linzer Disco ist ein Gast von einem anderen Mann totgeprügelt worden. Eine Frau war nicht im Spiel. Als am 18. Dezember 2008 vom Kriminaltechnischen Institut Innsbruck die Nachricht kommt, dass auch hier die »Phantom«-Spur gefunden wurde, beginnt im Landeskriminalamt Oberösterreich gerade eine Weihnachtsfeier. LKA-

Chef Rudolf Keplinger lässt das Büffet kalt werden, er holt seine Mitarbeiter zur spontanen Besprechung: »Für uns war da klar, dass es diese Frau nicht gibt«, erzählt er heute. Dies lässt er Tags darauf auch die Stuttgarter Kollegen wissen. Doch die treiben ihr Ablenkungsmanöver weiter. Der Münsteraner Rechtsmediziner Bernd Brinkmann vertritt zur selben Zeit im ZDF die Auffassung, die für die DNA-Analytik benutzten Utensilien seien wohl verunreinigt gewesen. Das Stuttgart Landeskriminalamt verweist diese These brüsk ins Reich der Märchen.

Es ist just die Zeit, als in Baden-Württemberg und im Saarland nach und nach jene grotesken »Phantom«-Spuren aufzutauchen beginnen, die zeigen, dass »erhebliche Zweifel« tatsächlich mehr als angebracht sind – die jedoch geheim gehalten werden. Der Fund beim Einbruch von Kindern und Jugendlichen in eine Saarbrücker Realschule. Die Spur am Stecker eines Navigationsgeräts in Mannheim. Getoppt wird die Vertuschung von einem Vorgang, den Franz Kafka nicht besser hätte erfinden können, der jedoch höchst real ist. Und der beweist: Baden-württembergische Ermittlerchefs wissen zu diesem Zeitpunkt längst, dass die »Polizistenkillerin« nicht existiert. Plötzlich scheint sie da, in nächster Nähe, leibhaftig, genau so, wie sie die Fahnder immer beschrieben haben. Eigentlich muss sie nur noch festgenommen werden. Ein Polizeispitzel meldet Anfang Februar 2009, er habe im Raum Heilbronn eine etwa 27 bis 35 Jahre alte Frau als Anhalterin mitgenommen, die in Aussehen, Kleidung, Frisur und Stimme einem Mann ähnele: das Gesicht ungeschminkt, die Haare kurz rasiert, im linken Ohr drei Ohrringe, am Ringfinger der linken Hand ein silberner Ring, getragen habe sie eine olivgrüne Jacke, US-Militärkleidung, schwarze Stiefel und eine selbst gestrickte schwarze Wollmütze. Und vor allem: Als die Frau ausstieg und dabei ihre Jacke nach oben rutschte, habe er eine schwarze Pistole im Hosenbund gesehen. Alles, wirklich alles passt ins »Phantom«-Raster. Das muss sie sein. Und als das Fahrzeug des Polizeispitzels umgehend kriminaltechnisch untersucht wird, findet man, natürlich, die DNA-Spur der angeblichen Polizeikillerin. Doch statt zur großen finalen Jagd zu blasen, kommt die Sonderkommission intern zu dem Ergebnis: In diesem Fall sei »kein Zusammenhang mit der unbekannten weiblichen Person herzustellen«. Die Bevölkerung erfährt, natürlich, nichts von diesem denkwürdigen Vorgang.

Als am 18. März 2009 das Linzer LKA nach Stuttgart meldet, man wisse jetzt, dass die benutzten Wattestäbchen alle von der schwäbischen Firma Greiner Bio-One stammten und dass man jetzt den gesamten Herstellungs- und Lieferweg dieser Spurentupfer akribisch untersuchen werde, muss den Spitzen im baden-württembergischen Landeskriminalamt und Innenministerium klar gewesen sein: Jetzt ist das Desaster nicht mehr aufzuhalten. Und nicht mehr zu verbergen. Eine Woche später ist der Ermittler-GAU publik, durch die Enthüllung im Magazin Stern. Und plötzlich sprechen jetzt LKA-Chef Hiller und Innenminister Rech von den »erheblichen Zweifeln«, die man schon seit einem Jahr habe. Plötzlich hat auch das LKA Saarland einen Spuren-Fall, der eindeutig zeigt, dass die »Killerin« nicht existiert. Plötzlich sagt Hiller einer Zeitung: Als er im Januar von dem Mannheimer Navi-Fund erfahren habe, sei ihm klar gewesen, dass es das »Phantom« nicht geben könne. Plötzlich erklärt Soko-Chef Huber jetzt, ein Mafia-Hintergrund des Polizistenmords sei nicht auszuschließen. Plötzlich fallen alle Täuschungsmanöver und Lügen der vergangenen Monate in sich zusammen. Um von neuen ersetzt zu werden.

Die Ermittlungen zum Polizistenmord stehen wieder bei Null. Die Sonderkommission »Parkplatz« verfolgt Spuren, die sie noch nicht bearbeitet hat. Abiturienten werden gesucht, die am Abend vor dem Polizistenmord auf der Theresienwiese gefeiert haben. Fast schon ein kriminalistischer Offenbarungseid. In Serbien wird wochenlang eine angeblich »heiße« Spur ermittelt. Am Ende wird ein LKA-Sprecher sagen, dass Spuren auch »erkalten« können. Im Klartext: Fehlanzeige. Der vermeintliche Informant in Serbien, so erzählen Ermittler frustriert, habe angekündigt, die Hintergründe des Polizistenmords zu kennen – und schließlich nur von einer Frau gesprochen, dem »Phantom«.

Dabei ist Serbien ein heißes Terrain. Dort arbeitet die kriminelle Gruppierung von Mevlüt K., dem »Chef«. Der Mann, der angeblich »etwas mit Georgien« vorhatte, der laut Islamistenkreisen in Verbindung mit dem Ludwigshafener Georgier-Mord stehen soll und der für die Verbindung von radikalem Islamismus und Mafia steht – jenem Tätermuster, das erfahrene Sicherheitsexperten im Heilbronner Polizistenmord als reale Möglichkeit sehen. Von dem aber verantwortliche Ermittlerchefs partout nichts wissen möchten.

Im Frühjahr 2010, als die Heilbronner Sonderkommission »Parkplatz« im dunkelsten Dunkel tappt, geht in Düsseldorf der »Sauerland«-Prozess seinem Ende zu. Die Terror-Angeklagten werden vom Gericht gefragt, an welchen Waffen sie in den Jihad-Lagern in Waziristan ausgebildet worden seien. An Kalaschnikows, sagen sie. »Und an der Tokarev.« Es ist eine russische Waffe, die vorrangig in Osteuropa und zudem im Kontext des Tschetschenien-Konflikts benutzt wird. Sie spielt aber auch im Heilbronner Polizistenmord eine wesentliche Rolle. Wie aus polizeiinternen Unterlagen hervorgeht, verwendeten die Killer zwei Waffentypen: eine Luger – und eine Tokarev. Die Polizeibehörden haben das nie publik gemacht. Doch erstaunlicherweise ist, wie unsere Recherchen ergaben, dieses Detail des Polizistenmordes in Islamistenkreisen bekannt. Und dort, so berichten Insider, sei auch bekannt, dass es in Zusammenhang mit Heilbronn einen Waffendeal gegeben habe, mit dem Mevlüt K., der Terror-Hintermann mit Mafia-Bezug, in Verbindung stehen soll. Außerdem sei Mevlüt K. Ende 2006 ungehindert nach Deutschland eingereist und habe sich vorübergehend im Südwesten der Republik aufgehalten. Er wurde mit dem Polizistenmord nie in Verbindung gebracht.

Neue Spuren, neue Puzzleteile. Und Fragen: Gab es im Raum Heilbronn einen Waffendeal zwischen einer kriminellen Gruppierung und Islamisten? Flossen dafür die Millionen, die über eine Bank im Raum Heilbronn transferiert wurden? War der georgische »Pate« im Spiel, der nach Aussagen von Ermittlern in Heilbronn präsent ist? Wurden die kriminellen Dealpartner auf der Theresienwiese durch die zufällige Anwesenheit der beiden Polizisten gestört? Oder war der Polizistenmord die perfide Demonstration einer Mafia-Bande gegenüber der islamistischen Kundschaft: Seht her, wir können so etwas? Und gab es danach einen schweren Konflikt zwischen den Parteien, der zu einem symbolischen Racheakt führte – zum Georgier-Mord in Ludwigshafen?

Journalisten können einen solchen Kriminalfall nicht lösen. Dies zu denken, wäre abwegig. Es ist die Aufgabe professioneller Ermittler. Doch Journalisten können Hinweise recherchieren. Und Fragen stellen. Sie müssen es. Hinweise und

Fragen, denen die Verantwortlichen der »Phantom«-Ermittlungen kaum oder gar nicht nachgegangen sind. Weil sie mehr vertuschten als aufklärten. Vieles spricht dafür: Längst hätten sich die Bundesanwaltschaft und das Bundeskriminalamt mit dem Polizistenmord intensiv beschäftigen müssen.

Manche Ermittler, die zwei Jahre lang diese bizarre »Phantom«-Jagd verfolgt haben, fragen sich, wie weit dieses Tricksen, Tarnen und Täuschen hoher Polizeibehörden noch gegangen sein könnte – etwa so weit, dass die ominöse DNA-Spur im Falle des Georgiermords bewusst konstruiert, also gelegt wurde, um vom politischen Zündstoff abzulenken? Man kann ihnen eine solche Theorie nicht verdenken. Immerhin haben ja schon im Fall des Polizistenmords diverse Täuschungsmanöver eine gewisse Zeit gut funktioniert.

Doch solche Überlegungen sind müßig. Die Realität ist schon grotesk genug: Das »Phantom«-Desaster hat die Fahndung nach den Mördern von Michéle Kiesewetter auf Null zurückkatapultiert. Die Bevölkerung ist zwei Jahre lang grundlos in Angst und Schrecken versetzt worden. Millionen Steuergelder wurden in den Sand gesetzt. Ein LKA-Chef hat Medien und Öffentlichkeit nachweislich mehrfach belogen, ein Innenminister den Landtag monatelang hinters Licht geführt. Eine unschuldige Frau wurde Opfer einer behördlichen Indiskretion, ein Medizinalbetrieb öffentlich diffamiert und wirtschaftlich geschädigt. Viele haben Schaden genommen – mit einer Ausnahme: Die Verantwortlichen der »Phantom«-Farce, sie haben das Desaster wohlbehalten überstanden. Von kritischen Vorstößen der Grünen im Stuttgarter Landtag abgesehen, wurden sie politisch nicht weiter belästigt. Die Polizeigewerkschaften gaben ihnen Deckung. Und die oppositionelle SPD ging in Deckung, mutierte sozusagen zum Phantom.

Ein »Phantom«-Protagonist stieg übrigens sogar auf: Frank Huber, der stets bemühte und willige Chef der Sonderkommission, avancierte zum Dozent an der Polizeifachhochschule Villingen-Schwenningen. Sein Fachbereich: Kriminaltechnik.

Asse im Ärmel

Wie die Öffentlichkeit von Politik und Atomlobby im Skandal um das niedersächsische Salzbergwerk planmäßig in die Irre geführt wurde

Meinrad Heck

Kaum eine Lobby ist so erfolgreich wie die der Energiekonzerne. Seit dem Regierungswechsel zu Schwarz-Gelb 2009 dürfen sie wieder auf eine Laufzeitverlängerung für ihre Kernkraftwerke und auf Milliardengewinne hoffen. Mit ihren Altlasten dagegen werden sie kaum behelligt. Etwa mit dem verrotteten Atommülllager im niedersächsischen Salzstock Asse. Die Erfolgsstory der Kernenergie in Deutschland reicht zurück bis in die 60er Jahre. Sie begann mit einer Lüge.

Die Lastwagen auf dem Weg zum Karlsruher Rheinhafen kamen ohne Schwierigkeiten voran. Niemand nahm an diesen Frühlingstagen im Mai 1967 Notiz von ihnen. Niemand bemerkte, dass sie aus dem Kernforschungszentrum im Norden Karlsruhes kamen, und schon gar niemand, bis auf die Auftraggeber, kannte den Inhalt der 480 Fässer auf ihren Ladeflächen. Die Fracht wurde im Rheinhafen an Bord des Binnenschiffes Rhenus 15 geladen, und erst einige Tage später würden sich ein paar Männer an diesen mysteriösen Fässern stören. Da hatte die Rhenus 15 schon deutsches Hoheitsgebiet verlassen.

Sie war rheinabwärts gefahren, hatte nach mehreren Tagen in Emden festgemacht und dort ihre Ladung gelöscht. In dem Hafen wartete bereits ein britischer Hochseefrachter. Das Schiff trug einen legendären Namen. Es hieß, wie der in jenem Jahr publizierte Spionage-Thriller aus der Feder von Leon Uris. Ein Weltbestseller, welcher die spannende Geschichte eines westlichen Top-Agenten mit dem Decknamen Topaz während der Kuba-Krise erzählt. Der britische Frachter hieß gleichfalls Topaz, und auch er hatte ein Geheimnis. Er würde am 19. Mai 1967 in See stechen und elf Tage danach seine Fracht im Atlantik einfach über Bord kippen.

Zuvor hatten jedoch ein paar Hafen-Arbeiter in Emden Schwierigkeiten gemacht. Sie hatten sich geweigert, jene 480 Fässer aus dem Kernforschungszentrum Karlsruhe von der Rhenus 15 auf die Topaz umzuladen. Denn sie kannten den Inhalt. Es waren 180 Tonnen Atommüll. Die Arbeiter hatten kritische Berichte über den Beginn der kommerziellen Kernkraftnutzung gelesen, und sie waren der Meinung, wie es ein amtlicher Aktenvermerk seinerzeit festhielt, dass »jeder Umgang mit radioaktiven Stoffen in höchstem Maße gefährlich« sei. Nur ein mitgereister Experte der Karlsruher Gesellschaft für Kernforschung konnte sie beruhigen. Denn die deutschen Fässer hatten wenigsten doppelte Deckel, sie waren verschraubt, und sie schienen dicht zu halten. Was die Topaz dagegen schon in England geladen und mitgebracht hatte, sah anders aus: Fässer nur einfach gesichert und im Vergleich zum deutschen Atommüll mit dem zehn- bis zwanzigfachen Strahlenpotenzial.

Die Topaz hatte am 30. Mai 1967 ihre Aufgabe fast erfüllt. Sie verließ Emden, machte noch in anderen Häfen fest, um neue Ladung an Bord zu nehmen. Der Frachter hatte am

Ende aus England, Deutschland, den Niederlanden, Belgien und Frankreich insgesamt 2 286 Tonnen radioaktiver Abfälle geladen. Sie landeten 400 Kilometer vor der Küste Portugals 4 000 Meter tief auf dem Grund des Atlantischen Ozeans. Die Aktion war nach heutigen Maßstäben zwar verantwortungslos, aber damals legal. Sie wurde als Versuchs-Versenkung deklariert, man wollte herausbekommen, was das kostet, sie geschah mit Wissen und unter Aufsicht internationaler Behörden, und sie war die einzige Meerversenkung von radioaktivem Abfall – zumindest die einzig bekannte –, an der sich Deutschland offiziell je beteiligt hatte. Andere Länder, England und Frankreich beispielsweise, leiten noch heute radioaktive Abfälle ins Meer. Was die frühere Sowjetunion während des Kalten Krieges an Atommüll, an ausrangierten U-Booten samt Kernreaktoren in manchen ihrer Binnenseen oder Küstengewässern versenkt hat, lässt sich nicht exakt beziffern. Und was hochkriminelle Banden und Mafia-Organisation möglicherweise ins Meer gekippt haben, lässt sich allenfalls ahnen und (be)fürchten.

Zwischen 1967 und 1981 hatte es Dutzende von genehmigten Verklappungsaktionen im Nordostatlantik gegeben. Seitdem liegen wenigstens 86 000 Tonnen Atommüll aus westeuropäischen Staaten auf dem Grund dieses Ozeans, erklärte das niedersächsische Umweltministerium auf eine Anfrage der Landtags-Grünen im März 2009. Immer wieder hatte in den Folgejahren das deutsche Forschungsschiff Meteor die Verklappungsorte im Iberischen Becken angesteuert und Messungen durchgeführt. Die Besatzung hatte die radioaktiven Nuklide Cäsium 137 und Strontium 90 nachgewiesen. Beides stammte vermutlich aus dem radioaktiven Fallout zahlloser Atombombenversuche. »In keinem Fall«, so hieß es beim

Umweltministerium, seien jedoch Aktivitätswerte aus jener Atommüllentsorgung vom Mai 1967 im Meer ermittelt worden. Was nicht etwa daran gelegen hatte, dass es solche Freisetzungen nachweislich nicht gegeben hätte, sondern weil wegen der Verdünnung in der Meeresströmung womöglich frei gesetzte Nuklide »nur in unmittelbarer Nähe der Ablagerungsstellen nachweisbar« sind. Aber was am Grund des Ozeans tatsächlich passierte und womöglich heute noch passiert, ob die Fässer trotz ihrer Bleiummantelung dem enormen Wasserdruck in 4000 Meter Tiefe standgehalten haben oder zerplatzt sind, weiß niemand.

Erste Überlegungen für derlei Versuchsversenkungen im Meer gab es in deutschen Behörden spätestens seit 1964. Ziel war vor allem, herauszufinden, wie hoch die Kosten einer solchen Entsorgung waren. Was genau die Topaz in die Tiefsee unter behördlicher Aufsicht verklappt hatte, lässt sich heute kaum noch rekonstruieren. Die exakten Messergebnisse konnten Jahrzehnte später auf eine Nachfrage der niedersächsischen Grünen nicht mehr recherchiert werden. Die Akten dazu seien »nicht mehr vorhanden«, erklärte das niedersächsische Umweltministerium.

Warum sich ausgerechnet die Grünen in Niedersachsen nach dieser alten Geschichte erkundigten, hatte einen triftigen Grund. Im niedersächsischen Landkreis Wolfenbüttel liegt heute die, vorsichtig formuliert, problematischste Atomanlage Deutschlands, wenn nicht gar ganz Europas: das Atommülllager im ehemaligen Salzbergwerk Asse. Dort wurden zwischen 1965 und 1978 insgesamt 127000 Fässer mittel- und schwachaktiver Abfälle vor allem aus dem früheren Kernforschungszentrum Karlsruhe abgekippt und eingelagert. In kleinen Mengen auf die Fässer verteilt, lagern dort unter Tage mehr als 28 Kilogramm Plutonium mit einer Halbwertszeit von 24110 Jahren. Eine Anlage, die solche Größenordnungen beherrschen will, müsste diesen Atommüll demnach zehntausende von Jahren sicher einschließen und jeglichen Kontakt mit Wasser und Luft zweifelsfrei ausschließen. Tatsächlich garantiert die Asse alles andere als Sicherheit. Das alte Bergwerk ist durch den jahrzehntelangen Salzabbau durchlöchert wie ein Schweizer Käse. Sicher ist nur, dass es in naher Zukunft einzustürzen droht. Falls es bis zum Jahr 2020 nicht gelingt, alle 127000 Fässer wieder herauszuholen, wird der Atommüll im Berg begraben.

Die Asse ist eine Anlage, die in den 60er Jahren gegen alle Widerstände und gegen viele Sicherheitsbedenken durchgepaukt wurde, damit die Kernkraft in Deutschland überhaupt Fuß fassen konnte. Der Atomindustrie stand mit dieser Asse mehr als ein Jahrzehnt lang eine billige Müllkippe zur Verfügung, die der Öffentlichkeit und Genehmigungsbehörden wider besseres Wissen als »Forschungsbergwerk« oder als »sicherer Tresor«, noch dazu angeblich »für alle Zeiten« verkauft worden war. Die Öffentlichkeit war für die handelnde Atomlobby ein Störfaktor, der, wie sich noch zeigen sollte, »beruhigt« werden musste und mit Lügen ruhig gestellt wurde. Betreiber von Kernkraftwerken haben allenfalls zweistellige Millionensummen an Einlagerungsgebühren bezahlt, die Sanierung der maroden Atommüllkippe wird deutlich über drei Milliarden Euro kosten. Wenn sie denn überhaupt noch möglich ist, wofür heute kein Gutachter mehr die Hand ins Feuer legt. Das Geld wird nicht von den Energiekonzernen kommen, sondern vom Steuerzahler. Die Grünen in Hannover wollen über einen seit 2009 laufenden Parlamentarischen Untersuchungsausschuss herausbekommen, wer für das sich abzeichnende Desaster verantwortlich ist.

Der Siegeszug der Kernenergie in der Bundesrepublik Deutschland begann mit einer Lüge. Diese Lüge lässt sich nicht zweifelsfrei an einem expliziten Ereignis festmachen, sondern allenfalls zeitlich einordnen. Vielleicht war jener 2. November des Jahres 1964 ein solches Datum gewesen. Obwohl an diesem Tag zunächst noch eher innerdeutsche Verhältnisse die Nachrichten beherrschten. Mehr als drei Jahre nach dem Bau der Berliner Mauer durften in Berlin am Übergang Chausseestraße erstmals wieder DDR-Rentner in den Westen reisen, um Verwandte zu besuchen. Die Zeitungen waren voll von diesen neuen und guten Nachrichten aus der DDR. Ein Salzbergwerk in Niedersachsen und was sich dort aktuell und in den folgenden Jahren abspielen sollte, war noch keine größere Meldung wert. Und der Brief, den die Arbeitsgemeinschaft Braunschweiger Frauenverbände an diesem 2. November 1964 von ihrer Vorsitzenden tippen und abschicken ließ, landete zwar wie vorgesehen im Bundesministerium für Wissenschaft und Forschung, aber das Thema, um das es den ziemlich resoluten und höchst besorgten Frauen ging, spielte in der Republik noch keine allzu große Rolle.

Die Braunschweiger Frauen hatten gehört, dass in dem alten Salzbergwerk Asse Atommüll eingelagert werden sollte, und sie erhoben mit ihrem Protestschreiben an den Forschungsminister »energisch Einspruch« dagegen. Die wenigen Details, die bislang an die Öffentlichkeit gedrungen waren, sprachen von irgendwelchen Forschungen unter Tage, und genau das kauften sie den Herren Politikern eben nicht ab. Sie »sahen einer ständig wachsenden Gefahr ins Auge«. Sie fürchteten um ihr sauberes Grundwasser und vor allem, dass ihr Landstrich den Atommüll unter Tage nicht mehr loswerden würde. Sie sollten Recht behalten.

Auch wenn ein gewisser Dr. H. vom Forschungsministerium in Bonn den Braunschweigerinnen seinerzeit, »mit vorzüglicher Hochachtung«, versteht sich, kurz darauf noch weiszumachen versuchte, dass es sich wirklich nur um Forschungsvorhaben handele und eine Einlagerung von Atommüll in dem Bergwerk »zur Zeit nicht beabsichtigt« sei. Was dieser Dr. H. der besorgten Arbeitsgemeinschaft im November 1964 lieber verschwieg, waren die Pläne, die sein Ministerium und ein paar Atomwissenschaftler der Karlsruher Gesellschaft für Kernforschung (GfK) mit dem alten Salzbergwerk wirklich hatten. Das Kernforschungszentrum Karlsruhe und ein paar Ministeriale um jenen Dr. H. hatten sich in einer »Projektgruppe Endlagerung radioaktiver Abfälle« schon im Februar 1964 darauf verständigt, »das weitere Vorgehen für die Errichtung eines Endlagers festzulegen«, und sie hatten eben nicht nur von einem Forschungsvorhaben gesprochen. Zu forschen, so ist einem internen Aktenvermerk dieser Gruppe zu entnehmen, gedachten die Herren allenfalls noch ein paar Jahre, bevor sie »endgültig« so weit sein sollten.

Zunächst einmal sollte die Asse von ihren früheren Betreibern, für die aus dem Salzstock nichts mehr herauszuholen war, für damals 600 000 Mark gekauft werden. Was zu dem Preis ein außerordentliches Schnäppchen zu sein schien, wenn ein paar Vorbedingungen geklärt waren. Etwa die, dass die aufstrebende Atombranche mit möglichen Spätfolgen einer unkalkulierbaren Endlagerung nichts zu tun haben mochte. Die Herren der ministerial-industriellen Projektgruppe verständigten sich seinerzeit deshalb darauf, dass der Bund das Bergwerk kaufen sollte. Das schien ihnen, so heißt es in einem

Protokoll, »wegen der nötigen Verantwortlichkeit über mehrere Jahrhunderte« nun einmal »das günstigste Verfahren« zu sein. Und wenn das alles geklärt sein würde, dann würde »eine Benutzbarkeit dieses Salzbergwerkes von fünf bis zehn Jahren von vorneherein sicher erscheinen«. Diese Asse würde dann »sofort zur Verfügung stehen«, und es könnten in kürzester Zeit »sämtliche Einlagerungswünsche erfüllt« werden. Selbst hoch radioaktive Abfälle könnten demnach, Sicherheit vorausgesetzt, in dem Berg »für eine gewisse Zeit zwischengelagert« werden.

Zur Erinnerung: Acht Monate nach dieser Aktennotiz verkaufte das Bundesforschungsministerium den Braunschweiger Frauen das Projekt Asse immer noch als Forschungsvorhaben. Dass die Industrie tatsächlich ganz anderes im Sinn hatte, sollte sich schon wenige Monate später zeigen. Der Druck, der immer stärker wurde, kam aus Karlsruhe.

Das dortige Kernforschungszentrum war das Mekka der deutschen Atomindustrie. Dort wurden neue Reaktortypen getestet, dort wurde später an der Wiederaufarbeitung von abgebrannten Brennelementen gearbeitet. In der Wiederaufarbeitungsanlage Karlsruhe (WAK) waren von 1971 bis zu ihrer Schließung 1991 rund 200 Tonnen Kernbrennstoffe aus deutschen Forschungs- und kommerziellen Leistungsreaktoren behandelt worden. Ein Großteil des radioaktiven Abfalls landete unter Tage in der Asse. Die bundesweit mit Abstand gefährlichste Altlast stammte ebenfalls aus dieser WAK und sie blieb jahrzehntelang in dieser WAK, ein paar Steinwürfe nördlich von Karlsruhe. Es waren 60 000 Liter Salpetersäure mit »High Active Waste«, mit hochaktiven und Wärme entwickelnden Spaltstoffen aus den Wiederaufarbeitungsprozessen.

Mehr als 500 Kilogramm Uran und 15 Kilogramm Plutonium lagerten in zwei Stahltanks nahe Karlsruhe hinter zweieinhalb Meter dickem Stahlbeton. Der Historiker Detlev Möller aus Meckenheim bei Bonn hat bei Recherchen zu seiner viel beachteten Dissertation »Endlagerung radioaktiver Abfälle in der Bundesrepublik Deutschland« im November 2008 im Koblenzer Bundesarchiv dazu ein aufschlussreiches Dokument ausgegraben. Demnach erschien selbst der Karlsruher Gesellschaft für Wiederaufarbeitung kurz vor Baubeginn der Standort dieser Lagertanks »äußerst exponiert«, weswegen es 1969 allenfalls um »eine Notlösung« gehen sollte. Die Notlösung am Rande dieser 270 000 Einwohner-Stadt sollte 40 Jahre dauern. Erst 2009 wurde mit der Verglasung der sogenannten Atomsuppe begonnen.

Die Politik, anfangs CDU-geführt, später auch unter der SPD Helmut Schmidts, hatte sich ab den 60er Jahren längst auf die Kernkraft als die billige und vermeintlich sichere Energieform der Zukunft festgelegt. Das Karlsruher Zentrum wuchs und platzte aus allen Nähten, weswegen die Gesellschaft für Kernforschung die neuen Asse-Eigentümer im August 1965 wissen ließ, dass die Menge radioaktiver Abfälle im Norden Karlsruhes »ständig stark ansteigt« und in kürzester Zeit »unsere Lagerhallen gefüllt« sein werden. Die Karlsruher schielten immer stärker auf das alte Salzbergwerk. Denn dort mochte es zwar offiziell nur Einlagerungsversuche geben, Interesse hatten die Karlsruher aber vor allem an einer »Entlastung unseres Abfalllagers«. Wenn diese Asse also nicht sehr bald zur Verfügung stünde, müssten sie »umgehend Maßnahmen zum Bau einer neuen Lagerhalle ergreifen«, was die Kernforscher dort bei drohenden Kosten von seinerzeit 1,6 Millionen Mark »angesichts der Finanzlage dringend vermeiden« wollten.

Das ging im August 1965 selbst den neuen Bergwerksbetreibern der Münchner Gesellschaft für Strahlenforschung (GSF) entschieden zu weit. Denn wie vertrugen sich eine solche von Karlsruhe gewünschte »Massenanlieferung von radioaktiven Rückständen« und vor allem die »offenbar beabsichtigte Fortsetzung« dieser Anlieferung mit der immer propagierten Versuchseinlagerung? Die Münchner Bergwerksbetreiber hatten die immer stärker werdenden Widerstände in der Öffentlichkeit nur durch, wie sie es nannten, »beruhigende Erklärungen« und Hinweise auf Forschungsvorhaben »vorläufig überwunden«. Die Öffentlichkeit war ruhig gestellt worden. Wenn jetzt aber der Druck der Karlsruher Kernforscher bekannt würde, dann, so fürchteten die Asse-Betreiber, wären neue politische Demonstrationen programmiert, verbunden »mit dem Vorwurf der Unglaubwürdigkeit und Unaufrichtigkeit«. Noch dazu, wo sich Gutachter immer noch darum stritten, ob der alte Salzstock wirklich für den Atommüll geeignet war oder nicht.

Das alles entscheidende Kriterium war: Dieser Salzstock musste für Jahrtausende absolut trocken bleiben. Wasser- oder sogenannte Laugeneinbrüche, die es in solchen Bergwerken immer wieder gegeben hatte, mussten ausgeschlossen sein. Ein sogenanntes »Absaufen« des Bergwerks galt als »der größte anzunehmende Unfall«, als der GAU.

Also mussten überzeugende Gutachter her, und sie mussten Ergebnisse liefern, die zu den öffentlichkeitswirksam so »beruhigenden« Meldungen vom »sicheren Tresor« für den Atommüll passten. Einer dieser Gutachter war ein Bergassessor außer Diensten, der mit dieser Asse eher romantische Erinnerungen verband. Sein Vater hatte in dem Salzstock gearbeitet und den Sohn öfter mit unter Tage genommen. Dieser

Assessor außer Diensten kannte die Sorgen, dass auch dieses Bergwerk mit seinem Atommüll früher oder später durch einen Laugeneinbruch absaufen könnte, und er bot der Gesellschaft für Strahlenforschung seine gutachterlichen Dienste an. Sein Ergebnis stand schon fest, bevor er für ein Honorar von 10 000 Mark überhaupt zur Feder greifen würde. Denn der Bergassessor a.D. würde in dem »gewünschten Gutachten« schreiben, dass er die Laugengefahr für »nicht so groß« hielte, weswegen er den Bergwerksbetreibern schon vor Abgabe seiner Expertise anbot, er werde »durch meine in diesem Sinne abgefassten Ausführungen ein wenig dazu beitragen, die Bedenken etwas zu zerstreuen«. Das Ergebnis stand also vor Abgabe schon fest, das Gutachten würde den Herrn Bergassessor ein Jahr beanspruchen, weswegen er und seine Auftraggeber von der Münchner Gesellschaft für Strahlenforschung besagte 10 000 Mark Honorar für »angemessen« hielten.

Es blieb bis in die 80er Jahre bei der bekannten öffentlichen Sprachregelung: Die Asse diene der Versuchseinlagerung, ein Wassereinbruch sei vollkommen ausgeschlossen, der Müll sicher wie in einem Tresor. Wer sich allerdings die Betriebsgenehmigungen und die Entsorgungsnachweise für manches Kernkraftwerk der Republik etwas genauer anschaute, dem wurde klar, wofür und vor allem wem ab 1967 diese angeblichen Versuchseinlagerungen im Asse-Salzstock wirklich dienten.

Der neue Atom-Meiler in Grafenrheinfeld etwa erwähnte 1974 in seinen zur Genehmigung eingereichten Unterlagen, dass diese Asse »für die Bundesrepublik als Endlager hergerichtet« werde. Das Kernkraftwerk Isar wollte 1971 seine Abfälle »endgültig« in dem alten Salzbergwerk lagern. Für die

Betreiber des späteren Pannenreaktors Krümmel war die Asse schon 1972 in den Genehmigungsunterlagen ganz unumwunden »eine Endlagerstätte« und 1974 schon »für hochradioaktive Abfälle vorbereitet«. Das Kernkraftwerk Würgassen gedachte 1970 seiner gesetzlich vorgeschriebenen sicheren Entsorgungspflicht in der Asse nachzukommen, wo der Atommüll »Jahrhunderte lang ohne Gefahr« gelagert werden könne, die Betreiber von Biblis sprachen schon 1970 von der »Endlagerstätte« Asse, für das Atomkraftwerk Mühlheim-Kärlich war das alte Bergwerk 1975 »eine moderne Endlagerstätte größeren Ausmaßes«.

Der Siegeszug der politisch gewollten Kernenergie begann mit dieser Lüge vom angeblichen Forschungsbergwerk. Ohne diese Asse im Ärmel hätte mancher Atomkonzern Genehmigungs-Probleme mit seinen Meilern bekommen und deutlich weniger Gewinn eingefahren. Das Atommülllager nahm von 1979 an keine radioaktiven Abfälle mehr an. Wegen der Novellierung des Atomgesetzes wäre dafür ein öffentliches Planfeststellungsverfahren nötig gewesen. Als sich das abzeichnete, schlugen die Energiekonzerne noch ein letztes Mal zu: Allein 40 Prozent der seit 1967 eingelagerten 127 080 Atommüllfässern wurden in den letzten beiden Betriebsjahren 1977 und 1978 angeliefert.

Die Konsequenz aus diesen Lügen kann katastrophal werden. Denn was regierungs- und industriefreundliche Gutachter vollständig ausgeschlossen hatten, trat 1988 ein und verschärfte sich in den Folgejahren. Die Asse war nie trocken, wie behauptet, und sie ist es auch heute nicht. Seit 1988 flossen und fließen immer noch täglich 12 000 Liter Lauge aus dem Deckgebirge zu. Dieses Deckgebirge hat Kontakt zum Grundwasser, es gehört zu der dem Menschen zugänglichen Biosphäre.

Genau die galt es zu schützen. Damit war das Märchen vom sicheren Tresor für alle Zeiten als solches entlarvt.

Nach 200 Störfällen mit teils offenen und gebrochenen Fässern wurde schon in den 90er Jahren mit radioaktivem Cäsium 137 kontaminierte Lauge nachgewiesen. Sie war im Bergwerk von einer Sohle zur nächsttieferen getropft. Angeblich sollte sie harmlos und laut Betreiber nur »sehr, sehr gering belastet« sein. Im Umweltausschuss des niedersächsischen Landtages erfuhren die Grünen auf Anfrage im Juni 2008, dass in dieser Lauge die Cäsium-Werte um das Achtfache über den Grenzwerten lagen. Fast 80 000 Liter dieser radioaktiv belasteten Lauge waren in der Asse in 975 Meter Tiefe in einen mit Salzguss verfüllten Stollen eingeleitet worden. Der Fall war mehr als zehn Jahre geheim gehalten worden.

Gebirgsmechanische Gutachten wiesen nach, dass sich der durchlöcherte Berg »entfestigte«. Er droht einzustürzen. Dieses Szenario wird durch ein weiteres, lange unbeachtetes Detail noch dramatischer. Die Asse ist einer von 90 Standorten weltweit, an denen das Mineral Carnallit nachgewiesen wurde. Carnallit löst sich in Wasser vollständig auf. Bei einem unkontrollierten und »unbeherrschbaren« Wassereinbruch, der von Gutachtern derzeit nicht mehr ausgeschlossen wird, würden neue Hohlräume entstehen. Der Schweizer Käse hätte dann fast doppelt so viele Löcher. Der Berg, dessen Standfestigkeit heute bis ins Jahr 2020 prognostiziert wird, könnte noch schneller einstürzen.

Mehrfach mussten die Angaben zum radioaktiven Inventar korrigiert werden. Anfangs sollten neun Kilogramm Plutonium auf 127 000 Fässer verteilt sein, jetzt sind es 28,6 Kilogramm. Die Menge an radioaktivem Tritium musste, verglichen zu den ursprünglichen Angaben des Kernforschungszentrums

Karlsruhe, um das 16-fache noch oben korrigiert werden. 12 000 Fässer mit angeblich schwach aktivem Abfall fallen tatsächlich in die Kategorie »mittelaktiv« und sind damit deutlich höher belastet. Sie wurden einfach mit einem Betonmantel zur Strahlungsabschirmung angeliefert. Als solche Ummantelungen brachen, stellten sich die höheren Werte heraus. In der Asse liegen heute nicht nur atomare, sondern auch Giftmüllabfälle wie Arsen- und Bleiverbindungen, selbst Tierkadaver finden sich in neueren Inventarlisten. Und alles, was man über den Inhalt der Fässer weiß, basiert nur auf den schriftlichen Erklärungen der Atomindustrie. Was wirklich drin ist, lässt sich nicht mehr prüfen.

50 Prozent des Abfalls kamen aus Karlsruhe. Tatsächlich haben manche Kernkraftwerke diesen Umweg über Karlsruhe genutzt, ihre Abfälle dort zur Weiterbehandlung und Konditionierung abgegeben, danach landeten sie, offiziell als »Forschungsabfälle« deklariert und deshalb kostenlos, in der Asse. Deutsche Atommeiler hatten 20 Prozent der Fässer angeliefert, der Rest kam von anderen Forschungseinrichtungen, der Bundeswehr und einigen Krankenhäusern. Letzteres würde ein führender Landespolitiker, nachdem das Ausmaß des Skandals um das marode Bergwerk 2008 deutlich werden sollte, zu einem verbalen Schonwaschgang nutzen. Der heutige Bundespräsident und frühere Ministerpräsident von Niedersachsen, Christian Wulff, sprach noch 2008 im Zusammenhang mit dem maroden Bergwerk gern von »Krankenhausabfällen«.

Allzu sehr mochten sich beteiligte Bundes- und Landesministerien beim Asse-Skandal nicht in die Karten schauen lassen. Der von SPD und Grünen initiierte Parlamentarische Untersuchungsausschuss in Niedersachsen scheiterte hin und wieder an einem sogenannten »Kernbereich der Willensbildung«. Mit dieser Formulierung wurden manche womöglich aufschlussreichen Akten selbst nach 30 Jahren noch zur geheimen Verschlusssache erklärt.

Seit 2008 war das Münchner Helmholtz-Zentrum neue Betreiberin der Asse. Diese Gesellschaft untersteht dem Bundesforschungsministerium von Annette Schavan. Die Ministerin musste schon einräumen, dass sich mit »Forschung allein nicht ein Umfang von 127000 Fässern erklären (lässt). Forschung wäre mit weniger ausgekommen«, sagte sie. Dann bescheinigte sie ihrem Helmholtz-Zentrum im Zusammenhang mit der geplanten Schließung der Asse »erstklassige Kompetenz«. Das Schließungskonzept sah vor, das Bergwerk zu fluten und teils mit einer speziellen Betonmischung zu verfüllen. Der Müll wäre damit für alle Zeiten begraben gewesen. Wegen der skandalösen Vorgänge, die zum maroden Zustand der Asse geführt hatten, wurde der Helmholtz-Gesellschaft die Leitung des Bergwerkes Anfang 2009 entzogen und auf die Bundesanstalt für Strahlenforschung übertragen. Seitdem wird die Asse nicht mehr unter dem laschen Bergrecht, sondern dem strengen Atomrecht betrieben.

Das von der »erstklassig kompetenten« Helmholtz-Gesellschaft geplante Konzept zur Flutung und Verfüllung des Atommülllagers landete vorerst im Papierkorb. Neue Gutachten vermissten in diesem Konzept den Nachweis der Langzeitsicherheit. Seit Februar 2010 wird geplant, sämtliche 127000 Fässer mit Atommüll wieder aus dem Bergwerk herauszuholen. Viel Zeit bleibt nicht. Mit Planfeststellungsverfahren und schwieriger, teils gefährlicher Arbeit könnte dieses Projekt 20 Jahre dauern und mehr als drei Milliarden Euro kosten. Gutachter prognostizieren jedoch für den Berg eine Standfestigkeit von allenfalls zehn Jahren. Es wird ein dramatischer Wettlauf gegen die Uhr.

Der Skandal um die Asse muss aber aus Sicht der seit 2009 CDU-geführten Bundesregierung und der ihr verbundenen Atomlobby klein gehalten werden. Schwarz-Gelb plant seit 2009 den Ausstieg aus dem von Rot-Grün beschlossenen Atom-Ausstieg. Die Kernkraftwerksbetreiber dürfen wieder auf längere Laufzeiten hoffen – wenn der Fall Asse klein gehalten werden kann und darüber nicht ein weit größeres Projekt zusammenbricht: das geplante Endlager für hochradioaktive Abfälle in Gorleben. Dieser Standort ist seit 1976 im Gespräch. Er war einer kritischen Öffentlichkeit von der niedersächsischen Landesregierung unter Ernst Albrecht als »Kernenergie-Entsorgungspark« verkauft worden. Weil es im Jahr 2010 erste Hinweise gibt, dass die damalige Bundesregierung unter Helmut Kohl auf die Wahl dieses Standortes bei Gutachtern per Weisung Einfluss genommen haben könnte, gibt es auch zum Thema Gorleben einen Parlamentarischen Untersuchungsausschuss des Bundestages, der bei Drucklegung dieses Buches seine Arbeit noch nicht beendet hatte.

Auch da spielen geheime und dubiose Aktenvermerke und kritische Expertisen eine Rolle. Sie waren inhaltsgleich zu jenen mahnenden Stimmen, die schon im Fall Asse Recht behalten hatten. Der Geowissenschaftler Dr. Duphorn hatte in einem 250-seitigen Gutachten gegenüber Bundesbehörden im Januar 1983 erklärt, dass der Salzstock Gorleben nach neueren Versuchsbohrungen seine »Eignung als Endlager für radioaktive Abfälle verloren« habe, weswegen es mit Blick auf eine seinerzeit bevorstehende Entscheidung des Bundeskabinetts »nur eine geowissenschaftlich konsequente Entscheidung geben kann«, nämlich »die Erkundung anderer Salzstöcke« –

was tatsächlich nie geschehen ist. Zur entscheidenden Kabinettssitzung in Bonn wenige Monate später sollte es eine Tischvorlage der Bundesanstalt für Geowissenschaften und Rohstoffe aus Hannover geben, für die jener kritische Gutachter tätig gewesen war.

Eine Formulierungshilfe der besonderen Art für diese Kabinettsvorlage kam von einem Referenten des Bundesforschungsministeriums. Ein gewisser Dr. Z. hatte wenige Monate, nachdem Helmut Kohl Kanzler geworden war, ausgesprochen exakte Vorstellungen, was dem Kabinett vorzulegen sei. In einem geheimen Telex schrieb er am 13. Mai 1983 um 13:53 Uhr: Die »wesentlichen Ergebnisse der Standorterkundung« sollten »mit der Feststellung schließen«, dass die »Eignung des Salzstocks Gorleben für die Errichtung eines Endlagers substanziell untermauert werden konnte«. Und der Referent regte in dem Geheimpapier weiter an, »den vermutlich hypothetischen Störfall des Wasser- und Laugenzutritts« – so wörtlich – »etwas weiter vom Zentrum der Betrachtung wegzurücken«. Aktuell ist der Standort Gorleben immer noch im Gespräch. Wenn er realisiert werden sollte, wird er zehntausende von Jahren Sicherheit garantieren müssen.

Wissenschaftler gehen davon aus, dass das »Wissen über zivilisatorische Tätigkeiten« irgendwann »verloren geht«. Mindestens 500 Jahre, so schätzen sie, könnte es weitergegeben und erhalten werden. Plutonium hat eine Halbwertszeit von 24 110 Jahren. Am Beispiel Asse machten sich Gutachter deshalb zum Beispiel Gedanken über ein »zukünftiges unbeabsichtigtes Eindringen in das Endlager«, weil für den Zeitraum nach jenen 500 Jahren neue bergmännische Tätigkeiten nicht ausgeschlossen werden könnten. Sie können nicht wissen, was dann passiert. Niemand kann wissen was geschieht, wenn in 500 oder 1 000 oder 10 000 Jahren Menschen auf diese strahlenden zivilisatorischen Tätigkeiten des 20. und 21. Jahrhunderts stoßen, weil ein Berg zusammengebrochen, eine Höhle sich geöffnet hat oder ein paar tausend Fässer im Ozean durchgerostet sind. Wie gefährlich darf das Vermächtnis für die Zukunft sein? Wie viel gefährlicher darf es noch werden? Die Antwort der schwarz-gelben Regierung lautet schlicht: Laufzeitverlängerung für Kernkraftwerke mit immer neuem Atommüll.

Gift auf Grund

An der Küste Italiens droht eine Umweltkatastrophe durch mafiöse Machenschaften, in die auch deutsche Firmen verstrickt sind. Und die EU schaut zu

Rainer Nübel

Wenn Enrico erzählt, von seiner »schwierigen Aufgabe«, die in Wirklichkeit eine gefährliche Mission ist, eine lebensgefährliche, dann wählt er die Worte sehr bewusst. Schnellschüsse, Superlative oder Schlagzeilen-Sprache sind nicht seine Sache. Der italienische Offizier denkt lange nach, bevor er redet. Selbst wenn sein Handy klingelt, lässt er sich nicht aus der Ruhe bringen. Und es klingelt oft. Diese Besonnenheit braucht Enrico. Jeder Schritt, den er bei seinen Ermittlungen wählt, muss wohl überlegt sein. Denn das Risiko, dass die Mafia davon erfährt und auf ihre Weise reagiert, ist groß. Ein Grund, warum er seinen wirklichen Namen nirgendwo lesen will – und warum er seit einiger Zeit nicht mehr vor Ort in Kalabrien arbeitet. Enrico hat in Rom einen Unterschlupf bezogen, in einem Ministerium. Von hier aus führt er, mit kaum mehr als zehn Kollegen, eine Spurensuche, die in ein europäisches Kartell hochdubioser Giftmüllentsorger führt, zu dem auch deutsche Unternehmen gehören. Enricos Team soll den Verbleib der sogenannten Giftschiffe klären, die nach fundierten Erkenntnissen der Militärermittler in den vergangenen 25 Jahren vor der kalabrischen und toskanischen Küste versenkt wurden. Schiffe, die toxisches und radioaktives Material an Bord hatten und plötzlich verschwunden waren. »Wir müssen unbedingt eines dieser Schiffe finden und heben«, sagt Enrico, »damit eindeutig bewiesen ist, was da transnational über viele Jahre gelaufen ist.«

Es ist der größte Umweltskandal in Europa. Dass die Giftschiffe auf dem Meeresboden vor der italienischen Küste liegen, daran gibt es für die militärische Task Force keinen Zweifel. Sie hat Satellitenbilder, detaillierte Aussagen von Fischern und anderen Augenzeugen aus der Zeit, als die Schiffe verschwanden. Zudem hatte schon Mitte der 90er Jahre ein mit Ermittlungen beauftragter Marineoffizier detaillierte Erkenntnisse über die Existenz und die genaue Lage eines Müllschiffes gesammelt. Bis er plötzlich auf merkwürdige Weise ums Leben kam – ausgerechnet zu dem Zeitpunkt, als er die Untersuchungen weitgehend abgeschlossen hatte. Nach dem Tod des Offiziers waren plötzlich wichtige Teile seiner Ermittlungsunterlagen verschwunden.

»Aus den Dokumenten, die uns noch vorliegen, lässt sich das System der kriminellen Giftmüllentsorgung rekonstruieren«, sagt Enrico, als wir ihn Anfang 2010 zusammen mit dem Frankfurter Mafia-Experten und Buchautor Jürgen Roth in Rom besuchen. Die Mafia sei in diesem Fall nur das letzte Glied in einer ganzen Kette. Sie sei für dafür zuständig gewesen, die Schiffe mit Giftmüll von Firmen aus verschiedenen europäischen Staaten zu versenken. Doch die »Handlanger« schlagen aus diesem schmutzigen Geschäft großes Kapital. Bis heute. Nach Einschätzung von Experten verdienen die italienischen Mafia-Organisationen ‘Ndrangheta (Kalabrien), Camorra (Neapel) und Cosa Nostra (Sizilien) jährlich 20 Milliarden Euro mit der illegalen Entsorgung von Giftmüll. Italienische Ermittler haben einen Kronzeugen aus der »ehrenwerten Gesellschaft«: Francesco Fonti, der 2005 gegenüber Polizei und Staatsanwaltschaft zugab, als 'Ndrangheta-Mitglied Anfang der 90er Jahre drei Müllschiffe versenkt zu haben. »Wir haben Dynamitladungen angebracht, mit schnell bindendem Zement bedeckt, um eine größere Detonationswirkung zu erzielen«, sagt Fonti nach seinem Geständnis in einem Interview mit dem italienischen Magazin L'Espresso. »Dann haben wir eine ziemlich lange Zündschnur angebracht und das Schiff mit einem Motorboot verlassen, das war alles sehr einfach.« Brisant ist Fontis Aussage, ehemalige italienische Regierungspolitiker hätten Bescheid gewusst, angeblich auch der italienische Geheimdienst. Mehr als zwei Millionen Euro habe er an der Vernichtung des Giftmülls verdient, erklärte Fonti, das Geld sei immer pünktlich auf das Konto »Whisky« in der UBS-Filiale am Flughafen von Lugano eingegangen. Er habe für die 'Ndrangheta-Familien von San Luca gearbeitet, gab Fonti weiter an. Es sind jene Mafiaclans, die hinter dem Sechsfach-Mord von Duisburg im Jahr 2007 stehen.

Hunderttausende von Tonnen Sondermüll liegen demnach vor der italienischen Küste. Eine tickende Zeitbombe. Es droht ein ökologischer Super-GAU, der keineswegs nur Italien betrifft, sondern auch und besonders die Europäische Union alarmieren sollte. Auf die latente Gefahr machen Umweltschutzorganisationen wie Legambiente oder Greenpeace, die selbst umfangreiche Untersuchungen zu den Giftschiffen angestellt haben, seit Jahren aufmerksam. Doch in der EU-Hauptstadt Brüssel schaut man dem drohenden Desaster und den kriminellen Machenschaften des Giftschiffe-Kartells bisher nur zu. Liegt es etwa an eigener Betroffenheit? Schon im Jahr 1995 war eine parlamentarische Giftmüll-Kommission in Italien zu einem bemerkenswerten Ergebnis gekommen. Sie beschrieb die »Existenz eines nationalen und internationalen Verkehrs von radioaktivem Müll, organisiert von wirtschaftlichen und kriminellen Lobbys, mutmaßlich mit Billigung von einzelnen Institutionen der Länder und der EU«.

Enrico weiß aus seinen Ermittlungen nur zu gut vom transnationalen Kontext: »Nach unseren Erkenntnissen sind Firmen aus Holland, Belgien, Frankreich, Deutschland, Österreich, der Schweiz und Spanien beteiligt.« Im Zusammenhang mit einem schweizerischen Unternehmen, das an der illegalen Giftmüllentsorgung im Meer maßgeblich beteiligt gewesen sein soll, sei man darauf gestoßen, dass es von der EU Fördergelder erhalten habe. Und Enrico verdeutlicht im Gespräch die immense Dimension der illegalen Giftmüllverklappung und damit der ökologischen Gefahr. Eine Dimension, die so noch nicht bekannt war. In Aussagen italienischer Behörden und in Berichten der Medien war bisher von rund 40 Giftschiffen die Rede, die vor der italienischen Küste liegen. Enrico schüttelt den Kopf. Er greift in eine Schublade seines Schreibtisches und zieht ein Dossier heraus: »Die offizielle Liste, mit der wir arbeiten, weist 90 Schiffe aus – inoffiziell sind es sogar 180.«

Es ist eine Methode mit langer Tradition. Schon in den 40er Jahren des vorigen Jahrhunderts versenkten Deutsche, Italiener und Amerikaner Tausende Tonnen Gift in der Adria. Chemiewaffen aus den Weltkriegen etwa, die nicht mehr benötigt wurden. Später übernahmen italienische Mafiaclans diese Methode, um für Unternehmen aus verschiedenen europäischen Ländern hochgiftigen Müll kostengünstig zu verklappen. Gut möglich, dass die Mafia dabei nach einem Vorbild vorging – ausgerechnet nach jenem der Europäischen Atomgemeinschaft. Eine Euratom-Studie in den 70er Jahren hatte die Möglichkeit skizziert, Atommüll in Tonschichten 80 Meter unter dem Meeresgrund endzulagern. Der Vorläufer der EU nahm damals Abstand von Versenkungsplänen. Die Mafia später nicht.

Nach Erkenntnissen von italienischen Ermittlern war in den 80er Jahren zunächst die Küste vor Somalia primärer Schauplatz der illegalen Verklappung durch das Giftschiffe-Kartell. Im Dezember 2004 spülte dort der Tsunami mysteriöse Container und eingeschweißte Fässer an Land. Der Inhalt: Sondermüll. Die Katastrophenhilfe des deutschen Diakonischen Werkes schickte ein Expertenteam in das afrikanische Land, das den Somalis einen Crashkurs in Giftmüllbeseitigung gab. Neun Mal wurden die ausgebildeten Somali an der 700 Kilometer langen Küste fündig. Es seien große Industrietanks gewesen, teilweise so verrostet, dass sie schon auseinanderfielen und leer waren, erzählte danach der Chemikalienexperte Andreas Bernstoff im Deutschlandradio: »Man vermutet, dass in der Periode vor zwölf bis zwanzig Jahren italienische und Schweizer Firmen da Sachen abgelagert haben, und der Tsunami hat es nun an den Tag gebracht.« Für Insider ist es mehr als eine Vermutung. Wer sich jedoch mit dem Thema intensiv beschäftigt, geht ein hohes Risiko ein. Die italienische RAI-Fernsehjournalistin Aliaria Alpi und der Kameramann Miran Hrvovatin hatten bereits 1994 Recherchen zu illegalen Giftmüllgeschäften zwischen Italien und Somalia geführt – und sie mit dem Leben bezahlt. Beide wurden in der somalischen Hauptstadt Mogadischu Opfer eines Anschlages. Die versiegelten Koffer der getöteten Journalisten wurden auf dem Rücktransport nach Italien von italienischen

Militärs aufgebrochen. Sämtliche Notizbücher, eine Fotokamera und die abgedrehten Videokassetten verschwanden spurlos. Der 'Ndrangheta-Aussteiger Francesco Fonti wird später in einem Zeitungsinterview erklären, die beiden Reporter seien deshalb erschossen worden, weil sie Verbindungen zwischen Waffenlieferungen an einen somalischen Warlord und der Vernichtung von giftigen Gütern im Austausch aufgedeckt hätten.

Seit Ende der 80er Jahre konzentrierte sich die kriminelle Giftmüllentsorgung auf die Küste vor Italien. Die 'Ndrangheta soll dabei mit dem Ingenieur Giorgio C. zusammen gearbeitet haben, den italienische Ermittler einige Jahre später ins Visier nehmen. Nach ihren Erkenntnissen wurden die Giftschiffe mit Sprengstoff präpariert. Zuvor soll der Ingenieur die giftige Ladung mit Marmorpulver und Marmorblöcken so bedeckt haben, dass die strahlende Ladung mit Messgeräten schlecht geortet werden kann. Bei C. wurden Kopien von Seekarten gefunden. An zwei markierten Stellen wurde offenbar die Versenkung von Nuklearmüll im Meer vermerkt. Die beiden Positionen, so fand die Umweltorganisation Greenpeace später heraus, entsprächen genau den Orten, an denen zwei maltesische Rostschiffe gesunken seien. Die strafrechtlichen Ermittlungen gegen den in Lugano lebenden C. blieben Mitte der 90er Jahre jedoch hängen. Auch und besonders deshalb, weil die Schweiz auf italienische Rechtshilfegesuche nicht reagierte.

Ein großer Teil der Geisterschiffe, die vor der süditalienischen Küste verschwanden, sind namentlich bekannt. Bereits im Jahr 1979 sinkt südlich der sardischen Stadt Olbia der griechische Frachter Klearchos – mit 44 Fässern voll Arsen und 255 Tonnen anderer hochgiftiger Chemikalien. Zwischen 1986 und 1995 häufen sich vor der Küste Kalabriens die Fälle verschwundener Müllschiffe, deren Besatzung zuvor kein SOS gefunkt hatte. Sie heißen Michigan und Alessandro, Four Star, Koraline oder Marco Polo. Für Aufsehen sorgt die Odyssee von rund 20 000 Fässern Giftmüll von einer US-Airbase in Norditalien, die im Februar 1987 zunächst der maltesische Frachter Lynx nach Dschibuti bringt, im Auftrag einer Mailänder Müllentsorgungsgesellschaft. Vermittelt jedoch von jenem Schweizer Unternehmen mit italienischem Direktor, das von der EU Fördergelder bekommen haben soll und für das sich bis heute Ermittler interessieren. Als man in Dschibuti keine Genehmigung bekommt, geht die Fahrt weiter nach Puerto Cabello westlich von Caracas. Nach Gerüchten über Vergiftungserscheinungen in Teilen der Bevölkerung muss die Mailänder Entsorgungsfirma den Müll aus Venezuela wieder abholen lassen. Die Fracht landet zunächst in Sardinien, wo sie jedoch abgewiesen wird. Weiter geht es nach Syrien, doch auch die Syrer wollen die Ladung nicht haben. Schließlich kommt der gefährliche Müll auf die Zanoobia, deren Kapitän angeblich nicht weiß, was er da geladen hat. Ein Jahr lang versucht er, seine Fracht auf der ganzen Welt loszuwerden, unter anderem in Großbritannien. 2 000 Fässer sollen auf der Reise verloren gegangen sein. Die Besatzung, 17 Mann hoch, sei erkrankt, berichten damals verschiedene Medien. Am Ende liegt die Zanoobia 1988 im Hafen Genuas. Ein italienischer Admiral erklärt, er suche nach einem Abladeplatz in Europa, um politische Proteste von Umweltaktivisten im eigenen Land zu vermeiden. Wo die Fracht schließlich landet, bleibt unklar.

Weltweit große Wellen schlägt Ende der 80er Jahre die fünfmonatige Irrfahrt des deutschen Schiffes Karin B., das mehrere tausend Tonnen Giftmüll geladen hat. Auftraggeber sind italienische Industriefirmen, die den Sonderabfall nach Nigeria exportieren lassen – unter Umgehung aller internationaler Vorschriften. Italienische Behörden zwingen die Karin B. aber, den Müll aus Nigeria wieder wegzubringen. Danach versucht sie erfolglos, die Ladung in verschiedenen europäischen Ländern loszuwerden, darunter in Frankreich, Deutschland und Belgien. Schließlich ankert das Schiff in Livorno. Der Protest in der italienischen Hafenstadt ist groß, der Fall wird zum Politikum. Der italienische Staat muss am Ende die Entsorgung des Giftmülls in Mittelitalien sicherstellen, was ihn mehrere Milliarden Lire kostet. Die Regierung in Rom fordert von den Industriebetrieben Schadensersatz. Gleichzeitig erlässt sie ein Exportverbot für Gift- und Industriemüll. Der damalige sozialistische Umweltminister Giorgio Ruffolo erklärt, von 75 Millionen Tonnen Industrieabfällen, die Italien jährlich produziere, würden 45 Millionen Tonnen verschwinden, ohne eine Spur zu hinterlassen.

Im Dezember 1990 strandet der Frachter Rosso vor der kalabrischen Küste nahe Cosenza. Die Ladung besteht angeblich aus Nylon, Tabak und Getränken. In Wirklichkeit handelt es sich um Giftmüll. Er wird, wie Ermittlungen im Jahr 2004 ergeben, nahe des Flusses Oliva bei Paola vergraben. Ein landwirtschaftlich genutztes Tal, unweit der Stelle, an der die gestrandete Rosso monatelang lag. Später werden dort große Mengen von stark schwermetallhaltigem Schlamm und das radioaktive Cäsium 137 gefunden. Ärzte stellen in der Region eine erhöhte Anzahl von Krebsfällen fest. Plötzlich, so erinnern sich noch heute Augenzeugen, waren die blauen Fässer verschwunden. Nach der Havarie der Rosso hatte, wie das Deutschlandradio berichtete, eine Firma aus den Niederlanden an dem Schiff gearbeitet. Es ist auf die Bergung radioaktiver Materialien spezialisiert. Danach ließ die Reederei Ignazio Messina aus Genua die Rosso abwracken.

Dass Müll vor der italienischen Küste illegal entsorgt wird, dafür haben italienische Behörden seit langem Beweise. Im Jahr 1996 legt sich die Küstenwache in unauffälligen kleinen Schiffen, die wie Fischerboote aussehen, auf die Lauer. Und wird sehr oft fündig. Sie beobachten, wie Frachter Müll im Meer verklappen, vorzugsweise rund um die Insel Ustica. In Kalabrien laufen in dieser Zeit mehr als 100 Ermittlungsverfahren in Sachen Müllverklappung.

Ein Ermittler ist dem mafiösen Giftschiffe-Kartell sehr nahe gekommen – offenbar zu nahe. Der Korvettenkapitän Natale De Grazia hat Mitte der 90er Jahre den Auftrag, nach einem der mysteriösen Giftschiffe zu suchen – der Rigel. Ausrangierte Maschinenteile soll der Frachter geladen haben, als er im Jahr 1987 aus dem Hafen von Neapel auslief. Doch die Frachtpapiere gaben Rätsel auf. Sie stimmten nicht mit den Angaben überein, die der Versicherer hatte. Plötzlich war auch die Rigel spurlos verschwunden. Danach weigerte sich die Versicherungsgesellschaft, die Versicherungssumme von mehr als 20 Millionen Pfund zu zahlen. Und besonders auffällig: Der Schiffseigner verzichtete sehr schnell darauf, seine angeblichen Ansprüche vor Gericht durchzusetzen. Natale De Grazia führt seine Untersuchungen höchst intensiv. Und erfolgreich. Er vernimmt Zeugen und sichert zahlreiche Unterlagen, die ihn immer deutlicher das Geflecht an europäischen Giftmüllproduzenten und die Rolle der Mafia bei der kriminellen Entsorgung der gefährlichen Stoffe rekonstruieren lassen. Parallel zu seiner Rigel-Suche beschäftigen sich Staatsanwälte mit der Rolle der italienischen Atombehörde

Enea. Der Verdacht: Sie soll, zusammen mit einem römischen Regierungspolitiker, Ende der 80er Jahre auf die kalabrische Mafia-Organisation zugegangen sein – mit der Frage, ob sie nicht radioaktive Abfälle verschwinden lassen könne.

Am 13. Dezember 1995 ist Korvettenkapitän Natale De Grazia auf dem Weg von Reggio Calabria nach La Spezia. Dort will er Schiffsregister sichten und mit Zeugen reden. An einer Autobahnraststätte bei Salerno isst De Grazia zu Abend, bis auf den Nachtisch das gleiche Menü wie zwei Polizisten der Gendarmerie, die ihn begleiten. Kurz darauf, bei der Weiterfahrt, bricht Natale De Grazia plötzlich auf dem Rücksitz des Autos zusammen. Der damals 39-jährige Mann, der nach Angaben seiner Frau kerngesund war, ist tot. Herz-Kreislauf-Zusammenbruch, besagt die erste Autopsie. Die zweite wird, aus unerklärlichen Gründen, vom selben Amtsarzt vorgenommen und bringt dasselbe Ergebnis. »Es deutete von vornherein alles auf Mord hin. Aber beweisen kann ich es bis heute nicht«, sagt seine Witwe Anna Vespia De Grazia im November 2009 der Frankfurter Allgemeinen Zeitung. Zu spät habe sie damals bemerkt, dass ihr Mann in den letzten Wochen seines Lebens besorgt und unruhig gewesen sei. Im Mai 2001 erhält Natale De Grazia von Staatspräsident Campi posthum eine goldene Medaille, als Auszeichnung, dass er bei der Erfüllung seiner Pflichten gestorben sei.

Der italienische Staatsanwalt Nicola Maria Pace, der damals mysteriöse Nuklear-Unfälle an der Rotondella-Forschungseinrichtung der Atombehörde Enea ermittelte, war mit dem Korvettenkapitän eng befreundet. Er weiß, dass Natale De Grazia mit seinen Untersuchungen weit vorangeschritten war. Und er erinnert sich heute noch genau an jenen 13. Dezember 1995. »Natale hatte mich morgens noch angerufen und gesagt,

»wenn ich zurück bin in Reggio Calabria, zeig ich dir genau die Stelle, wo die Rigel liegt«, erzählt Pace, als wir ihn im Frühjahr 2010 in Norditalien treffen. Staatsanwälte sollen damals den mysteriösen Tod des Militär-Ermittlers, der dem Giftschiff Rigel so dicht auf der Spur war, ermitteln. Doch sie werden massiv bedroht. »Eines Tages kamen mir unbekannte Männer in mein Büro und drohten, dass mein Auto in die Luft fliege, wenn ich keine Ruhe gäbe«, erzählt ein Ermittler. Und inhaltlich entscheidende Unterlagen aus De Grazias Untersuchungen, die das europäische Giftschiffe-Kartell detailliert beschreiben, sind plötzlich auf rätselhafte Weise verschwunden. Zudem wechseln in der Staatsanwaltschaft die Zuständigkeiten. Im Jahr 2001 wird das Verfahren wegen des Verschwindens der Rigel eingestellt, weil man sich nicht in der Lage sieht, das Schiff vor der kalabrischen Küste zu finden. Doch die italienische Umweltorganisation Legambiente, die seit den 90er Jahren selbst intensiv den verschwunden Giftschiffen nachgeht, lässt nicht locker. Nuccio Barilla, jahrelang ein führender Vertreter von Legambiente in Kalabrien, strengt im November 2009 ein neues Verfahren vor der örtlichen Staatsanwaltschaft an.

Im Herbst 2009 kommt auch in anderer Weise neue Bewegung in den Fall. Behörden bestätigen, dass rund elf Seemeilen vor der kalabrischen Hafenstadt Cetraro das Wrack eines Schiffes gefunden wurde: ein Frachter, 120 Meter lang und 20 Meter breit. Das Forschungsschiff Copernaut wird losgeschickt, Tauchroboter können durch einen Riss am Bug des Schiffes manövriert werden. Sie filmen mehrere Container. In der Nähe des Frachters würden zerplatzte Container liegen, berichtet der Pilot des Tauchroboters. Ermittler nehmen an, es handele sich um das Giftschiff Cunsky, von dem der

'Ndrangheta-Aussteiger Francesco Fonti 2005 in seinem Geständnis erzählt hatte, dass er selbst den mit radioaktivem Müll beladenen Frachter 1992 vor Cetraro versenkt habe. Vor dem Küstenstädtchen waren in der Vergangenheit Fische gefangen worden, die mit Cäsium und Schwermetallen belastet waren. Ein Hinweis für die Ermittler, dass Fontis Angaben stimmen könnten.

Die italienische Regierung setzt das Forschungsschiff Mare Oceano ein. Es wird fündig. Doch nach offiziellen Angaben des römischen Umweltministeriums handele es sich nicht um den Giftmüll-Frachter Cunsky, sondern um die Catania, die 1917 von einem deutschen U-Boot versenkt worden sei. Ein altes Passagierschiff mit angeblich leerem Schiffsbauch. Die erste Untersuchung durch den Tauchroboter der Copernaut hatte allerdings ganz andere Ergebnisse ergeben. Die Bevölkerung ist misstrauisch. Wurden Koordinaten absichtlich verwechselt, hat die Regierung gar nicht die Cunsky suchen lassen? Weitere Widersprüche tauchen auf. Das alte Passagierschiff, das die italienische Umweltministerin als Catania ausgab, hat offenbar ganz andere Maße als jene, welche die Catania nach dem Verzeichnis ihrer nachweisbaren Baudaten von 1906 haben müsste, berichtet ein italienisches Magazin. Widersprüche auch in den offiziellen Darstellungen. Einmal heißt es, bei der Untersuchung der Catania habe man eine blühende Fauna um das Wrack gesehen, dann wieder, es seien nur technische Messungen erfolgt, man habe gar nichts gesehen. Während der Suchaktion beklagen die Fischer aus Cetraro, ihre Absätze seien um 80 Prozent zurückgegangen.

Italienische Staatsanwälte, die sich früher und in jüngerer Vergangenheit intensiv mit den Giftschiffen befasst haben, dürfen inzwischen offiziell nicht mehr über ihre Ermittlungen reden. Oder mussten sie an andere Behörden abgeben. Die Berlusconi-Regierung in Rom, so klingt aus Fahnderkreisen kritisch an, habe nicht unbedingt größtes Interesse daran, dass die politisch brisanten Fälle wirklich aufgeklärt würden. Zumal auch dem Tourismus enormer Schaden drohen könne. »Vergiftet von der 'Ndrangheta – vergiftet vom Staat«, steht auf einem Transparent, als im Oktober 2009 rund 20 000 Menschen in der kalabrischen Kleinstadt Amantea dagegen demonstrieren, dass der riesige Umweltskandal von der Regierung kleingeredet oder nicht aufgeklärt werde. Hinzu kommt: Die Suche nach verschwundenen Giftschiffen wie der Rigel, der Natale De Grazia Mitte der 90er Jahre bis zu seinem mysteriösen Tod so intensiv auf der Spur gewesen war, bedeutet einen immensen finanziellen Aufwand. Die Armee habe selbst kein Spezial-Tauchboot, das dazu nötig sei. Man müsse es von einem privaten Unternehmen ausleihen, sagt Offizier Enrico, der mit seinen Kollegen die Arbeit von Natale De Grazia weiterführt. »Zwanzig Tage kosten rund 1,2 Millionen Euro.«

In Gesprächen mit Giftschiffe-Experten, die sich seit Jahren mit der drohenden Umweltkatastrophe und dem europäischen Kartell illegaler Müllentsorger befassen, wird es immer wieder deutlich: Rom kann und wird dieses riesige Problem nicht alleine lösen. Doch nicht nur der italienische Staat ist davon betroffen, sondern die ganze Europäische Union, in deren Raum dieses dubiose Netzwerk von Unternehmen aus verschiedenen europäischen Ländern und der Mafia über Jahre hinweg kriminell agiert hat. Und eventuell nach wie vor agiert. »Wir brauchen dringend Unterstützung von außen«, heißt es unter italienischen Ermittlern. Gemeint ist damit: Die EU muss eine Task Force einrichten, die nach dem Giftschiffe-Kartell mit allen Mitteln fahndet und mit der konsequenten Bekämpfung der Mafia Ernst macht. Es geht darum, im Süden Europas einen drohenden Super-GAU zu verhindern, der auch viele andere Staaten betrifft.

Doch in Brüssel schaut man bisher nur zu oder taucht weitgehend ab. Der neue Umweltkommissar Janez Potocnik wäre gefordert. Doch nicht nur er. Der Fall der mit radioaktivem und toxischem Müll beladenen Geisterschiffe, an deren Existenz italienische Ermittler und Experten nicht den geringsten Zweifel haben, fällt auch und besonders in das Ressort eines deutschen EU-Spitzenpolitikers: Günther Oettinger. Der neue Brüsseler Energiekommissar weiß natürlich um die Gefahr, die von radioaktiven Abfällen in Küstennähe ausgehen kann, wenn sie nicht rechtzeitig geborgen werden. Er weiß auch, dass das transnationale System dubioser Firmen und krimineller Entsorger von Giftmüll, das nach Ermittlererkenntnissen hinter all dem steht, aufgeklärt und gesprengt werden muss. Und der frühere baden-württembergische Ministerpräsident weiß ganz sicher um das brisante Mafia-Problem. Immerhin hat er selbst einmal eine Freundschaft zu einem kalabrischen Wirt in Stuttgart gepflegt, gegen den italienische und deutsche Ermittler Anfang der 90er Jahre wegen des Verdachts der Mafia-Zugehörigkeit, des Kokainhandels und der Geldwäsche ermittelten. Spätestens seit der Zeit, als sich in diesem politisch heiklen Zusammenhang ein Landtags-Untersuchungsausschuss mit der kalabrischen Mafia befasste, müsste Oettinger klar sein, wie skrupellos die 'Ndrangheta ihren dunklen Geschäften nachgeht.

So gesehen ist der hohe EU-Beamte aus Stuttgart geradezu prädestiniert – dafür, sich für die intensive Suche nach den Geisterschiffen und die brutalstmögliche Verfolgung des europäischen Giftschiffe-Kartells und seiner mafiösen Machenschaften vehement einzusetzen. Und damit für die Bildung einer Task Force auf EU-Ebene. Vielleicht sogar mit Kommissar Oettinger an der Spitze.

Der Schutzpatron der Kiesbarone

Im schwarzen Sumpf von Baden-Württemberg gedeihen wundersame Karrieren. Ein besonders schönes Beispiel ist ein CDU-Fürst aus Südbaden

Andreas Müller

Es war einer jener Fragebögen, die Politiker gerne ausfüllen, wenn sie sich von ihrer menschlichen Seite zeigen wollen. Private Vorlieben, kleine Schwächen, unerfüllte Träume. Solche Dinge abseits des Politbetriebs sind es, über die sie da gerne Auskunft geben. Gleich beim ersten Punkt offenbarte Gundolf Fleischer, wie weit Politik und Privatsphäre bei ihm eins sind. Der Satz, den er ergänzen sollte, lautete: »Wenn ich morgens in den Spiegel schaue, denke ich mir…« »… was kann ich heute für die CDU Gutes tun«, fuhr Fleischer fort, »und abends frage ich mich, was habe ich heute für die CDU Gutes getan.« Die Antwort sollte vielleicht ein bisschen augenzwinkernd klingen, aber sie verriet viel über den Rechtsanwalt und Landtagsabgeordneten aus dem Breisgau, südlich von Freiburg. Rund um die Uhr dreht sich sein Leben um die Partei, ließ er da durchblicken, sein ganzes Streben stellt er in deren Dienst. Ersteres nimmt man ihm ohne Weiteres ab, Letzteres nur bedingt. Puren Altruismus gibt es in der Politik erfahrungsgemäß höchst selten, und auch bei Fleischer kam die Gegenfrage gewiss nicht zu kurz: Was kann die CDU Gutes für mich tun?

Als der 67-Jährige den Fragebogen vor einigen Jahren ausfüllte, hätte er sich wohl kaum träumen lassen, welchen Dienst er der Partei eines Tages erweisen müsste. Alles, was er der CDU verdankte, war Anfang 2010 binnen weniger Wochen perdu: Erst musste er auf seinen schönen Posten als Staatssekretär in der Stuttgarter Landesregierung verzichten, dann auch noch auf die erneute Nominierung als Landtagskandidat für die Wahl 2011. Geplatzt war damit auch der Traum, er könne seine jahrzehntelange Laufbahn mit dem Posten des Parlamentspräsidenten krönen. Repräsentieren, reisen, Reden halten – es hätte so gut zu ihm gepasst, doch es sollte nicht sein. Der Rückzug auf der ganzen Linie war der letzte Gefallen, den er seinen Christdemokraten tun konnte. Wie weit er das selber einsah oder es ihm nahegebracht werden musste, ist schwer auszumachen. Am Ende stand jedenfalls fest, dass er der CDU zur Last geworden wäre. Zu dubios erschien seine Rolle in einer Affäre, in der es um jede Menge Kies, Parteispenden und schwarzen Filz ging.

Sie ist ein Lehrstück darüber, wozu es führen kann, wenn eine Partei ein Bundesland über Jahrzehnte ununterbrochen regiert, wenn der für die Demokratie so wichtige Wechsel fehlt, wenn ein Mandat nicht mehr auf Zeit, sondern auf Lebenszeit gewährt scheint. Dann verschwimmen die Grenzen zwischen Land und Partei, dann werden das Mandat und sein Inhaber eins, dann kommen schon mal die Maßstäbe für die politische Hygiene abhanden. Irgendwann fürchten die Dauerregenten keine Kontrolle mehr, irgendwann werden sie unvorsichtig, übertreiben es mit dem Mauscheln und Tricksen – und werden eines Tages doch erwischt. Dann zieht die Regierungspartei den Ertappten aus dem Verkehr und passt eine Weile besser auf, bis zur nächsten Affäre. Dieser Fall handelt von Baden-Württemberg und der CDU, aber er könnte sich ebenso gut in einem anderen Bundesland abspielen, in dem eine Partei auf die Macht abonniert zu sein glaubt.

Zumindest Gundolf Fleischers Macht ist nun perdu. Ruhmlos endete die Karriere eines der dienstältesten, vielleicht sogar des dienstältesten Abgeordneten Deutschlands. Acht Sternchen stehen im Handbuch des baden-württembergischen Landtags hinter seinem Namen, jedes das Symbol für eine Legislaturperiode. Seit 1976 bereits vertritt er den Wahlkreis Breisgau in Stuttgart, dreieinhalb Jahrzehnte, in denen der Mann und das Mandat eins geworden sind. Nie war seine Macht in dieser langen Zeit in Frage gestellt, erst zum Schluss hin bröselte sie – zunächst allmählich und dann rasant. Fleischers Machtbasis war der Vorsitz beim CDU-Kreisverband Breisgau-Hochschwarzwald, den er im zarten Alter von 30 Jahren übernahm und, mit einer kurzen Unterbrechung, bis 2007 behielt.

Sein Leben davor ist schnell erzählt. Im sächsischen Wechselburg als sechstes von vierzehn Kindern geboren, ging er in Donaueschingen und Freiburg zur Schule. Dort studierte er Rechtswissenschaft und wurde Rechtsanwalt, ebenso wie sein Vater Felix. Die Mutter Marie-Agnes war eine geborene Gräfin von Schönburg-Glauchau. Adelige Wurzeln, die dem Sohn in mancherlei Hinsicht von Nutzen sein sollten. Das Gen für die Politik stammte wohl vom Großvater Paul Fleischer, einem langjährigen Reichstagsabgeordneten der Zentrumspartei. Drei Jahre nach dem Kreisvorsitz, 1976, holte der Enkel auch das Landtagsmandat. Damals war er, unter dem CDU-Chef Hans Karl Filbinger, bereits Generalsekretär der Landespartei. Filbingers Nachfolger Lothar Späth setzte ebenfalls auf den umtriebigen Strippenzieher. Er machte ihn zum Staatssekretär. Erst in der Staatskanzlei, dann im Wirtschafts- und schließlich im Innenministerium. Ob des raschen Wechsels musste er sich damals als »Wanderpokal« bespötteln lassen, freundlichere Stimmen erklärten ihn hingegen zur »Allzweckwaffe«.

Unter Erwin Teufel sank Fleischers Stern in Stuttgart. Der zutiefst misstrauische Ministerpräsident hielt ihn lieber auf Distanz, aus nie ganz klar gewordenen Gründen. Wichtig blieb der Südbadener dennoch, erst als Vorsitzender des Wirtschaftsausschusses und dann als Fraktionsvizechef. Mit dem Wechsel zu Günther Oettinger als Ministerpräsident erlebte Fleischer ein unverhofftes Comeback. Zur allgemeinen Überraschung avancierte er zum Staatssekretär im Finanzministerium. Scherzhaft soll Oettinger die Berufung einmal damit begründet haben, Fleischer brauche dringend einen Dienstwagen, um standesgemäß bei den Beerdigungen des Hochadels vorfahren zu können. Solche Witze auf Kosten von Weggefährten machte Oettinger einfach gerne. Tatsächlich wusste der Premier den guten Draht seines Staatssekretärs zum Adel zu nutzen. Bei heiklen Missionen wie den Verhandlungen über den Kauf von Schloss Salem etwa spielte dieser eine Schlüsselrolle. Der inzwischen als EU-Kommissar weggelobte Regierungschef hielt überhaupt große Stücke auf seinen Duzfreund Gundolf, den er sich sogar zum »Vorbild« erkor. Wie kaum ein anderer Abgeordneter, lobte er einmal, sei dieser in seinem Wahlkreis verankert.

Das ist wohl wahr. Daheim im Breisgau, der »deutschen Toskana« südlich von Freiburg, erwarb sich Fleischer mit den Jahren ein hohes Ansehen. »Sonnenkönig von Südbaden« nannte man ihn, weil sein Glanz alles überstrahlte. Die schwache Opposition ohnehin, aber auch die anderen Funktions- und Mandatsträger der CDU. Zu einem guten Teil speiste sich das

Renommee aus seinem gewinnenden Auftreten. Stets braungebrannt, in feines Tuch gewandet und mit vollendeten Umgangsformen, umgab ihn etwas Aristokratisch-Vornehmes. Zugleich begegnete er auch einfachen Leuten freundlich-jovial und vermittelte ihnen das Gefühl, der verlässliche Anwalt ihrer Interessen zu sein. Sie dankten es ihm immer wieder mit stolzen Wahlergebnissen. Zu Fleischers Erfolgsgeheimnis gehörte daneben sicher auch das Engagement im sogenannten vorpolitischen Raum. Als langjähriger Präsident des Badischen Sportbundes etwa erreichte er auch Bevölkerungsgruppen, die nicht unbedingt zu Parteiveranstaltungen gehen. Der Einsatz für Turnvereine und Fußballclubs zahlte sich freilich in CDU-Stimmen aus.

Geradezu legendär jedoch war Fleischers Talent, in Stuttgart Gelder für den Wahlkreis loszueisen. Wenn es ein Projekt in ein Finanzierungs-Programm zu bringen galt, ließ er alle Kontakte spielen und nicht locker, bis die Mittel bewilligt waren. Die frohe Botschaft überbrachte er dann höchstpersönlich, wie er auch den weiteren Fortgang der Dinge begleitete. Egal, ob es sich um eine neue Umgehungsstraße handelte, einen Radweg oder die Reaktivierung eines Dorfgasthauses. Zahllose Fotos in den Lokalzeitungen – ein lächelnder Fleischer im Kreis der örtlichen Honoratioren bei Einweihungen oder Freigaben – zeugten vom Erfolg seiner Lobbyarbeit in der Landeshauptstadt. Zuweilen konnte man fast glauben, der Staatssekretär spendiere die Zuschüsse aus dem eigenen Portemonnaie, so erfolgreich verband er die Vorhaben mit seiner Person. »Fleischerismus« tauften Kritiker später diesen Politikstil.

Doch von Kritikern, die er ernst nehmen oder gar fürchten musste, blieb Fleischer lange verschont. Alle lebten ja gut mit ihm, vor allem seine Hauptverbündeten, die Bürgermeister. Ausgerechnet aus deren Reihen wurde seine Rolle als Patron der Region freilich einmal auf nachgerade subversive Weise thematisiert. Da nämlich begehrte der bisher parteilose Rathauschef der Gemeinde Hartheim, Martin Singler, die Aufnahme in die CDU. Der Wunsch wäre ihm gewiss umgehend erfüllt worden, hätte er ihn nicht – ob arglos oder listig – allzu freimütig begründet. Christdemokrat wolle er vor allem deshalb werden, weil man dann besser an die Geldtöpfe herankomme; erst dann nämlich habe man die notwendigen »Netzwerke und Informationskanäle«. Fleischer & Co. empörten sich gar heftig. Eine üble Unterstellung sei das, nicht das Geringste habe das Parteibuch mit dem Zugang zu Fördermitteln zu tun. Singler musste draußen bleiben, später wurde er abgewählt.

Auch die Kreispartei begnügte sich lange damit, dass ihr Vorsitzender auf den Erfolg abonniert war. Kaum jemand schien die sachlich-inhaltliche Arbeit zu vermissen, die unter Fleischer kaum stattfand. Er selbst war Programm genug. Was sollte man da noch groß über Programmatisches diskutieren? Als etwas betrüblich galt nur die notorisch klamme Kassenlage des Verbands. Einmal entzog die Bundespartei den Delegierten aus Breisgau und Hochschwarzwald sogar das Stimmrecht, weil die Kreis-CDU eine Umlage zur Bewältigung des Kohlschen Erbes partout nicht bezahlen konnte oder wollte. Das war ziemlich peinlich, zumal es in vielen Zeitungen stand. Aber ansonsten gewöhnte man sich an die permanente Finanznot.

Anders wurde das erst, als Fleischer im Jahr 2007 ein Stückchen Macht abgab. Da räumte er den Kreisvorsitz für einen jungen Bürgermeister seines Vertrauens, Markus Riesterer.

Ein bisschen Generationswechsel meinte er nach drei Jahrzehnten wohl riskieren zu können. Doch wenn der Mittsechziger geglaubt haben sollte, er könne aus dem Hintergrund weiter die Fäden ziehen, dann hätte er sich getäuscht. Riesterer emanzipierte sich schnell von seinem Förderer und stellte Fragen, die diesem gar nicht behagen konnten. Zum Beispiel die, woher das chronische Defizit des Kreisverbands kam. Er vertiefte sich in Unterlagen der Partei und stieß auf diverse Merkwürdigkeiten. War bei der Bezahlung von Mitarbeiterinnen oder bei der Verrechnung von Kosten für das Abgeordnetenbüro und die Kreisgeschäftsstelle, beide unter einem Dach, wirklich alles mit rechten Dingen zugegangen?

Die Zweifel wuchsen derart, dass der neue Vorsitzende keinen anderen Ausweg sah, als sich selbst bei der Freiburger Staatsanwaltschaft anzuzeigen. Die ermittelte anfangs nur gegen ihn, aber nach einer Weile auch gegen den ungleich länger Verantwortlichen: Gundolf Fleischer. Der Landtag wurde über das Verfahren informiert, die Untersuchungen nahmen ihren Lauf. Vorenthalten von Sozialversicherungsbeiträgen, Untreue und Betrug lautete der Verdacht, den Fleischer über seinen Anwalt stets zurückweisen ließ. Am Ende werde nichts von den Vorwürfen übrig bleiben. Vorsorglich zahlte die Kreis-CDU aber schon mal 19 000 Euro an die Sozialversicherung nach. Je länger sich die Ermittlungen hinzogen, desto größer wurde die Unruhe bei den Christdemokraten. Ging die Ära Fleischer nun zu Ende, oder würde sich der Patriarch noch einmal berappeln? Die »Badische Zeitung« tippte auf Ersteres. »Gundolfdämmerung« betitelte sie ein großes Stimmungsbild aus dem Wahlkreis, das an einem Samstag erschien.

Am Montag darauf beschleunigte sich der schleichende Machtverfall schlagartig. Da nämlich wurde ein Fall bekannt, in dem es Fleischer mit dem Einsatz für den Wahlkreis eindeutig übertrieben hatte. Wegen Einzelinteressen von heimischen Unternehmen, stellte sich heraus, blockierte er in Stuttgart seit zwei Jahren ein Projekt von nationaler, ja sogar internationaler Bedeutung. Es ging um den Hochwasserschutz am Oberrhein, ein Thema, das die Region seit Jahrzehnten beschäftigt. Schon in den siebziger Jahren hatte Deutschland mit Frankreich, der Schweiz und Österreich beraten, wie das Risiko verheerender Überschwemmungen flussaufwärts eingedämmt werden könnte. Um Karlsruhe, Koblenz oder Köln Jahrhundertfluten zu ersparen, musste im Süden etwas getan werden. Schon 1982 vereinbarten Deutsche und Franzosen dazu den Bau eines großen Wehres südlich von Breisach. Wenige Jahre später erwies es sich als nicht umweltverträglich, es folgte ein grundsätzlicher Kurswechsel. Anstatt an einzelnen Standorten Reservoire zu schaffen, sollte zwischen Weil und Breisach das Rheinvorland ausgebaggert werden, auf einer Breite von 90 Metern. So sah es das »Integrierte Rheinprogramm« vor, das die Stuttgarter Landesregierung 1988 beschloss. Nach uferlosen Diskussionen schien endlich eine Lösung gefunden.

Bis die ersten Bauarbeiten begannen, sollten freilich noch mehr als zwei Jahrzehnte verstreichen. Denn in der Region war man über das Großprojekt alles andere als begeistert. Nicht nur die betroffenen Gemeinden und viele Bürger empfanden es als Zumutung. Auf dem »Neunzig-Meter-Streifen«, wo sich bisher Sportler, Angler und Jäger tummelten, drohten empfindliche Einschränkungen, da und dort würde der Rhein künftig bedrohlich nahe an die Häuser heranreichen. Große Sorgen machten sich auch die Betreiber der zahlreichen Kiesgruben, die neben dem Tourismus eine der wirtschaftlichen Säulen der Region sind. Sie bangten um ihre Zukunft, wenn in relativ kurzer Zeit mehr als 50 Millionen Tonnen Kies ausgebaggert würden. Könnte der Markt solche Unmengen überhaupt aufnehmen? Was würde das für die Preise bedeuten? Dürften wenigstens die südbadischen Mittelständler das Geschäft machen, oder würde es ihnen ein Konzern von außerhalb wegschnappen? Die Kieser waren aufs Höchste alarmiert. Aber zum Glück hatten sie einen einflussreichen Schutzpatron, der sich ihrer Anliegen annahm: Gundolf Fleischer, den CDU-Abgeordneten.

Nichts dürfe beim Thema Hochwasserschutz an ihm vorbeilaufen, hatte er sich ausbedungen, an allen Gesprächen müsse er beteiligt werden. Und es gab viele Gespräche. Immer neue Zweifel der Schotterbarone am Konzept für die Kiesverwertung verzögerten die Realisierung des Rheinprogramms. Auf ihr Drängen hin musste ein Gutachten noch einmal von einem anderen Gutachter überprüft werden, musste die längst verworfene Wehrlösung bei Breisach noch einmal untersucht werden. Wesentliche neue Erkenntnisse brachte all das nicht mehr, aber die Jahre gingen dahin.

Mit Fleischer als Fürsprecher verschafften sich die Kiesunternehmer in Stuttgart Gehör. Ob die Umweltminister Hermann Schaufler oder Ulrich Müller (beide CDU) hießen, ihre Anliegen hatten in der Landespolitik Gewicht. Von Müller stammte nach eigenem Bekunden sogar ein hilfreicher Tipp. Die Firmen sollten sich doch zusammenschließen, um bei Auftragsvergaben besser zum Zuge zu kommen. So entstand 2002 die Kiesausschreibungs- und Verwertungsgesellschaft südlicher Oberrhein, kurz KVG. Gemeinsam wollten die gut ein Dutzend Mitglieder, die sonst Konkurrenten waren, das große Geschäft machen. Ihr Ziel: Der gesamte zwischen Weil und Breisach anfallende Kies solle ihnen überlassen werden, und zwar zu Vorzugskonditionen. Zeitweise schienen die Chancen dafür gut zu stehen. Die Anwälte des Konsortiums und des Landes formulierten sogar einen entsprechenden Vertragsentwurf. Doch damit war das Wohlwollen von Minister Müller überstrapaziert. Unmissverständlich machte er den KVG-Vertretern im Jahr 2003 klar, dass ein derart einseitig zu ihren Gunsten ausfallender Vertrag nie und nimmer in Frage komme. Das war ein schwerer Rückschlag.

Bald darauf nahm die Diskussion eine überraschende Wende. Der ebenfalls an den Planungen beteiligte Bund empfahl eine geradezu salomonische Lösung, wie sich der Kiesmarkt schonen ließe. Gut hundert Kilometer flussaufwärts, bei der Staustufe Iffezheim, werde nämlich dringend Kies benötigt. Dort muss die erodierende Rheinsohle ständig mit Steinen, dem sogenannten Geschiebe, aufgefüllt werden. Da die Kiesvorräte in der Umgebung von Iffezheim allmählich zur Neige gingen, besannen sich die Experten auf den im Süden anfallenden Aushub – und befanden ihn für geeignet. Ihr Konzept: Die Hälfte der 55 Millionen Tonnen solle in den nächsten Jahren nach und nach als »Geschiebezugabe« in den Rhein gekippt werden; als Zwischenlager könne ein Baggersee dienen. Die andere Hälfte des Kieses könne am Markt verwertet werden. Doch das war den Firmen, die ursprünglich ein Überangebot befürchtet hatten, auch nicht recht. Sie beharrten weiterhin darauf, den gesamten Kies alleine zu vermarkten.

Mit dieser Position standen sie ziemlich einsam da. Auch für die Steuerzahler, hatte das Gutachten eines Ingenieurbüros ergeben, sei die »Kombinationslösung« äußerst vorteilhaft. Sie erspare ihnen 220 Millionen Euro gegenüber anderen Varianten. Im Jahr 2007 gab der damalige Bundesverkehrsminister Wolfgang Tiefensee (SPD) denn auch sein Einverständnis zu der notwendigen Vereinbarung mit dem Land Baden-Württemberg. Das Plazet aus Stuttgart schien lediglich Formsache zu sein. »Die Messe war gelesen, es ging nur noch um Brief und Siegel«, erinnert sich ein beteiligter Amtschef. Tatsächlich waren sich die Fachleute der beteiligten Ressorts Umwelt, Verkehr und Finanzen einig. Die Halbe-Halbe-Lösung sei bei weitem die beste, die »KVG-Variante« mit Abstand die schlechteste. Doch der notwendige Kabinettsbeschluss ließ auf sich warten, warten, warten ... Alle paar Monate fragte der Bund ungeduldig nach, wann das Land denn endlich zu Potte komme. Doch die Schreiben der Staatssekretäre wurden nicht einmal beantwortet. Schließlich wandte sich Tiefensee, kurz vor der Abwahl der rot-grünen Bundesregierung im Herbst 2009, persönlich an den damaligen Ministerpräsidenten Oettinger. Warum, bohrte er nach, verzögere Stuttgart eigentlich seit fast zwei Jahren die wichtige Entscheidung? Wenn die nicht bald falle, kämen auf das Land erhebliche Mehrkosten zu. Die Antwort ging schon an den neuen Minister Peter Ramsauer (CSU): Man prüfe noch Zweifel an der Wirtschaftlichkeit der Kombilösung.

Der wahre Grund stand in internen Papieren der Landesregierung. Das Finanzministerium verhindere seit zwei Jahren eine Beratung im Kabinett, genauer: der Staatssekretär im Finanzministerium, Gundolf Fleischer. Er alleine thematisierte immer wieder Zweifel an der allseits gelobten Kombinationsvariante. Genau jene Zweifel, die auch die Kiesfirmen artikulierten. Ohne das zu Grunde liegende Datenmaterial könne man die Berechnungen nicht nachvollziehen. Es gab Besprechungen auf Beamtenebene, es gab Treffen von Ministern und Staatssekretären, doch Fleischer ließ sich nicht erweichen. Die Fachleute im eigenen Ressort, die der kostengünstigen Lösung gerne zugestimmt hätten, waren machtlos. Der Minister Willi Stächele, auch er Südbadener, ließ seinen zweiten Mann gewähren. Warum Innen- oder Umweltressort nicht ein Machtwort des Ministerpräsidenten verlangten, blieb immer etwas schleierhaft. Vielleicht hielten sie es für unwahrscheinlich, dass »der Günther« seinem Freund Gundolf in den Rücken fallen würde; zwischen den beiden herrschte schließlich eine tiefe Verbundenheit. Nach langem Hin und Her einigte man sich schließlich auf einen Kompromiss. Der Landesrechnungshof solle das Wirtschaftlichkeitsgutachten noch einmal überprüfen. Dass der Bundesrechnungshof das bereits kurz zuvor getan hatte und ebenfalls klar für die Kombivariante votierte, scherte die Landespolitiker wenig. Es schien ohnehin mehr um einen weiteren Aufschub zu gehen als um die Sache. Vielleicht hoffte Fleischer sogar auf ein Prüfergebnis in seinem Sinne. »Mit dem Rechnungshof sind wir sehr zufrieden«, meinte er einmal, vielsagend grinsend. Die angeblich neutrale Prüfbehörde, sollte das wohl heißen, habe man gut im Griff.

Ausgerechnet jenes Ministerium, das fürs Sparen zuständig ist, vertritt Einzelinteressen zu Lasten der Steuerzahler. Das war schon merkwürdig genug. Vollends anrüchig wurde es durch die Art und Weise, wie die von Fleischer Beschützten ihre Dankbarkeit zeigten. Gleich vier Kiesfirmen aus dem Konsortium spendeten im Landtagswahlkampf 2006 an die CDU. Alle vier gaben jeweils 10 500 Euro, gerade so, als wäre es abgesprochen. Mit konkreten Erwartungen an die Politik hätten die Gaben natürlich nicht das Geringste zu tun, versicherten die Unternehmen. Man habe damit lediglich die »mittelstandsfreundliche Politik« der CDU fördern wollen. Zum Teil sei das Geld an Fleischers Kreisverband gegangen, weil der sich »wie kein anderer Politiker« für die Wirtschaft in der Region einsetze. Umgekehrt beteuerte das Finanzministerium, zwischen den Parteispenden und der Amtsführung des Staatssekretärs bestehe natürlich keinerlei Zusammenhang.

Besonders pikant: Unter den Spendern war auch jene Kiesdynastie mit Hauptsitz im Wahlkreis des Finanzministers, aus deren Reihen der Präsident des Industrieverbands Steine und Erden Baden-Württemberg (ISTE) stammte. Das ließ aufhorchen. Um die Branchenlobbyisten hatte es schon einmal, 1996, größeren Wirbel gegeben. Im Landtagswahlkampf spendete der ISTE damals 30 000 Mark an die CDU. Nach dem Wahlsieg erfüllten Christ- und Freidemokraten dem Verband prompt einen sehnlichen Wunsch. In den Koalitionsvertrag wurde eigens eine Klausel zur Rohstoffsicherung aufgenommen. Zudem häuften sich seinerzeit die Auftritte von Regierenden bei Mitgliedsfirmen. Doch der Verdacht, die Geldgabe könne den Einsatz der Politiker beflügelt haben, wurde scharf zurückgewiesen. So etwas könnten nur Böswillige unterstellen. Auch im Wahlkampfjahr 2006 spendete der Industrieverband übrigens wieder, diesmal je gut 10 000 Euro an CDU und FDP. Bei Politikern wie Fleischer & Co. fühlte man sich eben einfach gut aufgehoben. Oder gab es sogar eine offizielle Verbindung? Als der Breisgauer Abgeordnete 2002 einmal nicht zu einem Behördentermin zum Thema Hochwasserschutz eingeladen war, protestierte er umgehend beim Umweltminister. Er sei doch »im Auftrag der ISTE« hinzuzuziehen. Das klang nach einem förmlichen Mandat. Doch der Verband und der Politiker versicherten umgehend, es habe weder einen Vertrag noch eine Vergütung gegeben. Als »Auftrag« habe er seine Zusage bezeichnet, die Branchenlobby über alle Gespräche auf dem Laufenden zu halten, erläuterte Fleischer.

Alles in bester Ordnung also? Zumindest Günther Oettinger bemühte sich, diesen Eindruck zu erwecken, als die Blockade seines Finanzstaatssekretärs durch Berichte von Spiegel und Stuttgarter Zeitung publik wurde. Es war der Auftakt zur Kiesaffäre, die die Landespolitik noch monatelang beschäftigen sollte. Es sei doch ganz normal, beschwichtigte er, dass die Wirtschaftlichkeit bei einem Jahrhundertprojekt gründlich geprüft werde. Allenfalls über die Zeitachse, also die Dauer, könne man reden. Eine Verbindung zu den Parteispenden von Firmen und Verband mochte der Ministerpräsident selbstredend nicht erkennen. Beim Vorgehen der Regierung habe das Geld »mit Sicherheit keine Rolle gespielt«. Persönlich war ihm vor allem wichtig, dass von einem Verstoß gegen EU-Regeln keine Rede sein könne. Damals stand Oettinger nämlich gerade vor dem Wechsel nach Brüssel, da konnte er den Verdacht, seine Landesregierung ignoriere europäisches Recht, gar nicht gebrauchen. Doch genau das hätte es bedeutet, wenn das Kiesgeschäft, wie erwogen, ganz den südbadischen Unternehmen zugeschanzt worden wäre. Für seinen Freund Gundolf gab der Premier eine ähnliche Ehrenerklärung ab wie jene, mit der er ihn schon wegen der Ermittlungen in Sachen Parteifinanzen in Schutz genommen hatte: »Für mich gilt der Grundsatz, dass jeder vertrauenswürdig ist, solange nicht das Gegenteil bewiesen ist.«

Was Oettinger nicht erwähnte: Seine Regierung hatte bei der Angelegenheit offensichtlich schon länger kein gutes Gewissen. Bereits seit Monaten fürchtete sie, die Opposition könne davon Wind bekommen und sie wegen der Verzögerung zur Rede stellen. Schon Ende 2009 wurde deshalb für

Innenminister Heribert Rech (CDU) ein Sprechzettel vorbereitet, falls im Landtag kritische Fragen kämen. Von Zweifeln an der Wirtschaftlichkeit der Kombilösung sollte Rech indes nur allgemein berichten. Dass dahinter alleine der Staatssekretär Fleischer steckte, stand in einem »vertraulichen Hintergrundhinweis«. Soll heißen: Das ginge die Abgeordneten nichts an. Aber die Sorge vor SPD und Grünen war, wieder einmal, unnötig. Sie wussten wohl nichts von dem Kiesgeschacher, das hinter den Kulissen immer weitere Kreise zog, und fragten folglich auch nicht danach. Der Sprechzettel wanderte ungenutzt zu den Akten. Umso schärfer reagierte die Opposition, als die Affäre schließlich öffentlich wurde. Sie forderte umgehend Aufklärung, verlangte volle Akteneinsicht und äußerte gar den Verdacht der Korruption. Ein böser Schein von Käuflichkeit war allemal entstanden. Sogar die Freiburger Staatsanwaltschaft begann umgehend zu prüfen, ob deswegen ermittelt werden müsse.

Offiziell wies die CDU natürlich alle Attacken zurück. Doch die Solidarität mit Fleischer war brüchiger, als es die Treuebekundungen vermuten ließen. Schon bald wurden Risse im Unionslager sichtbar. Aus Berlin ließ Bundesverkehrsminister Peter Ramsauer (CSU) ausrichten, sein Haus halte die baden-württembergischen Bedenken gegen die Kombilösung für »nicht begründet«. Das war ein schwerer Schlag. In Stuttgart gerieten sich derweil sogar Kabinettskollegen in die Haare. Finanzminister Stächele versuchte sich und seinen Staatssekretär mit dem Hinweis zu verteidigen, die anderen Ressorts hätten es in Sachen Kies ja auch nicht besonders eilig gehabt: »Es ruhte still der See.« Dem widersprach der zuständige Verkehrsstaatssekretär hoch gereizt: Natürlich habe man immer wieder nachgehakt, aber leider ohne Erfolg. Sogar eine gewisse

Genugtuung war in den eigenen Reihen zu verspüren. Jahrelang habe Fleischer den Hochwasserschutz am Rhein mit fadenscheinigen Gründen torpediert, hieß es händereibend, nun sei er dabei endlich einmal erwischt worden. Ganz eng wurde es für den Südbadener, als wenige Tage später eine weitere Verbindung zur Kieswirtschaft bekannt wurde. Er sitze im Beirat einer Vermögensverwaltungsgesellschaft, die zu einer der KVG-Firmen gehöre, erfuhr die erstaunte Öffentlichkeit. Die Funktion sei ehrenamtlich und ordnungsgemäß beim Landtag angemeldet, rechtfertigte sich Fleischer noch. Doch das überzeugte die Opposition ebenso wenig wie seine generelle Verteidigungslinie, er sei in Sachen Kies nur ein »Moderator« zwischen den widerstreitenden Interessen. Nun, verlangte sie, sei aber die sofortige Entlassung fällig.

Fleischers Schicksal lag da bereits in der Hand des designierten Ministerpräsidenten Stefan Mappus. In seinen letzten Tagen als Fraktionschef hatte der Oettinger-Nachfolger öffentlich zur Kiesaffäre geschwiegen. Doch er war sichtlich nicht gewillt, sich davon den Start ins Amt vermasseln zu lassen. Hinter den Kulissen lief das Krisenmanagement jedenfalls auf Hochtouren. Das Ergebnis: Nur einen Tag nach seiner Wahl im Landtag hatte sich Mappus die Altlast bereits vom Hals geschafft. Da bat der Staatssekretär – wie freiwillig, sei einmal dahingestellt – von sich aus darum, ihn »bei der Bildung der neuen Landesregierung nicht mehr zu berücksichtigen«. Als Schuldeingeständnis wollte er das natürlich nicht gewertet wissen. Die Opposition sah es trotzdem so und reagierte spöttisch (»Das wurde aber auch Zeit«), allzu groß wirkte das Bedauern über den Rückzug auch in der CDU nicht. Doch mit den offiziellen Erklärungen schlug die Stunde der Krokodilstränen. Angesichts der »Anfeindungen der letzten Tage«, barmte Mappus, habe er großes Verständnis für Fleischers Entscheidung. Die sei »honorig, wäre aber nicht notwendig gewesen«, sekundierte der neue CDU-Fraktionschef Peter Hauk. Man freue sich, dass Fleischer dem Landtag als Abgeordneter erhalten bleibe, befanden beide unisono.

Ähnlich schnell wie das Personalproblem erledigte der neue Premier das Sachthema. Der Landesrechnungshof brütete noch eine Weile über den Wirtschaftlichkeitsberechnungen zur Kombilösung. Dann kam er, was Wunder, zum gleichen Ergebnis wie die Kollegen vom Bundesrechnungshof: Sie seien »plausibel und schlüssig«. Alles andere wäre auch erstaunlich gewesen. Dass zwei gleichartige Behörden kurz nacheinander dasselbe Thema bearbeiten, wäre, nebenbei bemerkt, unter anderen Umständen fast ein Fall für den Rechnungshof. Angesichts des doppelten Testats fiel es dem Kabinett nicht schwer, den Weg für die Vereinbarung mit dem Bund freizumachen. Wenige Wochen nach Fleischers Rückzug meldete Stuttgart endlich grünes Licht nach Berlin. Eine feierliche Vertragsunterzeichnung gab es aus naheliegenden Gründen nicht, die Sache wurde intern erledigt und später knapp per Pressedepesche vermeldet. Selbstkritische Töne waren in Baden-Württemberg weiterhin nicht zu vernehmen. Er könne »nicht erkennen, wo irgendetwas verschleppt, vertuscht oder wo irgendjemand übervorteilt wurde«, behauptete Mappus trotzig. Dabei vermittelte schon der zeitliche Ablauf genau diesen Eindruck: Mit Fleischer lief zwei Jahre lang nichts, ohne ihn ging es plötzlich ruckzuck.

Genau auf diesen Punkt konzentrierte sich fortan die Opposition. Wie konnte es sein, dass ein einziger Staatssekretär im Alleingang mehrere Landesminister, einen Ministerpräsidenten und einen Bundesminister ausbremste? Noch dazu einer, der sich selbst als Interessenvertreter der Kieswirtschaft (»im Auftrag der ISTE«) ausgewiesen hatte, in der Angelegenheit also Partei schien? Der Grünen-Fraktionschef Winfried Kretschmann goss seine Antwort in eine schöne Formulierung: Man blicke tief »in die Katakomben des schwarzen Filzes«. Die offizielle Sprachregelung, es sei ja kein Schaden entstanden, ließ die Opposition nicht gelten. Niemand wisse, wann am Rhein das nächste »Jahrhunderthochwasser« drohe. Da könne jeder Verzug bei den Schutzbauten schlimme Folgen für Hunderttausende von Menschen haben. Und Fleischers Veto war keineswegs abstrakt, sondern führte ganz praktisch zu Verzögerungen. Ohne ein Konzept für die Verwertung des Kieses konnte die Planung für die Rückhalteräume am Oberrhein nicht weitergehen.

In Stuttgart war Fleischer nach dem Rückzug politisch abgeschrieben, aber daheim im Breisgau wurde noch einige Wochen um seine Zukunft gerungen. Die Kiesaffäre trieb weitere Keile in den ohnehin tief gespaltenen CDU-Kreisverband. Hatte der Abgeordnete sich lediglich für seinen Wahlkreis samt Unternehmen und Arbeitsplätzen eingesetzt, wie das die Pflicht jedes Parlamentariers war? Oder hatte er über den Einzelinteressen der »Kieser« das Wohl der Allgemeinheit vergessen, das eigentlich an erster Stelle stehen müsste? Die Meinungen darüber gingen ebenso auseinander wie über die Frage, ob der Altgediente noch einmal zur Landtagswahl antreten solle. Eigentlich wollte man abwarten, was bei den Ermittlungen zum Finanzgebaren der Partei herauskäme; die Nominierung war deshalb schon bis zum spätestmöglichen Termin verschoben worden. Doch das Klima zwischen Fürsprechern und Kritikern Fleischers wurde immer giftiger. Als ein Jungunionist laut über einen Generationswechsel nachdachte, bezichtigte ein Altvorderer ihn gar des parteischädigenden Verhaltens. Nach etlichen Krisentreffen und unzähligen Gesprächen kam schließlich die befreiende Nachricht. Er werde nicht wieder für den Landtag kandidieren, teilte Fleischer dem CDU-Kreischef mit. Begründung: »Nach so langer Zeit« sei ein Wechsel völlig »normal«. In der Partei herrschte überwiegend Erleichterung, verbunden mit einer gewissen Sorge um »den Gundolf«. Was werde denn bloß ohne Politik aus dem Junggesellen? Die sei doch »sein Leben«. Er habe ja immer noch den Vorsitz beim Badischen Sportbund, tröstete man sich. Dort wurde der Multifunktionär ungeachtet des Wirbels im Amt bestätigt.

Wäre es nach seiner mütterlichen Freundin Paula zu Fürstenberg gegangen, dann hätte Gundolf Fleischer ohnehin einen anderen Beruf ergreifen sollen. »Im Stillen denke ich oftmals, dass er besser Geistlicher als Politiker geworden wäre«, bekannte die Fürstin in der Festschrift zu seinem 60. Geburtstag. Tief beeindruckt zeigte sie sich von seinem Streben, »dem C im Parteinamen zu größerer Geltung zu verhelfen«. Die alte Dame kannte ihren Gundolf offensichtlich gut. In dem eingangs erwähnten Fragebogen sollte Fleischer auch Auskunft geben, welcher Beruf nach dem des Politikers denn sein zweitliebster wäre. Die Antwort lautete nicht Pfarrer, aber in gewisser Weise ähnlich: »Deutscher Botschafter im Vatikan.«

Full House

Der größte Anlageskandal der Republik: Jahrzehntelang pokerte die Göttinger Gruppe mit dem Geld kleiner Leute

Meinrad Heck

Das Arrangement war perfekt. Die Herren in ihren dunklen Anzügen schienen sich wohl zu fühlen in dem edlen Ambiente, das die PR-Strategen für sie ausgewählt hatten. Ex-Verteidigungsminister Rupert Scholz durfte unter einem Kronleuchter posieren. Sein Auftritt und der seiner Mitstreiter wurde inszeniert, als ob sich hier eine seriöse Männerrunde zum Denken und Lenken in eine dieser holzvertäfelten Chefetagen zurückzöge.

Es ging um Fotoshootings, und mit Blick auf ihre Zielgruppe der Otto Normalbürger schauten sie mal ernst, mal lächelnd in die Kamera. Ihre Hände ruhten in den Schößen, sie waren in der Hosentasche versteckt oder stützten sich auch mal ganz locker auf einen Marmorsims über dem Kamin. Die Herren stellten sich im Salon unter die prächtigen Kristallleuchter, sie ruhten in teurem Mobiliar oder setzten sich lässig auf Schreibtischkanten. Nach diesem Shooting erschienen ihre Porträts im Frühjahr 2004 in der Hochglanzbroschüre einer Deutschen Portfolio Management AG. Das Bild eines zu nächtlicher Stunde in goldenes Licht getauchten Brandenburger Tores glänzte auf der Titelseite und unterstrich den germanischen Charakter ganz besonders.

Die Herrenrunde öffnete mit einigen, wie sich später in einem Gerichtssaal erweisen sollte, »blumigen« und natürlich ganz »unverbindlichen Werbebotschaften« ein paar tausend Kleinanlegern die Tür zu einer Welt, welche jenen ansonsten verschlossen blieb, weil diese Welt normalerweise »nur Großinvestoren« vorbehalten war. Diese Management AG würde mit klingenden Namen arbeiten. Im ihrem kaum überschaubaren Konstrukt vieler Gesellschaften gab es eine Germanicum Beteiligungstreuhand GmbH oder eine Invictum KG. Letztere schien schon ihrem lateinischen Namen zufolge unbesiegbar.

Das Vokabular der angepriesenen Großinvestoren ging den Herren spielend leicht über die Lippen. Die Manager, Beiräte und Aufsichtsräte redeten von Portfolios, Private Placements, von attraktiven Marktsegmenten oder Sales Support. Natürlich sprachen sie nur und versprachen nichts, jedenfalls nichts, worauf man sie hätte festnageln können. Aber in den Papieren dieser Management AG war die Rede von schwindelerregend hohen und traumhaften Renditen, die deutlich höher als zehn Prozent sein sollten. Der größte Köder war eine Zusatzvorsorge fürs Alter.

Es waren die üblichen Sprüche, und all das wäre weiter nichts Besonderes gewesen, weil es in diesen Zeiten dieses Jahres 2004, aber auch davor und vor allem danach, im Finanzgewerbe viele Sprecher und Versprecher gegeben hatte. Es hatte Erfolgsstories und Zusammenbrüche gegeben. Alle hatten mit dem großen Geld gelockt und gezockt. Die meisten Banker und Investmentberater sahen und inszenierten sich liebend gerne in irgendwelchen holzvertäfelten Chefetagen. Diese

Deutsche Portfolio Management AG mit Sitz in Berlin hatte dagegen noch weitere Extras zu bieten.

Sie wollte mit Hilfe einiger ehemals namhafter Politiker aus der ersten und zweiten Reihe von Kleinanlegern 200 Millionen Euro für ihr Produkt namens »MSF Master Star Fund Deutscher Vermögensfond I« einsammeln. Dieser sogenannte Politikerfonds würde schon in naher Zukunft in sich zusammenbrechen und ein paar tausend Menschen schlaflose Nächte bereiten. Er würde ausgesprochen unrühmlich in die Geschichte eingehen, auch deshalb, weil im Verborgenen Firmen und Personen eines Finanzriesen namens Göttinger Gruppe wirkten, der zu den umstrittensten der Republik gehörte.

Die entscheidenden Aufsichtsräte und Beiräte dieser Berliner Fondsgesellschaft kamen aus eben jener Herrenrunde. Es handelte sich fast ausnahmslos um emeritierte Politiker, die sich in diversen Bundes- und Landesregierungen zwar nicht den größten, aber immerhin einen, wie sie selbst meinten, »guten Namen« gemacht hatten. Sie schienen an ihren alten Titeln zu kleben, sie trugen den Staatssekretär oder den Minister a.D. wie eine Monstranz vor sich her. Damit ließ sich Kasse machen und im Namen jener Deutschen Portfolio Management AG auf Kundenfang gehen. In besagter Hochglanzbroschüre erschienen also ein gewisser Walter Rasch, seines Zeichens FDP-Senator a.D. aus Berlin, der die Geschäfte des neuen Master Star Fonds zu leiten gedachte, neben ihm noch drei Staatssekretäre außer Diensten von CDU und SPD und – als Vorsitzender des Beirates für die Dauer von sechs Monaten – immerhin ein veritabler CDU-Bundespolitiker, der ebenfalls längst außer Diensten war.

Prof. Dr. Rupert Scholz hatte eine politische Karriere als Senator für Justiz- und Bundes-Angelegenheiten des Landes

Berlin hinter sich und er hatte für kurze Zeit im Kabinett von Helmut Kohl als Verteidigungsminister gedient. Jetzt saß er auf einem Lehrstuhl für Staats-, Verwaltungs- und Finanzrecht an der Universität München, weswegen ihm unterstellt werden durfte, er verstehe etwas von den vermeintlich einfachen, aber in Wahrheit doch sehr komplizierten Dingen, für die er mit seinem guten Namen in einer breiten Öffentlichkeit zu werben und zu stehen gedachte. Seine Präsenz in dieser Herrenrunde war zweifelsohne das wichtigste Pfund gewesen, mit dem sich hatte wuchern lassen, und er hatte von seiner Wichtigkeit ausgiebig Gebrauch gemacht. Bevor der Fonds auf den Markt kam, ließ Rupert Scholz zur Qualität dieser Management AG, die er mit seiner eigenen zu verbinden wusste, in Interviews wissen: »Erst nach einer genauen Prüfung der Strukturen und Personen habe ich meine persönliche Mitwirkung und Unterstützung zugesagt.«

Aus dem Prospekt heraus lächelte auch noch ein etwas jüngerer Mann mit glänzend gegeltem dunklen Haar, dessen Name man sich würde merken müssen. Er hätte der jüngeren Zielgruppe der sogenannten Yuppies durchaus gefallen können, war aber mit seinen Geschäften bis dato eher ein paar kritischen Brancheninsidern als eine Art Finanzjongleur aufgefallen und von ihnen misstrauisch beäugt worden. Er hieß Michael Turgut und durfte als stellvertretender Aufsichtsratsvorsitzender dieser Management AG mit ihrem Politikerfonds fungieren. Schon wenige Monate nach Erscheinen der hübschen Broschüre sollte er ein paar Tage in den Knast wandern, weil ihm der Fiskus genauer auf die Finger geschaut hatte, als ihm lieb gewesen war. Das geschah zufällig zu jener Zeit, als zumindest Rupert Scholz es dann doch wieder vorzog, die illustre Runde vorzeitig zu verlassen. Das tat er natürlich nicht, weil sein jüngerer Mitstreiter aus der Herrenrunde für kurze Zeit hinter schwedische Gardinen wanderte, sondern ausschließlich aus Gründen seiner eigenen – so wörtlich – »Arbeitsüberlastung«.

Dieser Politikerfonds operierte im sogenannten grauen Kapitalmarkt, der auch als ungeregelter Markt bezeichnet wird, weil er nicht der Kontrolle der staatlichen Finanzaufsicht unterliegt und weil er wenig bis gar keine Sicherheiten bietet. Dieser Markt war und ist eine Spielwiese für Millionen- und Milliardenzocker, wenn sie diskret bleiben und vor allem, wenn sie nicht und niemandem negativ auffallen. Dass der andere, der sogenannte geregelte Markt, also jener der seinerzeit noch etwas seriöseren Banken und Börsen, tatsächlich viel geregelter daher gekommen wäre, würde man spätestens nach Ausbruch der globalen Finanzkrise 2008 allerdings auch nicht mehr behaupten können.

Dieser Politikerfonds fiel positiv auf. So wie es gewünscht war. Nämlich genau 6 957 kleinen Privatanlegern. Sie hatten im Vertrauen auf die guten Namen und die so opulent angerichteten Investments in der exklusiven Welt der Großinvestoren die Einzahlung von 200 Millionen Euro zugesagt, auf die Wertsteigerung für die angepriesene zusätzliche Altersversorgung vertraut und schon mal die ersten 43 420 586 Euro und sieben Cent auf den Tisch gelegt. Unglücklicherweise sollten sie davon am Ende knapp 33 Millionen nie mehr wieder sehen, weil dieses bescheidene Sümmchen rasend schnell als Provision in den Taschen emsiger Vertriebsmanager versickert war.

Am Ende einer Kette eifriger Absahner und irgendwie auch in jenen »Strukturen«, die der frühere Bundesverteidigungsminister so genau geprüft haben wollte, stand eine gewisse Futura Finanz AG, in der wie zufällig jener Michael Turgut das Sagen hatte, der als stellvertretender Aufsichtsratsvorsitzender ausgerechnet das Fonds-Unternehmen beaufsichtigen sollte, an dem er über sein eigenes Vertriebsnetz kräftig zu verdienen gedachte. Dass er aus dem Fondsvermögen auch schon mal 1,3 Millionen Euro wegen einer kurzzeitig liquiden Unpässlichkeit als persönliches Darlehen abzweigte, kam erst viel später ans Tageslicht. Turgut hatte das Geld gebraucht, um drei Tage, nachdem ihn Steuerfahnder hinter Gitter gesteckt hatten, durch Zahlung einer siebenstelligen Kaution wieder aus dem Knast freizukommen. Er fand nichts Schlimmes daran, sich diese Summe kurzfristig geborgt zu haben, weil er sie wenige Tage später aus seinem persönlichen Vermögen, wie er sagte, wieder zurückzahlte.

Nach solchen Eskapaden brach der später so umstrittene Fonds 2005 zusammen. Die staatliche Finanzaufsicht verfügte wegen unerlaubter Finanzkommissionsgeschäfte die Schließung und Abwicklung des Fonds. Mit unerlaubten, weil Banken des geregelten Marktes vorbehaltenen, Finanzkommissionsgeschäften waren im spröden Amtsdeutsch Transaktionen auf eigenen Namen der Fondsgesellschaft, aber auf fremde Rechnung (der Anleger) gemeint.

Als während der Insolvenz die ersten Schadenersatzforderungen auch gegen den Ex-Verteidigungsminister mit seinem guten Namen auftauchten, wusste der sich über seine Anwälte selbstverständlich zu wehren. Rupert Scholz' Formulierungen, wonach er ausdrücklich »erst nach einer genauen Prüfung der Strukturen und Personen meine persönliche Mitwirkung und Unterstützung zugesagt« habe, mochten für kleine Anleger und ihren gesunden Menschenverstand noch so unmissverständlich und eindeutig klingen. In Wahrheit hatte der Herr Professor und Ex-Minister mit seinem guten Namen und großen Worten, so rechtfertigte er sich selbst über seine Anwälte, aber nur »nichtssagende Werbebotschaften ohne Tatsachengehalt« mit verbreitet.

Vor dem Landgericht im badischen Mosbach hatte Scholz zunächst zwar einen guten Namen, aber dennoch schlechte Karten. Dort hatte wenig später einer der Kleinanleger auch gegen den vormaligen Verteidigungsminister auf Schadenersatz geklagt – und gewonnen. Denn die Richter ließen sich von des Ex-Ministers Advokaten wenig beeindrucken. Das Landgericht stellte fest, dass Prof. Dr. Rupert Scholz mit seiner Rede von seiner »genauen Prüfung« sehr wohl »den Eindruck erweckt« habe, »sich von der Qualität des Anlagemodells überzeugt und dafür auch die Verantwortung übernommen zu haben«. Denn seine Formulierungen »erschöpfen sich nicht in lediglich unverbindlichen Werbeaussagen«. Auch erfolgte nach Meinung dieser Richter »nicht lediglich ein diskreter Hinweis auf seine (Scholz') berufliche und öffentliche Stellung«, sondern »vielmehr sollen gerade die Angaben zum beruflichen Werdegang und die öffentlichen Ämter … die Seriosität und Sicherheit der Anlage unterstreichen und seine herausgehobene Sachkunde in rechtlichen und wirtschaftlichen Fragen belegen«.

Rechtsanwälte geschädigter Anleger bejubelten daraufhin dieses nicht rechtskräftige Urteil des Landgerichts Mosbach vom August 2007 (AZ: 1 O 135/06) als ein außergewöhnlich mutiges. Denn endlich einmal hätten deutsche Richter zum Wohle abgezockter Verbraucher »keine Angst vor großen Namen« gezeigt. Aber irgendwie ahnten sie auch, dass die Halbwertszeit dieses bemerkenswerten Urteils außerordentlich begrenzt sein würde. Sie sollten recht behalten.

Denn Helmut Kohls früherer Verteidigungsminister ließ eine solche Schmach selbstredend nicht lange auf sich sitzen. Er ging in die Berufung. Und in letzter Instanz kippte das Oberlandesgericht Karlsruhe das Urteil zu seinen Gunsten. Derselbe Sachverhalt, zwei Gerichte, zwei völlig unterschiedliche Meinungen, was für Kenner der Juristerei und manche ihrer Opfer nichts wirklich Neues ist. Denn der sechste Zivilsenat des OLG folgte der Argumentation der Advokaten von Scholz und stellte im April 2010 fest: Die so vertrauenerweckenden Erklärungen des früheren Ministers seien lediglich eine »erkennbar reklamehafte Anpreisung« des Fonds, versehen mit »allgemeinen blumigen Ausführungen« gewesen. Noch entscheidender aber war, dass das, was er von sich gegeben hatte, eben nur in der Hochglanzbroschüre mit dem goldglänzenden Brandenburger Tor oder als Interview in Wirtschaftsblättern erschienen war, aber wohlweislich nicht im einzig und allein rechtsverbindlichen Emissionsprospekt des Fonds – weswegen Rupert Scholz eben ausdrücklich nicht in die sogenannte Prospekthaftung genommen werden könne und somit auch nicht schadenersatzpflichtig sei. Eine Revision gegen dieses Urteil zum Bundesgerichtshof wurde vom sechsten Zivilsenat des Oberlandesgerichts Karlsruhe ausdrücklich nicht zugelassen. Damit war der Ex-Minister und Professor für Staats- und Finanzrecht fein raus. Er hatte vermeintliche Tatsachen nur etwas blumig verpackt, und auf dem Papier blieb sein Name, was er schon immer gewesen war: ein guter.

Die wirklich entscheidenden Hintermänner und geistigen Väter dieses Fondsgeschäftes dagegen waren sehr tief und unsichtbar in den von Rupert Scholz so blumig verkauften Strukturen versteckt. Sie tauchten aus gutem Grund in der Hochglanzbroschüre erst gar nicht auf. Sie hielten sich bedeckt und wurden versteckt, weil sie sich zu dem Zeitpunkt schon anderenorts die Finger und ein paar hundert Millionen gleich mit verbrannt hatten. Von einem geheimen neunseitigen Beratervertrag, datiert auf den 23. April 2004 und unterzeichnet in der Universitätsstadt Göttingen, ahnten die 6 957 Kleinanleger, die in der Folge um besagte 33 Millionen Euro erleichtert worden waren, noch nichts. In dem Vertrag beauftragte eine Firma namens Sales Product Services GmbH (SPS) einen gewissen Rechtsanwalt Dr. Jürgen Rinnewitz aus Göttingen mit der »rechtlichen Konzeption« und der »Vorlage eines Emissionsprospektes« für den geplanten Politikerfonds namens Master Star Fund. Als Honorar sollte Rechtsanwalt Rinnewitz 244 000 Euro plus Mehrwertsteuer erhalten.

Diese SPS GmbH gehörte zur seinerzeit schon seit fast einem Jahrzehnt gefürchteten Göttinger Gruppe. Ein Finanzkrake, der Kleinanlegern hoch riskante Unternehmensbeteiligungen als zusätzliche Altersvorsorge verkauft hatte. Dieser Finanzkonzern war seit Jahren auf dem grauen Kapitalmarkt der größte Anbieter gewesen, er wurde eine »Sphinx« genannt, und er war einer der umstrittensten der Republik. Er stand im Jahr 2004 schon kurz vor dem Zusammenbruch und drohte, Hunderttausende von Menschen mitzureißen. Das weit verzweigte Unternehmen würde sehr bald für den größten Anlageskandal sorgen, den diese Republik außerhalb der bald folgenden globalen Finanzkrise je gesehen hatte. Gegründet wurde diese Finanzholding schon 1986 von jenem Rechtsanwalt Rinnewitz, der sich aus Gründen eines miserabel gewordenen Images in seiner Branche nicht mehr allzu offen bewegen konnte, und von einem vermeintlich genialen Steuerberater.

Die Causa Göttingen begann mit einer zweifelhaften Erfolgsstory und mit einer Legende. Die Legende, deren Wahrheitsgehalt nicht mehr zu überprüfen ist, besagt, die zündende Geschäftsidee sei einem frischgebackenen Vater und Steuerberater namens Erwin Zacharias bei dessen Wickelkurs in einer Volkshochschule zwischen Babypo und Pampers-Windel gekommen. Gesichert ist nur, dass dieser Erwin Zacharias als geistiger Vater dieser höchst umstrittenen Gruppe gilt und ein sogenanntes Steiger-Modell erfunden hat. Es war ein System, in dem Anleger über Firmenbeteiligungen künstliche Verluste machten, Steuern sparten und am Ende der Vertragslaufzeit auf Gewinne hofften.

Ihr Geld floss in sogenannte atypisch stille Unternehmensbeteiligungen. Damit wurden sie faktisch mit allen Risiken und Nebenwirkungen selbst zum Unternehmer, jedoch zu einem stillen Unternehmer ohne Einfluss auf die Geschäftstätigkeit. Diese Kleinanleger stiegen auf dem Papier von einer fiktiven Verlustfirma, sogenannten Segmenten, zur nächsten, sie machten mit diesen hintereinander geschalteten Beteiligungen jahrelang nur Minus, welches sie steuerlich geltend machen konnten. Am Ende der Laufzeit sollten sie – darauf lag die Betonung – Gewinne aus Wertpapier- und/oder Immobilienbeteiligungen machen und wahlweise in Raten oder auf einen Schlag erhalten. Die Verluste wurden garantiert, die Gewinne aber nur prognostiziert. Darin lag das unkalkulierbare Risiko. Von der seinerzeit gerade erst wachsenden Finanzbranche auf dem grauen Kapitalmarkt wurden der Steuerberater Erwin Zacharias und sein Geistesblitz zwischen Babypo und Pampers-Windel als nachgerade genial gefeiert.

Das Geniale daran schien aber weniger das Modell und dessen Erfinder zu sein, sondern der Umstand, dass sich in den folgenden 20 Jahren 250 000 Menschen von den Göttingern dieses hochriskante System als »PensionsSparPlan« oder als »SecuRente«, also eine dem Namen nach sichere Rente, andrehen ließen. Die Kleinanleger glaubten, ihr Geld werde werthaltig investiert. Tatsächlich flossen bis zu 20 Prozent ihrer Einlagen oder Ratenzahlungen, kaum dass sie gezahlt waren, als Provision in die Taschen hauseigener und externer Vertriebsfirmen. Schon diese Abzocke wurde als werthaltige Investition innerhalb der Konzernbilanz schöngeredet und verbucht. Denn das Vertriebsnetz, das dadurch aufgebaut werde, stelle schließlich einen »Wert« dar.

Ein weiterer von vielen Haken, an dem die Kleinanleger hängen bleiben sollten, war: Wer vor Ende der Vertragslaufzeit, die sich zwischen zehn und 40 Jahren bewegte, wer also in der steuertechnisch angeblich so genialen, aber sehr langen Verlustphase aussteigen wollte oder aus finanziellen Gründen musste und sich einbildete, er könne zumindest seine Einzahlungen wieder zurückfordern, so als hätte er ein Sparbuch angelegt, der erlebte eine bitterböse Überraschung. Denn plötzlich wurde dieses steuertechnisch fiktive Minus auf dem Papier rasend schnell ausgesprochen real. Soll heißen: Wer vorher ausstieg, hatte zwar Steuern gespart, sah aber kein Geld mehr.

Das Geschäft lief 20 Jahre lang und spülte eine Summe von knapp anderthalb Milliarden Euro in die Kasse der Göttinger Gruppe, bis es 2007 unter skandalösen Umständen zusammenbrach. Skandalös, weil zahllose Kritiker immer wieder davor gewarnt und die Justiz beschäftigt hatten. Allen voran der für Verbraucherschützer legendäre Gerlach-Report, der darin ein »modifiziertes Schneeballsystem« sah, bei dem Ansprüche alter Anleger nur durch frisches Geld immer neuer Investoren beglichen werden konnten, nicht aber durch versprochene Erträge aus werthaltigen Immobilien, Wertpapiergeschäften oder Firmenbeteiligungen. Sehr vieles deutet darauf hin, dass genau das jahrelang unter den Augen der von Kritikern immer wieder eingeschalteten niedersächsischen Justiz geschehen war.

Und fast noch genialer war, wer dieser Göttinger Gruppe in all den Jahren zur Seite stand. Finanztechnisch waren es in den 80er Jahren eher noch gemütliche Zeiten gewesen. Die meisten Deutschen parkten ihr Geld noch in der Lebensversicherung oder auf dem Sparbuch. Zocker machten noch keine großen Schlagzeilen oder blieben unentdeckt, Heuschrecken waren einer breiten Öffentlichkeit nahezu unbekannt, Millionen-Boni für gierige Banker (noch) kein Thema: Kein Mensch dachte an Bankenrettungsschirme. Die Aktienkurse an den Börsen explodierten oder implodierten noch nicht innerhalb von Sekunden. Die eher gemütlich daherkommenden Wirtschaftsnachrichten im öffentlich-rechtlichen Rundfunk pflegten die Kassakurse der Frankfurter Börse von 12 Uhr noch nachmittags um 15 Uhr als aktuelles Stimmungsbarometer zu verkaufen.

Ein paar clevere Menschen und Lobbyisten machten sich jedoch schon in aller Stille daran, einen neuen Milliarden-Markt zu erschließen. Die staatliche Rente würde in absehbarer Zeit wegen der demografischen Entwicklung womöglich in Schwierigkeiten geraten. Also galt es, Armeen von Investmentberatern aufzustellen und ein Millionenpublikum darauf einzustellen. Die Deutschen sollten begreifen, dass sie privat und zusätzlich für ihr Alter vorzusorgen hätten. Dabei halfen Politiker und manche Prominente in den folgenden Jahren, und sie taten es bei vielen Privatversorgern – auch bei dieser Göttinger Gruppe, obwohl deren Ruf wegen des vermuteten Schneeballsystems schon längst deutlich angekratzt war.

Hans Dietrich Genscher etwa lächelte aus den Prospekten dieser selbsternannten »innovativ-konstruktiven Tabubrecher«, nachdem er von seinem Amt als Außenminister zurückgetreten war. Als er darauf angesprochen wurde, ließ er erklären, er habe nie in irgendeiner Art Geschäftsbeziehung zu dem Unternehmen gestanden. Baden-Württembergs früherer Ministerpräsident Lothar Späth schenkte den Göttinger »Querdenkern« seine Aufmerksamkeit oder auch der wirtschaftsliberale Otto Graf Lambsdorff. Hinterher fühlte er sich vor den Karren gespannt, ließ er erklären.

Fünf Jahre nach Gründung hatten die Göttinger eigenen Angaben zufolge schon 100 000 dieser hochriskanten Verträge in der Tasche. Und sie gaben weiter Vollgas. »Mein Geld liegt in Göttingen«, hieß eine Anzeigenkampagne, für die sich der frühere Chefsprecher der ARD-Tagesschau Werner Veigel als Repräsentant verpflichten ließ. Justus Frantz durfte sich bald über den neuen Hauptsponsor seines Schleswig-Holstein Musikfestivals aus Göttingen freuen. Und die umstrittenen Finanzjongleure durften unter Helmut Kohl das jährliche Kinderfest im Kanzleramt sponsern. Letzteres war der Ritterschlag. Der Finanzkrake war im Zentrum der Macht angekommen.

1995, keine zehn Jahre nach seiner Gründung, war das Platzierungsvolumen des Finanzkonzerns schon auf umgerechnet knapp 1,3 Milliarden Euro gewachsen. Weit über 100 000 Kleinanleger – viele davon im sozial-marktwirtschaftlichen Kapitalismus noch nicht wirklich angekommen, weil sie aus den neuen Bundesländern kamen – hingen am Haken. Geködert auch vom eifrigen Futura-Finanzvertrieb jenes jungen Mannes namens Michael Turgut, der Jahre später im erwähnten Politikerfonds aus Berlin ebenfalls salonfähig gemacht wurde. Ein Futura-Vertriebsmann beschrieb das Konzept seines Brötchengebers gegenüber einem Fernsehmagazin einmal in ziemlich drastischen Worten: Ziel sei es nicht, den Kunden zu beraten, »sondern ihn auszurauben«. Futura hielt solche Eskapaden für Einzelfälle »schwarzer Schafe«.

Wenn die Sparer tatsächlich glaubten, ihr Geld werde in Göttingen wertsteigernd in Wertpapieren, Firmenbeteiligungen oder Immobilien angelegt, so war auch das vor allem ein frommer Glaube. Sie mochten dies als schnelle Botschaft so in Hochglanzbroschüren gelesen haben. Die alles entscheidenden und einzig rechtsverbindlichen Emissionsprospekte aber hatten immerhin 126 eng bedruckte Seiten. Und auf Seite 102 der zur Göttinger gehörenden Securenta AG hätten Anleger – wenn sie denn soweit gelesen hätten – schwarz auf weiß erfahren können, was innerhalb dieser Gruppe mit ihrem Geld geschehen sollte. Dort stand geschrieben: »Die Securenta AG wird Anlagekapital zum langfristigen Vermögensaufbau voraussichtlich in den drei Investitionsbereichen Immobilien, Unternehmensbeteiligungen und Wertpapiere investieren.« Die Betonung lag auf dem Wörtchen »voraussichtlich«. Und weiter hieß es: »Die Investitionstätigkeit der Securenta AG ist zum einen bestimmt durch die Kapitalstruktur des Unternehmens und zum anderen ausgerichtet an bestimmten Investitionsgrundsätzen, die eine unverbindliche Richtlinie für Anlageentscheidungen der Geschäftsleitung darstellen« – aber eben nur »unverbindlich«. So sehen Persilscheine in eigener Sache aus.

Einige Jahre später würde die für Göttingen zuständige Staatsanwaltschaft Braunschweig erste Vorermittlungen wegen Betrugsverdachtes mit der Bemerkung einstellen, dass für Kleinanleger bei einem »Kurzstudium« des 126-seitigen Emissionsprospektes doch »sehr schnell deutlich wird, dass es sich um eine unternehmerische Beteiligung … mit Risiken bis hin zum Totalverlust … und nicht um eine mündelsichere Kapitalanlage handelt«. Es sollte das Geheimnis dieser Staatsanwaltschaft bleiben, wie man ein 126-Seiten Papier mal eben sehr schnell und kurz nicht etwa nur überfliegen, sondern »studieren« und vor allem verstehen kann. Wenigstens war dieser Staatsanwaltschaft nicht völlig entgangen, »dass das System … in seinen Einzelheiten auch für Personen mit höherem Ausbildungs- und Bildungsniveau schwer durchdringbar ist«. Der Behörde war zwar klar, dass durch den Göttinger Etikettenschwindel von jener SecuRente oder sogenannten PensionsSparPlänen schon »Assoziationen zu sicheren Altersvorsorgemaßnahmen hergestellt werden«, die Strafjuristen bezweifelten im Jahr 2002 jedoch, ob eine solche »Begrifflichkeit allein bereits die Voraussetzungen einer (strafbaren Falsch-)Angabe erfüllt«.

Der dafür entscheidende Paragraf § 264a des Strafgesetzbuches stellt »unrichtige vorteilhafte Angaben« in einem Emissionsprospekt als Kapitalanlagebetrug unter Strafe – aber eben keine Assoziationen oder Hoffnungen. Die Juristen aus Braunschweig sahen weiter tatenlos zu und stellten ihre Ermittlungen ein. Der Skandal lief weiter. Noch fast fünf Jahre würden Tausende von Anlegern, die aus ihren Verträgen in der Verlustphase nicht mehr herauskamen, weiter ihre monatlichen Raten an die Gruppe bezahlen. Und wer dennoch versuchte auszusteigen, erhielt aus Göttingen freundliche Briefe des immer gleichen Inhaltes, in denen er darauf hingewiesen wurde, dass eine vorzeitige Auflösung seines Engagements wegen »des erst allmählichen Vermögensaufbaus« nun mal »nicht sinnvoll« sei. Wer solche Briefe erhalten hatte und sich notgedrungen darauf einließ, sollte vom erwähnten Aufbau nichts sehen und schon gar nichts von seinem Vermögen, das er über Jahre eingezahlt hatte.

Dass sich die vielfach vorgewarnte Braunschweiger Justiz überhaupt mit der Causa Göttingen befasste, geschah im Übrigen nicht ganz freiwillig. Es bescherte dem größten Anlageskandal dieser Republik noch einen weiteren Superlativ. Selten hatte sich ein Finanzskandal von solch aberwitzigem Ausmaß mehr als ein Jahrzehnt direkt vor der Nase und unter den Augen der Justiz – in dem Fall der niedersächsischen – abgespielt. Und genauso selten hatte sich eine Justiz derart vorführen lassen und versagt. Dass sich diese Strafverfolger nolens volens doch mit diesem Fall hatten beschäftigen müssen, lag an ein paar peniblen Buchprüfern und an einem wackeren schwäbischen Kriminalisten, der sich sehr bald und sehr heftig mit diesen Staatsanwälten aus Niedersachsen anlegen sollte.

Dieser Teil der Geschichte begann an einem Herbsttag des Jahres 1997, und er spielte zunächst in Baden-Württemberg. Das alles hatte vorerst herzlich wenig mit der Causa Göttingen zu tun, sondern mit einer altehrwürdigen Privatbank im tauberfränkischen Kurstädtchen Bad Mergentheim. Tausende von Kunden dieser Bank erlebten in jenen Herbsttagen einen Albtraum. Die staatliche Finanzaufsicht hatte über ihr Institut »wegen eines weitgehenden Verlustes des haftenden Eigenkapitals« ein sogenanntes Moratorium verhängt und das Haus vorübergehend geschlossen. Kein Geld mehr für niemanden. Das traf die Kunden, und es betraf eine ganze Region. Denn dieses private Bankhaus namens Partin war in diesem Landstrich in vielerlei Hinsicht so etwas wie systemrelevant.

Die Bank stand kurz vor dem hundertjährigen Bestehen, sie war der Stolz einer wirtschaftsschwachen Region und ein

Wettbewerbsfaktor. Sie öffnete die Tür zur großen weiten Welt. Sie hatte und pflegte exzellente Beziehungen in den arabischen Raum. Die tauberfränkischen Bankiers brachten steinreiche und einflussreiche Kuwaitis dazu, in die wenigen großen Industrieunternehmen zu investieren, die es in diesem nördlichsten und außerordentlich strukturschwachen Zipfel von Baden-Württemberg gab. Das Logo des ehrwürdigen Bankhauses stand auf Sportplätzen und in Vereinsheimen. Die Herren Bankiers verschönerten Dorfplätze, sie spendeten Brunnen oder Pokale und ließen sich gern als besonders großzügig feiern. Unglücklicherweise hatten sie jedoch nicht nur ihr Image, sondern vermutlich auch die Bilanzen ihres Geldhauses ein wenig aufgehübscht. Die Staatsanwaltschaft Stuttgart war dahintergekommen, und sie hatte einen wackeren Kriminalisten der Landespolizeidirektion mit seinem Team geschickt. Die Fahnder gingen dem Verdacht nach, dass Millionen-Schulden der Bank verschleiert und als angeblich werthaltige Forderungen auf fiktiven Konten gebucht wurden und die Bankiers sich selbst mit umgerechnet knapp fünf Millionen Euro bedient hatten. Tatsächlich wurde einer der Banker wegen Betrugs und Untreue zu einer mehrjährigen Gefängnisstrafe ohne Bewährung verurteilt. Und deshalb gab es dieses Moratorium mit der Geschichte vom verschwundenen Eigenkapital. Das machte ein paar Herren in Göttingen neugierig.

An einem Herbsttag des Jahres 1997 hielt vor dieser Bank eine dieser Luxuskarossen, bei deren prachtvollem Anblick es Otto Normalbürger in der Regel den Atem verschlägt. Aus dem goldfarbenen Bentley stieg ein nicht allzu groß gewachsener Herr mit schütterem Haar, einem langen bis zum Boden reichenden Mantel und einer Nickelbrille. Der Unbekannte verschwand in dem Bankhaus, einige weitere dunkel gekleidete Herren folgten ihm. Ein paar Tage später geisterten erste Gerüchte durch die Straßen, diese altehrwürdige Bank könne mit Hilfe neuer Anteilseigner gerettet werden. Über ihre Identität gab es anfangs Spekulationen, später Gewissheit: Aus dem goldfarbenen Bentley war Erwin Zacharias, der Gründer der Göttinger Gruppe, gestiegen. Er und seine Kompagnons versuchten, nach den Sternen zu greifen.

Die Finanzjongleure wollten heraus aus der Schmuddelecke des grauen Kapitalmarktes, hinein in die Welt der Big Player. Und sie wollten mit ihrem Konzern an die Börse. Dort war das wirklich große Geld einzusammeln. Dazu brauchten sie ein Geldinstitut unter ihrer Kontrolle, das über eine sogenannte Vollbanklizenz verfügte und dem Einlagesicherungsfonds deutscher Banken angehörte. Die Göttinger alleine waren nicht mehr salonfähig, eine solche Bank schon. Nur ein solches Haus könnte Börsengänge – auch die eigenen – bewältigen, und nur so wären seinerzeit im Fall eines Crashs kleine Sparvermögen bis zu umgerechnet rund 10 000 Euro abgesichert gewesen. Das hätte die kleinen Leute in der Göttinger Kundschaft beruhigen können. Vor allem in Zeiten, in denen Kritik am vermuteten Schneeballsystem regelmäßig die Gerichte beschäftigte und für Negativschlagzeilen sorgte. Das Bankhaus Partin hatte eine solche Vollbanklizenz. Die Herren aus Göttingen stockten also das fehlende Eigenkapital wieder auf und würden die Bank wenig später fast vollständig übernommen haben.

Zuvor musste die Finanzaufsicht allerdings das Moratorium wieder aufheben – was sie dank des frischen Kapitals innerhalb von vier Wochen auch tat, angesichts der Göttinger Präsenz jedoch außerordentlich widerwillig. Danach durfte die Bank wieder öffnen, und sie musste vor allem die ersten Minuten und Stunden einigermaßen heil überleben. Es schien nicht ausgeschlossen, dass viele der Kunden innerhalb kürzester Zeit ihr Geld in bar würden abheben wollen. Dieses drohende Szenario sollte zu einer der ersten staatlichen Rettungsaktionen führen, lange bevor sich das Wort vom Bankenrettungsschirm in der 2008 folgenden globalen Finanzkrise ins kollektive deutsche Gedächtnis einbrennen würde.

Natürlich hatte sich das Bankhaus seinerzeit längst gegenüber der staatlichen Finanzaufsicht – unabhängig von den Göttingern – anwaltlichen Beistandes versichert. Dass dieser Anwalt Wolfgang Reinhart hieß und gleichzeitig CDU-Landtagsabgeordneter der Region gewesen war (und noch heute ist), sollte ausgesprochen hilfreich werden. Dass in jener Zeit der CDU-Finanzminister des Landes Baden-Württemberg Gerhard Mayer-Vorfelder hieß, ebenfalls. Als Anwalt und Abgeordneter gelang Reinhart das Kunststück, mit Hilfe von Mayer-Vorfelder bei der Landeskreditbank in Windeseile für das angeschlagene Bankhaus in Bad Mergentheim eine Liquiditätszusage über seinerzeit 50 Millionen Mark zu erhalten – natürlich nicht für die umstrittenen Göttinger, sondern für den Erhalt der Bank-Arbeitsplätze und für den Fall, dass erboste Kunden bei Wiedereröffnung ihr Geld abziehen würden. Das Geld wurde nie in Anspruch genommen. Denn schon diese Zusage, die natürlich öffentlich kommuniziert worden war, rettete das Haus – und damit auch ihre neuen Anteilseigner aus Göttingen.

Der Zufall wollte es, dass der so hilfreiche Finanzminister Mayer-Vorfelder gleichzeitig Vorsitzender des VfB Stuttgart gewesen war. Des Vereins, der wenige Monate zuvor die so umstrittene Göttinger Gruppe als neuen Millionen-Sponsor an Land gezogen hatte. Einen dicken Fisch, der umgerechnet zehn Millionen Euro auf den Tisch gelegt hatte und »Partner« geworden war: Drei Jahre lang sollten Millionen von Fußballfans, die gerne auch zu Göttinger Kunden werden durften, auf den schwäbischen Trikots das Logo und den Schriftzug »Göttinger Gruppe« lesen. Der millionenschwere Vertrag mit dem VfB war unter Dach und Fach, und wenige Monate später half der VfB-Präsident als Finanzminister dem angeschlagenen privaten Bankhaus und seinen neuen Göttinger Partnern aus der Patsche. Nein, es gab keinen Aufschrei im Musterländle Baden-Württemberg, warum auch? Erstens stinkt Geld nicht, und zweitens hatte Mayer-Vorfelder schon ganz andere Affären überstanden.

Nach diesem Krimi schienen die Göttinger vorerst am Ziel. Sie hatten ihre ersehnte Vollbanklizenz. Aber sie sollte ihnen nicht viel nützen. Denn der Bundesverband deutscher Banken gedachte, den neuen Bankern genauer auf die Finger zu sehen. Die Gruppe musste zähneknirschend eine sogenannte Inhaber-Kontrolle über sich ergehen lassen. Nach all den jahrelangen Gerüchten, nach zahllosen Zivilprozessen, ob das Finanzsystem aus Göttingen nun ein Schneeballsystem genannt werden durfte, ob es sittenwidrig war oder nicht – mal gewannen die einen, mal die anderen – musste sich die Truppe um Erwin Zacharias und Rechtsanwalt Jürgen Rinnewitz erstmals in die Karten und vor allem in ihre Bücher schauen lassen. Ein Bericht des Prüfungsverbandes deutscher Banken kam im September 1999 zu einem vernichtenden Ergebnis. Den betroffenen Anlegern allerdings half das wenig, weil das 97-Seiten starke Geheim-Papier und ein paar vertrauliche Aktenvermerke dazu bis heute unter Verschluss sind und weil keine Staatsanwaltschaft daraus entscheidende Konsequenzen ziehen sollte – oder wollte.

Die Bankenprüfer stellten fest, dass Anleger bis Ende 1998 der Gruppe in alter Währung insgesamt 1,828 Milliarden Mark anvertraut hatten. Davon waren allerdings nur 520 Millionen Mark tatsächlich investiert worden, noch dazu fast vollständig in Unternehmen, die der Göttinger Gruppe gehörten und außer internen Geldkreisläufen mit Ausnahme einer durchaus profitablen Versicherungsgesellschaft kaum reales Geschäft machten. Weshalb schon äußerst fraglich war, wie viel die 520 Millionen tatsächlich noch wert waren. Der Rest von 1,3 Milliarden aber war – verschwunden. Nicht Wert bildend angelegt, sondern überwiegend für Emissions-, Verwaltungs- und Vertriebskosten ausgegeben. Dazu zählte auch der Verdacht, führende Köpfe des Göttinger Finanzriesen, namentlich auch jener vermeintlich geniale Systemerfinder Erwin Zacharias, hätten sich daraus durch »unvertretbar hohe Gewinnausschüttungen … persönlich bereichert«. Diese Gewinnausschüttungen landeten als Verluste bei der nächsten Generation von Anlegern.

Mit solchen Verlusten ließen sich zwar bekanntlich Steuern sparen, mehr aber auch nicht. Denn wenn diese nächste Generation von Anlegern ausbezahlt werden wollte, dann war das fast nur noch mit frischem Geld wieder neuer Anleger möglich. Dass die Investoren der ersten Stunde nach zehn Jahren Vertragslaufzeit tatsächlich ihr Kapital fast verdoppelt hatten und erhielten, lag nach Meinung der Prüfer nicht etwa am so gewinnträchtigen realen Geschäft der Göttinger, sondern eben auch daran, dass durch interne Vermögensverschiebungen auf dem Papier »Scheingewinne« zugewiesen wurden – daraus wurden für andere wieder Verluste und so weiter und so weiter.

Die Bankenprüfer waren sich weitgehend sicher, das Schneeballsystem als solches enttarnt zu haben. Die staatliche

Bankenaufsicht entzog 2001 den Göttingern wieder die Bankerlaubnis und schloss diesmal endgültig die Bad Mergentheimer Privatbank, welche die Göttinger sich nur vier Jahre zuvor einverleibt hatten. Damit waren die großen Börsenpläne der Göttinger verhindert worden. Und die Bankaufseher erstatteten gegen die Führungsmannschaft der Gruppe Strafanzeige wegen Kapitalanlagebetrugs und Untreue. Aber außer dass Hunderte von internen Aktenseiten hin und her geschrieben wurden, passierte nicht viel.

Dabei hatte der Präsident des Bundesaufsichtsamtes für das Kreditwesen, Wolfgang Artopoeus, in seiner Anzeige vom Oktober 1999 beim Generalstaatsanwalt des Oberlandesgerichts Braunschweig doch »dringlich« um eine »strafrechtliche Würdigung« gebeten. Ihm schien es auf Basis des alarmierenden Prüfungsberichtes »wegen des Umfangs der sich abzeichnenden Anlegerschädigung und der Gefährdung weiterer potentieller Anleger« höchste Eisenbahn. Zuvor hatte er die Braunschweiger Schwerpunktstaatsanwaltschaft für Wirtschaftskriminalität vergeblich auf den Fall und seine dramatischen Konsequenzen aufmerksam gemacht. Die »Ertragsschwäche« der Göttinger, die fast ausschließlich Geschäfte auf dem Papier mit sich selbst machten, ohne dass ihre Kunden davon wussten, werde »mit hoher Wahrscheinlichkeit zu einem Verlust eines erheblich Teils des eingezahlten Kapitals führen«. Und wenn die Strafverfolger untätig blieben, »können die Verantwortlichen der Göttinger Gruppe ihre Geschäfte ungehindert fortsetzen«.

Untätig geblieben waren die Braunschweiger Staatsanwälte, weil ihnen schon im Vorermittlungsverfahren ein Anfangsverdacht auf Untreue oder Kapitalanlagebetrug nicht einleuchten wollte. Ohne einen solchen Anfangsverdacht gibt es kein förmliches Ermittlungsverfahren, und ohne ein solch förmliches Verfahren hatte kein Verantwortlicher der Göttinger Gruppe je zu befürchten, dass ihm ein Staatsanwalt zu nahe kam oder jemals so tief in die Karten oder Bücher schauen würde wie der von ihnen so verhasste Prüfungsverband deutscher Banken. Die Staatsanwaltschaft gab sich vor allem mit »Gutachten namhafter deutscher Wirtschaftswissenschaftler« zufrieden, die nicht selten von der Göttinger Gruppe in Auftrag gegeben und bezahlt worden waren – also von den Finanzjongleuren, denen es auf die Finger zu schauen galt.

Und genau auf solche Papiere stützte sich die Staatsanwaltschaft. Demnach war – so wörtlich – »den Verantwortlichen der Göttinger Gruppe durchgängig bescheinigt worden, dass ihr System durchaus konform geht mit den gesetzlichen Bestimmungen und die in Aussicht gestellten Renditen durchaus erwirtschaftet werden können«. Mit eben solchen Papieren, so (re)kapitulierten die Strafverfolger, hätte sich der Finanzkonzern so »abgesichert«, dass es »mehr als fragwürdig erscheint, wie ohne weitere Erkenntnisse jemals der Nachweis zu führen sein soll, die Initiatoren hätten von Anfang an wissentlich und willentlich unwahre Tatsachen vorgetragen«. Aber genau um diese »weiteren Erkenntnisse« hatten sich die Staatsanwälte nie wirklich bemüht. Mit diesem spröden Amtsdeutsch war der Fall vorerst erledigt. Der Persilschein, den sich die Göttinger mit teuer bezahlten Gutachten selbst ausstellten, hatte seine Wirkung nicht verfehlt.

In Interviews, die er renommierten Zeitungen geben durfte, erklärte Jürgen Rinnewitz, Gründungsmitglied der Göttinger, sich und der Welt, warum die staatlichen Finanzwächter so sehr hinter ihm und seinem Unternehmen her seien: »Unser innovatives Produkt passt nicht ins Schema der Behörde, deshalb wertet sie es ab.« Dass auch der Bankenverband kein gutes Haar an den Göttingern ließ, lag Rinnewitz zufolge eben nicht an Mängeln seines Produktes, sondern daran, dass sich die etablierten Banken lästige Konkurrenz vom Hals halten wollten.

Die staatliche Finanzaufsicht aber bohrte weiter. Präsident Artopoeus intervenierte im Januar 2000 beim niedersächsischen Justizministerium. Zwar war ihm nachvollziehbar, »dass sich eine Staatsanwaltschaft nicht danach drängt, ein in seinem Ausmaß unübersehbares Ermittlungsverfahren zu führen, das die eventuelle Schädigung mehrerer zehntausend Anleger um einen Gesamtbetrag von mehreren hundert Millionen Mark zum Gegenstand hat«. Aber er erklärte unmissverständlich: Ohne ein Ermittlungsverfahren »fällt die Gefahr der weiteren Schädigung großer Anlegerkreise, die laufend neue Einzahlungen leisten, in den Verantwortungsbereich der niedersächsischen Justiz«. Mit der Schädigung großer Anlegerkreise sollte Artopoeus Recht behalten, mit der Verantwortung der niedersächsischen Justiz nicht, denn keiner hat sie je zur Verantwortung gezogen.

In Stuttgart platzte zur selben Zeit einem wackeren schwäbischen Kriminalisten endgültig der Kragen. Jenem Beamten, der zuvor im beschaulichen Kurstädtchen Bad Mergentheim in jener altehrwürdigen Privatbank einen der Bankiers hinter Schloss und Riegel gebracht hatte. Michael Reizel war bis zu seiner Pensionierung Erster Kriminalhauptkommissar bei der Landespolizeidirektion Stuttgart I gewesen. Er kannte aufgrund seiner Bank-Ermittlungen 1997 die Machenschaften der Göttinger Gruppe, und er würde an diesem 18. Januar 2000 etwas tun, was er in seinem Berufsleben noch nie getan hatte. Üblicherweise war er hinter Gaunern und Wirtschaftskriminellen her gewesen. Jetzt knöpfte er sich ein paar Staatsanwälte in Niedersachsen vor und zeigte sie wegen Verdachts der Strafvereitelung im Amt an. Denn die Causa Göttingen war für ihn, nach allem was er wusste, nicht nur ein Wirtschaftskrimi, sondern ein, wie er sagte, »Justizskandal«. In einem zehnseitigen Dossier schlüsselte er auf, wie »auffällig einseitig« die niedersächsische Justiz die Argumentation der Göttinger Gruppe »ohne kritische Prüfung übernimmt«.

Dabei ging es dem Kriminalisten nicht um eine Vorverurteilung der Finanzjongleure. Er wollte, dass die Justiz dem Fall angesichts des horrenden Schadens wirklich auf den Grund geht. Reizel wusste, dass im Bundeskriminalamt längst eine Ermittlungsgruppe »Gewehr bei Fuß« stand. Er wusste, dass sich in einer konzertierten Aktion mit umfangreichen und zeitgleich durchgeführten Razzien bei den erdrückenden Hinweisen auch Beweise würden finden lassen. Aber wie die Braunschweiger Staatsanwälte davor zurückschreckten, wie sie sich auf Gutachten des so umstrittenen Konzerns stützten, die der auch noch bezahlt hatte, all das schien ihm mit einer bitteren Ironie »beinahe rührend«. Ihm war es, als hätten sich die niedersächsischen Ankläger mit der Art, wie sie sich um ein Ermittlungsverfahren und den dafür nötigen Anfangsverdacht herumdrückten, längst »in die Rolle des Gerichts« begeben. Und genau das hielt Reizel für »unzulässig«.

Denn würde diese Staatsanwaltschaft, die er jetzt anzeigte, »die gleiche Energie, die sie für ihre ablehnende Haltung einsetzt, für die Begründung eines Anfangsverdachtes (mit einem dann zwingend folgenden Ermittlungsverfahren) verwenden, würde sich unzweifelhaft ergeben, dass die Unternehmenskonzeption der Göttinger Gruppe darauf angelegt ist, durch interne Aktivitäten Anlegergelder zum Wohl der Verantwortlichen zu verteilen und im übrigen die Aktivitäten gezielt auf das Einsammeln neuer Gelder konzentriert sind, um hiermit so lange wie möglich fällige Verträge bedienen zu können und gleichzeitig weitere ganz erhebliche Einnahmen daraus zu erzielen«. Die Anzeige des Kriminalisten wurde abgeschmettert. Freunde hatte er sich dadurch nicht gemacht. Das niedersächsische Justizministerium mokierte sich seinerzeit auf eine Anfrage der dortigen Landtags-Grünen hin: »Es mag verwundern, dass ein mit Ermittlungen befasster Polizeibeamter ein ihm nicht genehmes Ergebnis zum Anlass einer Strafanzeige gegen die entscheidenden Staatsanwälte nimmt.«

Schließlich leitete die Staatsanwaltschaft nach der amtlichen Intervention der Finanzaufsicht beim Justizminister doch ein Betrugs-Ermittlungsverfahren gegen die Göttinger ein. Auf das übliche Instrumentarium umfangreicher Durchsuchungen verzichtete die Behörde jedoch. Auch externe Sachverständige wurden nicht eingeschaltet. Die Staatsanwaltschaft wertete wieder Gutachten aus, darunter wieder jene, die teils von den Finanzjongleuren beauftragt und bezahlt worden waren. Die Staatsanwaltschaft stellte zwar fest, dass die Göttinger Tochter Securenta AG zwischenzeitlich die Hälfte ihres angezeigten Eigenkapitals verloren hatte, aber sie erkannte darin »keine vorsätzliche Vermögensschädigung« und auch keine Zahlungsunfähigkeit. Auch nachdem bekannt geworden war, dass immer mehr Anleger ihr Kapital noch nicht oder nur teilweise zurückerhalten hatten, führte die Anklagebehörde dies nur »auf vereinbarte Liquiditätsvorbehalte« zurück.

An den Tagen, als Staatsanwälte an derlei Formulierungen noch feilten, schrieb eine gewisse Anna Leitner in Stuttgart einen ganz anderen Brief. Nämlich einen geharnischten und zwar an die Göttinger Gruppe. Anna Leitner, so wollen wir diese Anlegerin nennen, hatte 100 000 Mark investiert – und bitter dafür bezahlt. Sie sollte eines der vielen Opfer werden. Angeblich sollte sich ihr Kapital verdoppelt haben, aber sie wartete seit Monaten auf eine Auszahlung. In diesem September 2002 hatte sie es satt, weiter zu warten. Sie war abgespeist und um Geduld gebeten worden. Die Rechtsanwälte der Göttinger Gruppe ließen wissen, dass sich Anna Leitners Vermögen aufgrund einer »Abwertung von Immobilien« und der »Abwertung weiterer Unternehmensbeteiligungen« deutlich »verringert« habe. Sie sollte die ersten umgerechnet 29 000 Euro als Abschlagszahlung erhalten, verbunden mit der Bemerkung aus Göttingen: »je nach Liquiditätslage«.

Sie hatte Gerichtsprozesse geführt, sie hatte gewonnen und war dennoch kurz vor dem Verzweifeln. »Kopf hoch«, ermunterte sie ihr Anwalt. Jetzt schrieb sie den Göttingern eine allerletzte Warnung: »Sparen Sie sich Ihre Geschichte mit den Verlusten, ich will mein Geld und zwar bevor die Staatsanwaltschaft die ganze Truppe einsperrt.« Da mögen ihr gesunder Menschenverstand und ein verständlicher Wunsch der Vater des Gedankens gewesen sein, aber was Anna Leitner nicht wusste, war der Umstand, dass zeitgleich in Braunschweig die Staatsanwälte alles andere im Sinn hatten, als irgendjemanden einzusperren. Im Gegenteil. Sie formulierten gerade ihre Verfügung zur Einstellung des Ermittlungsverfahrens. Im September 2002 jedoch sicherheitshalber mit dem Hinweis, dass diese Verfahrenseinstellung »nichts darüber aussagt, wie sicher die betroffenen Geldanlagen sind und mit welcher wirtschaftlichen Entwicklung des Unternehmens zu rechnen ist«. Anna Leitner sah am Ende keine 100 000 Euro auf ihrem Konto, wie es viele Monate zuvor avisiert worden war, sondern sie musste sich mit 2 900 Euro zufrieden geben.

Von 2004 an waren Schadensersatzurteile mehrerer Oberlandesgerichte beim Bundesgerichtshof in Karlsruhe angekommen. Und erst diese höchstrichterlichen Urteile des II. Zivilsenats in Karlsruhe machten dem Spuk ein Ende. Die Kläger hatten dazu eine Hintertür gefunden. Jahre zuvor hatte die staatliche Finanzaufsicht die monatliche Rentenzahlung »SecuRente« verboten. Die Göttinger hatten daraufhin ihr Konzept geändert. Sie hatten die umstrittenen Unternehmensbeteiligungen zwei Jahre später aus dem Angebot genommen und waren auf andere Märkte – zum Beispiel jenen des phänomenal gescheiterten Politikerfonds mit Ex-Verteidigungsminister Scholz – ausgewichen. Göttinger Alt-Anleger aber erhielten ihr Guthaben – so eines vorhanden war – auf einen Schlag und ohne Zinsen. Letzteres war die Hintertür. Darüber waren sie nicht aufgeklärt worden. Das führte zu dem BGH-Urteil und dieses wiederum zu einer Welle von 5 000 Einzelklagen. Damit brach das System zusammen. Mangels Masse, mangels vorhandener Werte war irgendwann nichts mehr auszuzahlen.

Im Sommer 2006 kündigte die Göttinger Volksbank eines der letzten noch verbliebenen Geschäftskonten des Finanzkonzerns. 405 Gläubiger, mit denen sich die Finanzjongleure nicht mehr einigen konnten, forderten knapp 4,3 Millionen Euro. Die 158 076 Euro und 76 Cent, die noch auf dem Konto waren, reichten nicht mehr. Ein Jahr später war die Göttinger Gruppe offiziell zusammengebrochen und pleite. 200 Haftbefehle wegen Zahlungsverzug wurden gegen Verantwortliche der Gruppe ausgestellt. Im Insolvenzverfahren meldeten bis zum Jahr 2010 insgesamt 30 000 Anleger Forderungen über

400 Millionen Euro an. Seit 1986 wurde Insolvenzverwaltern zufolge weit mehr als eine Milliarde Euro von dem Göttinger Finanzriesen »verbrannt«.

Dass sich nur 30 000 Forderungsgläubiger meldeten, lag daran, dass in den Jahren zuvor zigtausende sich mit den Göttingern verglichen hatten und dabei – wenn überhaupt – nur noch einen Bruchteil ihres Vermögens retten konnten. In den Kassen der Göttinger Gruppe fanden Insolvenzverwalter noch Barvermögen über knapp eine Million Euro. Ein paar Immobilien summierten sich auf rund 37 Millionen Euro. Mehr war nicht mehr zu holen. Insolvenzverwalter fanden in Sommer 2007 in den Kellern der Gruppe säckeweise Post erboster Anleger. Sie war erst gar nicht mehr geöffnet, geschweige denn bearbeitet worden.

Das Insolvenzverfahren des größten deutschen Anlageskandals wird noch Jahre dauern. Alle relevanten Akten nebeneinander gereiht würden, so rechnete die Insolvenzverwaltung hoch, eine Strecke von 17 Kilometern ergeben. In einer turbulenten Gläubigerversammlung hatten Verbraucherschutzanwälte einen Insolvenzverwalter noch absetzen lassen. Der betroffene Rechtsanwalt wollte Kleinanleger nicht als Forderungsgläubiger akzeptieren, sondern als Mit-Unternehmer der Göttinger behandeln und die Geschädigten womöglich noch zusätzliches Geld in die Insolvenzmasse nachschießen lassen. Das Verfahren wird jetzt von Berlin aus geführt.

Bis heute zittern manche Göttinger Kleinanleger noch vor dem langen Arm des Insolvenzrechtes. Auch wenn sie meinten, sich über Vergleiche gerade noch einen Bruchteil ihres Vermögens gerettet zu haben, sah sich mancher getäuscht. Denn innerhalb einer Frist von drei Jahren nach Abschluss kann der Insolvenzverwalter solche Vergleiche anfechten. Siebenstellige

Summen sind so von Anlegern wieder zurück in die Insolvenzmasse geflossen. »Das Leben ist hart«, sagt einer der Insolvenzanwälte.

Rechtsanwalt Jürgen Rinnewitz, Chef der Göttinger Gruppe bis sie zusammenbrach, ist heute offiziell »vermögenslos«. Erwin Zacharias, der vermeintlich geniale Erfinder des für hunderttausende ruinösen Steuersparmodells, war schon 2001 aus der Gruppe ausgeschieden. Er gilt trotz vermuteten Grundbesitzes in Kanada als »verarmt«. Wegen privater Steuervergehen war er kurzzeitig in Haft. Die Staatsanwaltschaft Braunschweig ermittelt heute wieder wegen Insolvenzverschleppung und weist Vorwürfe, in frühen Jahren zu zaghaft gewesen zu sein, entschieden zurück. Sie hat jetzt festgestellt, dass die Finanzjongleure schon 2005 zahlungsunfähig waren und dies vermutlich durch künstliche Transaktionen verschleierten. Niedersächsische Landtags-Grüne wollen heute erreichen, dass die Staatsanwaltschaft jenen so entlarvenden Prüfungsbericht des Bundesverbandes deutscher Banken aus dem Jahr 1999 veröffentlicht. Die Behörde lehnt dies ab mit dem Hinweis, die so eindeutigen Zahlen und Schlussfolgerungen aus 1999 seien »verjährt«.

Alle Politiker, die durch ihre Präsenz geholfen hatten, die Göttinger Gruppe über Jahre hinweg salonfähig zu machen, wurden nie zur Rechenschaft gezogen. Michael Turgut, jener Tausendsassa auf dem grauen Kapitalmarkt, bekannt von jenem legendären Politikerfonds um Ex-Verteidigungsminister Rupert Scholz, saß mehrfach wegen Steuervergehen hinter Gittern – unschuldig, weil von Wirtschaftsberatern falsch beraten, wie er sagte – und ist jetzt wieder im Geschäft. Als selbsternannter »Finanzprofi« hat er sich in Liechtenstein niedergelassen.

In dem Fürstentum haben sich immer mehr Berater, denen der Boden in Deutschland zu heiß geworden war, etabliert. Eine sogenannte Financial Group nach der anderen schießt dort aus dem Boden. Manche dieser Groups verzocken per Telefon vermeintlich lukrative Investments. Manche werben damit, Ehrlichkeit sei ihr Fundament. Hunderte, wenn nicht Tausende von nebenberuflichen Hobby-Beratern, die sich mit ihren alten Jobs in Deutschland allein nicht mehr über Wasser halten können, werden via Liechtenstein rekrutiert. In Werbevideos freuen sich etwa Markus, ein ehemaliger Traktormechaniker aus Thüringen, oder Jens, im früheren Leben Elektriker, oder eine gewisse Carma, wie sie als Investmentberater wieder »ganz nach oben« kommen werden und dass dieses Geschäft mit dem großen Geld einfach nur »super mega geil« ist.

»Ich bin meine eigene Kunstmafia«

Wie der Bildhauer Peter Lenk den Kulturbetrieb und die Politik überlistet

Susanne Stiefel

Dass er aneckt, gehört zum Programm. Dass er spaltet in glühende Verehrer und empörte Widersacher, ist Peter Lenk gewohnt. Doch ein so heilloses Durcheinander hätte nicht einmal der Meister der kunstvollen Provokation erwartet. Postpubertäre Schwanzgeschichte, geistig und künstlerisch ziemlich impotent, müsste ich jeden Tag mit meinen Kids daran vorbei, würde ich euch hassen – so gifteten die einen in Mails an die Tageszeitung taz. Fantastisch, wie der Diekmann an den Pranger gestellt wird, echt vom Feinsten, Danke taz – jubilierten die anderen. Der »Pimmel über Berlin«, wie Lenks Kunstwerk bald genannt wird, formte jedoch bald unerwartete Bündnisse und Fronten, die selbst den geübten Zündler überraschen.

Peter Lenk, der Bildhauerschelm vom Bodensee, hat wieder einmal zugeschlagen. Diesmal fernab von Baden-Württemberg, in der Metropole Berlin. Dort reckt sich seit November 2009 am Verlagsgebäude der taz über fünf Stockwerke der meterlange Pimmel eines Mannes, in dem manche den Bild-Chefredakteur Kai Diekmann zu erkennen glauben. Darüber, als Schlangenbeschwörerin mit Flöte, thront eine Frau, die Ähnlichkeiten mit der Verlegerin Friede Springer aufweist.

Dazwischen tragen Prinz Charles, Günther Oettinger und Mario Gomez Bild-Schlagzeilen, die alle einmal in der Zeitung mit den vier Buchstaben zu lesen waren: »Vom Dackel der Schwiegermutter entmannt«, »Ich enthülle Klattens Sex-Geheimnis« oder »Erstes Tor mit Penis geschossen«. Geschmackvoll ist diese hüllenlose Satire wohl kaum, enthüllend und entlarvend dagegen schon. Schließlich nehmen auch die Schlagzeilen der Bild-Zeitung wenig Rücksicht auf die Würde des Menschen. Jedenfalls ist schwer was los auf der einst kahlen Wand der taz. Und in den Redaktionsstuben der alternativen Tageszeitung auch.

Inspiriert zu diesem sex- und sensationslustigen Relief hat den Künstler der skurrile Penisprozess von 2002, in dem Kai Diekmann gegen eine Satire in der taz klagte, die ihm eine Penisverlängerung angedichtet hatte. »Friede sei mit dir« nennt der Künstler sein Werk listig, und dieser Schriftzug leuchtet aus grellen Neonröhren von der taz direkt hinüber ins wenig entfernte Springer-Hochhaus. Und wer nun meint, dass sich die Mitarbeiter der taz über die hintersinnige Verschönerung ihrer Ost-Fassade freuen, der irrt. Die Chefredakteurin Ines Pohl jedenfalls ist nicht amused. Weder über das Geschenk, von dem sie nichts wusste, noch über die deftige Satire, die ihr kein Lächeln entlockt. »Ich will mein Fahrrad nicht jeden Morgen unter einem sechs Meter hohen Pimmel abschließen«, verlautete sie schmallippig, »der Lenk muss weg.« Nur wenige lobten, dass »Diekmanns menschenverachtende Schlagzeilen thematisiert werden«. Viele in der Redaktion konnten mit dem Geschenk (taz-intern: Lenk-Waffe), das in einer Nacht-und-Nebel-Aktion von Lenk angedübelt worden war, nichts anfangen. Die linke Speerspitze des Journalismus verharrte lieber in humorlosem Schmollen, verstrickte sich lieber in interne Kämpfe, als dass sie die Vorlage gegen die Boulevardpresse lustvoll verwandelt hätte. Der Künstler war überrascht. Der Bild-Chefredakteur rieb sich die Hände.

Kai Diekmann hat aus Spott und Häme gelernt, die seinen Prozess gegen die taz einst begleitet haben, und machte gute Miene zum bösen Relief. Er bescheinigte der taz in seinem Blog süffisant Humor und freute sich, »dass auch meine Lieblingslinken zum Lachen nicht ausschließlich in den Keller gehen«. Er druckte eine Fake-taz mit dem Titel »Wir sind Schwanz«, in der die Freiheit der Kunst verteidigt wurde. Und er marschierte unverdrossen zum Ort des Geschehens, wo er das Lenksche Kunst-Stück mit Handytelefon aufnahm, während verdruckste taz-Redakteure verlegen drumherumstanden. Verkehrte Welt. »Ich habe der taz den Ball auf die Elfmeterlinie gelegt«, klagt Lenk, »und sie hat es geschafft, ihn ins eigene Tor zu schießen.« Nicht immer kommen Geschenke gut an. Und manchmal ist auch der Spender (Lenks Lohn: ein Jahresabo der taz) überrascht von den Reaktionen.

Wieder einmal füllen diese Reaktionen Ordner. Heute ist es der Penisstreit, morgen ist es der Berliner Unions-Fraktionschef Volker Kauder, den er mit Bananenröckchen à la Josephine Baker für Afrika tanzen lässt. Die Ordner stapeln sich zwischen Kunstbüchern, eigenen Skulpturen, Fellen und Essgeschirr und einer unbeirrt in diesem Kunterbunt schlummernden Katze. Es ist ein Arbeitszimmer, das eher an die Stube eines Alchimisten erinnerte, wäre da nicht der Computer und dieser Mann, der höchst lebendig und munter erzählt. Dauernd springt der Schlaks auf, um noch weitere Reaktionen auf seine Provokationen anzuschleppen: die wüsten Beschimpfungen genauso wie die Liebesbriefe und all die Artikel von Spiegel über Art bis Südkurier. Der »Skandalkünstler« (Bild) serviert sie zum Kaffee wie andere Kuchen und grinst zufrieden unter seinem ausladenden Schnauzer hervor. Der dicke Pulli und die festen Stiefel gehören im Winter zu Lenks Arbeitskleidung, wenn es am Bodensee empfindlich kalt ist und die Arbeit in seinem Atelier, das direkt neben dem Wohnhaus steht, auch ein Kampf gegen Kälte ist. Der Pimmel über Berlin – der Meister für umstrittene Kunstwerke freut sich: Diesen Titel hätte er nicht besser erfinden können.

Wer diesen lustvollen Zündler in seinem Hexenhaus in Bodman besucht, taucht ein in eine andere Welt. Im Garten räkeln sich Zeus und Alkmene wollüstig in einem Teich, meterhohe Zentauren blicken über die Nachbarhäuser, die Imperia reckt stolz ihre Brüste, und ein nackter Volpone wirft einen hinterhältigen Blick auf die Besucher. Peter Lenk lebt mit seinen mittelalterlich anmutenden Figuren wie mit Familienmitgliedern. Es ist, als ob sie mit am Küchentisch säßen, wenn der 63-Jährige ihre Geschichten erzählt, die aus ihm herausschäumen wie überkochende Milch. Diese faunischen Geschichten voller Schalk und Provokation begleiten jede seiner Figuren, weil sie alle Lenks künstlerische Bestandsaufnahme der Gesellschaft sind. Sein kollerndes Lachen ist die Begleitmusik. »Mit Pessimismus erreicht man nichts«, sagt er, »außerdem gehen Kraft und Freude am Leben verloren.« Und so lacht er mit seiner satirischen Kunst an gegen die Mächtigen und gegen die, die meinen, mächtig zu sein. Sein respektloser Humor macht vor keinem halt.

Das bekommen sie alle immer wieder zu spüren. Politiker in Berlin ebenso wie die aus der Provinz. Wirtschaftsbosse, die auf internationaler Ebene spielen, ebenso wie die lokalen Fabrikanten. Berühmte Literaten ebenso wie der knauserige Sparkassendirektor vor Ort. Vor Lenks Spott ist keiner sicher. Mit sicherem Gespür für die kleinen Eitelkeiten und großen

Verfehlungen lässt er den öffentlichen Personen öffentlich die Hosen herunter. Ganz besonders mag der gebürtige Nürnberger die baden-württembergischen Ministerpräsidenten. Und so hat der Künstler in Schopfheim den Alt-Landesvater Erwin Teufel verewigt, geklont mit Pickelhaube und schiefem Mund, der vom Namensvetter und Spaßguerillero Fritz Teufel mit einer Kasperlfigur bedroht wird. »Teufel schießt mit Teufel auf Teufel«, so kommentiert er sein »Revolutionsdenkmal« im Badischen. Günther Oettinger, damals noch Teufels aufmüpfiger Fraktionschef und in der Warteschleife auf das Amt des Landesvaters, bestellte sich beim frechen Künstler vergnügt eine Teufel-Handpuppe. Doch wer sich für Peter Lenk interessiert, lebt gefährlich. Günther Oettinger ist seit 2008 auf Lenks Großherzog-Ludwig-Denkmal in Ludwigshafen am Bodensee verewigt. Dort reicht der Teufel-Nachfolger, der inzwischen nach Brüssel expediert wurde, als Beau mit Hakennase und diabolischem Grinsen heimlich dem Ex-Marinerichter und Vor-Vor-Vorgänger Hans Filbinger die Hand. »Ich schätze die baden-württembergischen Ministerpräsidenten sehr«, sagt Lenk mit Unschuldsmiene, »sie eignen sich gut für Satire.«

Doch mehr als diese Anspielung auf Oettingers umstrittene Trauer-Rede, in der er Filbinger vom tätigen NS-Marine-Richter posthum zum NS-Gegner schönreden wollte, machte auch in Ludwigshafen wieder einmal die Darstellung nackiger Politiker und Wirtschaftsbosse Schlagzeilen. Kanzlerin Angela Merkel tanzt mit Gerhard Schröder, Guido Westerwelle, Hans Eichel und Edmund Stoiber als vergnügte Global Player Ringelpiez mit Anfassen, während unter dem Banner von »Hartz VI« fröhlich der Unzucht gefrönt wird, ganz im Sinne des Erfinders Peter Hartz, der 2007 wegen Untreue verurteilt wurde. Das zeitgenössische Sittengemälde an der Wand des Rathauses, genauer gesagt, an den Toiletten hinter dem Rathaus, lockt inzwischen so viele Touristen in die kleine Bodensee-Gemeinde, dass die Verwaltung eigens für Schaulustige Bänke aufstellen ließ, damit die sorgsam gepflegten Blumenrabatten nicht zertrampelt werden.

An der Meinung des Generalsekretärs der Landes-CDU ändert dieser Lenk-Tourismus nichts. »Das ist und bleibt eine Sauerei«, betont Thomas Strobl. Leger sitzt der CDU-General in einem Stuttgarter Café, in braunem Cordanzug und ohne Krawatte. Später hat er einen Termin beim neuen DGB-Landesvorsitzenden, da darf der Schlips schon mal im Schrank hängen bleiben. Der 50-Jährige nippt an seinem Cappuccino. »Die Brüste von Frau Merkel gehören Frau Merkel«, sagt Wolfgang Schäubles Schwiegersohn bestimmt, »und auch das Geschlechtsteil von Herrn Stoiber gehört ihm selber.« Selbstverständlich darf Kunst alles, das weiß man auch in CDU-Kreisen: widersprechen, satirisch sein, auch provozieren. Die Freiheit der Kunst ist schließlich im Grundgesetz festgezurrt, Politiker kennen den Boden, auf dem sie stehen. Gefallen finden Lenks frivole Scherze bei dem Heilbronner Bundestagsabgeordneten dennoch nicht, die Würde der Personen dürfe nicht so schamlos verletzt werden, die Nackedeien seien Sauereien. Strobl beißt in ein Croissant. »Lenk überschreitet die Grenzen des guten Geschmacks«, sagt er kauend.

Nun sind Politiker von Amts wegen vorsichtig. Den gesellschaftskritischen Hintergrund des Ludwigshafener Triptychons will Strobl nicht kommentieren, die satirische Kritik an einer immer weiter in Arm und Reich auseinanderdriftenden Gesellschaft etwa, oder die Anspielung auf die Opfer der Globalisierung, die Merkel & Co. so unbekümmert betanzen.

Und im Übrigen mache das ein Kunstwerk nicht immun gegen Kritik. Der Heilbronner Bundestagsabgeordnete fühlt sich wohl in der Rolle des tapferen Widerständlers gegen einen angeblichen Mainstream. »In der öffentlichen Meinung scheint zu gelten: Man darf alles kritisieren, nur nicht den Lenk.« Und nun hat dieser Meister der Sauerei sogar die Hauptstadt erobert, sehr zu Strobels Leidwesen. Doch eine gewisse Genugtuung kann der Berliner Politiker nicht verhehlen, wenn er von einer überraschenden Bündnispartnerin erzählt. »Auch der neuen taz-Chefredakteurin gefällt es nicht, ihr Fahrrad ›unter dem Pimmel‹ am taz-Gebäude zu parken. Und das ist ja eine politisch unverdächtige Mitstreiterin.« Es gibt Dinge, über die Thomas Strobl lacht. Peter Lenks künstlerische Streiche gehören nicht dazu.

Kunst und Politik – das war schon immer ein Spannungsverhältnis. Einerseits schmücken sich Politiker mit Künstlern. Wie etwa Ex-Kanzler Gerhard Schröder, der sich gerne mit Poplegenden wie Bono oder Bob Geldof oder Malern wie Markus Lüpertz zeigte und sich nicht lange bitten ließ, wenn ihn Fotografen vor dem Baselitz-Gemälde in seinem Arbeitszimmer ablichten wollten. Der Medienkanzler wusste: Kunst kann zieren. »Etliche Künstler tragen mittlerweile zum Glamour und zur Prominenz eines neuen Adels aus Stars, Reichen und Mächtigen bei, ihre Werke verheißen Event und exklusiven Lifestyle«, sagte der Präsident des Deutschen Historischen Museums, Hans Ottomeyer, anlässlich der Ausstellung »Macht zeigen – Kunst als Herrschaftsstrategie«. Kunst wird benutzt als Statussymbol in Wirtschaft und Politik. Doch wenn sie zu kritisch wird, kann es schon mal passieren, dass ein Politiker zum Bilderstürmer wird. 1976 riss der Bundestagsabgeordnete Philipp Jenninger, einst Referent von Franz-Josef Strauß, ein

Bild von der Wand der Parlamentarischen Gesellschaft. Das Plakat des Grafikers Klaus Staeck trug den Titel: »Seit Chile wissen wir genauer, was die CDU von Demokratie hält.« Es spielte auf die Äußerung eines CDU-Politikers an, der die Folterlager des Diktators Augusto Pinochet im Fußballstadion von Santiago so kommentiert hatte: »Das Leben im Stadion ist bei sonnigem Wetter recht angenehm.« Wenn Kunst weh tut, ist Kunstfreiheit nicht mehr als ein Wort.

Peter Lenk ist keiner, mit dem man sich schmücken kann. Dafür ist er zu konkret in seiner satirischen Darstellung von Gier, Größenwahn, Macht und Unmoral. Woher kommt diese Lust am Widerspruch, dieser fintenreiche Eigensinn? »Das hab ich im Internat gelernt«, sagt Lenk mit treuherzigem Augenaufschlag. Dort, im Klosterinternat in Urspring auf der Schwäbischen Alb, lernt er als Junge den listigen Umgang mit Autoritäten. Was er mitnimmt, ist eine Devise, die ihn bis heute prägt: Man darf alles machen, man darf sich nur nicht erwischen lassen. Wer sich durch einen klösterlich reglementierten Alltag tricksen kann, ist gewappnet fürs Leben.

So gestählt studiert Lenk in den turbulenten 68er Jahren an der Kunstakademie in Stuttgart, eine Zeit, die ihn auch politisch prägt, arbeitet danach als Kunstlehrer. Auf dem Pferd reitet er zum Unterricht und bricht immer wieder aus dem engen Korsett des Schulalltags aus. Und als er sich ins freie Künstlerleben stürzt, merkt Lenk, dass keiner auf ihn und seine skandalträchtigen Figuren gewartet hat. Er könnte sich ärgern. Über die Politik, über den Kunstbetrieb, über Eitelkeiten und Ungerechtigkeiten. Doch der Schalk ärgert sich nicht gerne. Er lacht lieber. Und ärgert damit andere.

Reich oder berühmt wird er damit nicht. Denn mit seiner figürlichen Kunst liegt Lenk zu sehr neben dem Mainstream.

Der liebt sogenannte Flachwerke, weil Bilder auf Leinwand besser zu präsentieren sind. Der liebt das Abstrakte, weil es modern daherkommt. Einer, der genau weiß, was gefällt, ist Stephan Berg. Schließlich war er zehn Jahre lang Leiter des Kunstvereins Freiburg, später in Hannover und leitet heute das Kunstmuseum in Bonn. »Erfolg hat ein Mix aus rüder Anarchohaltung, garniert mit Glamour. Es darf ein bisschen Anti-Establishment sein, aber bitte nicht zu sehr«, verrät er die Rezeptur, aus der heute erfolgreiche Künstler gebacken werden. Als Museumsdirektor ist er Teil eines Systems, das er selbst als Kunstmafia bezeichnet. Der Historiker und Literaturwissenschaftler kennt die Akteure auf dem heutigen Kunstmarkt, weiß um die Macht der Galeristen, Kunstkritiker und Kuratoren, den Einfluss reicher Sammler, die im Hintergrund die Fäden ziehen und die den Daumen heben oder senken über einen Künstler.

Mit der Art Cologne in den 60er Jahren wird die Kunst ökonomisiert. In dieser Zeit erfand der Wirtschaftsjournalist Willi Bongard den »Kunstkompass«, in dem er jährlich den Wert von Künstlern auf einer Rangliste festhielt. Anfangs von Künstlern und Galeristen heftig bekämpft, gilt die Beigabe des Managermagazins heute als Richtschnur für die Kapitalanlage im Kunstmarkt. Mit der Ökonomisierung kam der Mainstream in die Kunst. Denn der Markt bringt eine eigene Dynamik in das Kunstgeschehen. Wer Erfolg haben will, muss sich diesen Gesetzmäßigkeiten unterwerfen. Stephan Berg ist Autor zahlreicher Bücher und regelmäßiger Diskutant in der 3sat-Serie »Bilderstreit«, einer Art künstlerischem Quartett ohne Reich-Ranicki. Er kennt nicht nur die Gewürze für künstlerischen Erfolg. Er weiß auch, dass künstlerische Eintagsfliegen auf einem hochgeheizten Markt eine Zeit lang gut leben können.

Wie etwa Anselm Reyle, der Berliner Kunstunternehmer, der vor der Finanzmarktkrise rund fünfzig Mitarbeiter mit Schweiß- und Schreinerarbeiten oder in seinem Airbrushraum beschäftigte. Der gebürtige Tübinger war der Superstar, hoch katapultiert in den Kunsthimmel. Auslöser war der reiche französische Unternehmer und Sammler François Pinault, den das Kunstmagazin ArtReview im Jahr 2007 auf Platz eins der Liste der hundert einflussreichsten Persönlichkeiten der zeitgenössischen Kunst setzte. Pinault begann, Reyle zu sammeln. Und die Preise für einen Reyle stiegen. Der Maler wechselte die Galerie, von der kleinen Comtemporary Fine Arts (CFA) hin zur bedeutenden Galerie Gagosian, einer globalen Marke mit Präsenz in New York, London und Athen. Die Preise stiegen weiter. Reyles Werke, die in der kleine CFA noch für 6 000 Euro zu haben waren, erzielten nun auf Aktionen Spitzenpreise von über 300 000 Euro. Und seine Heimatstadt Tübingen reagierte auf den wachsenden Ruhm des 40-Jährigen mit einer Einzelausstellung. »Wenn ein reicher Sammler als Pilotfisch voranschwimmt, gibt es sofort ein Begleitgeschwader: andere Sammler und Galerien. Dann kommen die Kunstzeitschriften und Museen, der ganze gefräßige Verwertungsbetrieb«, sagt Berg. So werden Künstler gemacht. Als Seismographen für deren Wert gelten schließlich die Auktionen, und die Museen kleben am Ende das Gütesiegel drauf. An diesem Kartell der ehrenwerten Damen und Herren kommt kein Künstler vorbei.

Außer Peter Lenk. Er hat noch nicht einmal eine Galerie, die ihn vertritt: zu wenig abstrakt und zu viel Anti-Establishment. Wenn es ihn ärgert, lässt er sich jedenfalls nichts anmerken. »Ich bin meine eigene Kunstmafia«, verkündet er vergnügt. Und so sitzt der Bürgerschreck unten am Bodensee und heckt immer wieder neue Streiche aus, um den Kunstbetrieb zu überlisten. Seine Frau Bettina, ebenfalls Künstlerin, unterstützt ihn dabei ebenso wie die inzwischen erwachsenen Töchter Anni und Miriam. Sie lieben die Tricks, mit denen der Gatte und Vater den Kunstbetrieb immer wieder aufmischt, die Politik an den Ohren zieht und gegen die Wirtschaft anlacht. Es ist nicht zuletzt Bettina Lenk zu verdanken, dass sich die Imperia am Konstanzer Hafen in den Hüften wiegt.

Dieses erste Hurendenkmal in Deutschland, das die Konstanzer nach der Enthüllung 1993 schnell wieder weg haben wollten, ist heute längst zum Wahrzeichen der Bodenseestadt geworden. Doch es brauchte das ganze Arsenal aus Lenks Trickkiste, damit die Hübschlerin, die beim Konstanzer Konzil im 15. Jahrhundert mit ihren Kolleginnen den kirchlichen Herren das Diskutieren versüßte, überhaupt vom örtlichen Fremdenverkehrsverein in Auftrag gegeben wurde. Bettina Lenk ist mit dabei, als der Gatte mit schauspielerischem Talent seinen Überzeugungsfeldzug startet nach dem Motto: Männer sind empfänglicher für Kunst, wenn eine schöne Frau dabei ist. Sie soll nachstellen, was so alles an Ideen aus dem Gremium kommt. »Ich mache alles, was sie wollen«, sagt sie gleich zur Einleitung und stellt sich im engen Kostüm in Positur. »Ausziehen, ausziehen«, flüstert es da heimlich-lüstern im Männerkreis. Doch als die Muse tatsächlich anfängt, die Kostümjacke aufzuknöpfen und die hochhakigen Schuhe abzustreifen, erschrecken die Herren der Kunst. »Um Gottes willen, Frau Lenk, so war das nicht gemeint.« Die Stimmung ist gelöst.

Bahn frei für Vorschläge aus dem Gremium. Eine Weinkönigin mit einem Servierbrett voller Bodenseewein, bitte. Die Frau im Kostüm stellt sich auf: breitbeinig, plump, hält sich ein Tablett vor das Gesicht. »Das ist schon recht«, sagt der Gatte, »aber sehen Sie selbst: Man sieht vor lauter Wein das Gesicht nicht mehr.« Gelächter. Schenkelklopfen. Vorschlag abgelehnt. Eine Fischerin, die sich ins Wasser beugt, bitte. Bettina Lenk bückt sich und reckt den Hintern in die Höhe wie eine Kartoffelbäuerin. Homerisches Gelächter. Nun sind die Herren bereit für den Vorschlag des Künstlers. »Ich stelle mir eine schöne Frau vor«, sagt Lenk und seine Frau stellt sich vorteilhaft in Positur, »die zwei Figuren in den Händen hält und damit auf das Konstanzer Konzil anspielt.« Und Bettina Lenk reckt sich mit ausgebreiteten Armen. Der Vorschlag des Künstlers findet Gnade. Wieder einmal ist es dem Trickser vom Bodensee gelungen, mit Witz, Charme und den Waffen seiner Frau die Entscheider auf seine Seite zu ziehen. Der Konstanzer Baubürgermeister bescheinigt den Lenks einen Geniestreich, den er so noch nie erlebt habe.

Er sei doch nur ein Kunsthandwerker, mokieren sich viele über Lenks gegenständliche, burleske Figuren, die dem Establishment auf der Nase herum tanzen. Das sei überhaupt keine Kunst, kritisieren andere: zu wenig geheimnisvoll, zu offensichtlich, zu geschmacklos. Kunst komme von Können nicht von Wollen, schreibt ein empörter Mann an den Künstler selbst, weshalb Lenk für ihn nur ein Wünschler und kein Künstler sei. Doch am häufigsten wird dem Spötter von Bodman Geschmacklosigkeit vorgeworfen. »Kunst muss nicht gefallen«, widerspricht da Walter Springer, »Kunst ist mehr als Dekoration, sie hat die Aufgabe, aufzuklären.« Der Tübinger Kunsthistoriker erinnert an Goyas Caprichos, diese scharfsinnige Kritik an Adel und Klerus. Oder an die Karikaturen von Honoré Daumier. Springer, der ein Büro für Kunstrecherchen betreibt und als Chagall-Experte gefragt ist, weiß aber auch, dass es Kunst, die sich gegen die Obrigkeit richtet, in der Geschichte nie leicht hatte.

Der 58-Jährige sitzt in seinem Wohnzimmer über den Dächern von Tübingen und räsoniert über Metaphern für Laster, die er in Lenks Pimmel über Berlin oder in der Imperia entdeckt, und über die ewige Frage, was denn nun Kunst sei. Lenk sei witzig, wirksam und unverschämt, und das seien schließlich Kategorien moderner Kunst. Seine Bildsprache thematisiere Allgemeines wie etwa das Laster und sei deshalb zeitlos. Springer weiß auch, warum Lenk keine Galerie findet. In der modernen Malerei stehe einer, der sein Handwerk beherrscht, unter dem Verdacht, dass der genialische Handstreich fehle. Doch der Tübinger Kunstexperte mag diese frechen Figuren und ihre Entstehungsgeschichte. »Lenks Nacht- und Nebelaktionen«, sagt Springer, »diese kreative Erpressung, gehören zu seiner Kunst.« Auch vor Entführungen schreckt dieser Kunstmafioso nicht zurück.

Vor Jahren hat Peter Lenk einem Sparkassendirektor in Konstanz eine Figur überlassen, einen nackten hinterhältigen Kerl, den er Volpone nannte. Der neue Direktor beschließt, eine neue Sammlung aufzubauen und die Sammlung des Vorgängers zu versteigern. Lenk ärgert sich. Weil er die Figur der Sparkasse nur als Leihgabe überlassen hatte, weil sein Werk verramscht werden soll. Und da Lenk einer ist, der lieber andere als sich selber ärgert, hat er nur eine schlaflose Nacht und am nächsten Morgen einen Plan: »Wir entführen den Volpone aus der Ausstellung«, sagt er zu seiner Frau. Die Methode: unbeirrt weitergehen, egal was die Leute von der Sparkasse sagen.

»Das können Sie nicht machen«, sagen die empört, als Peter und Bettina Lenk die schwere Figur vom Sockel heben. »Sie sehen doch, dass ich kann.« Weitergehen zur Tür. »Das ist Diebstahl, das dürfen Sie nicht.« – »Das ist alles abgeklärt.« Weitergehen bis zum Auto. »Ich stelle jetzt den Fuß unter den Reifen.« – »Und ich fahre drüber«, sagt Lenk und gibt Gas. Der Sparkassenmann springt erschrocken zur Seite. Mit dem Volpone auf dem Rücksitz brausen die Lenks davon, Aktion geglückt. Heute sitzt der Entführte bei jeder Gemeinderatssitzung mitten unter den Räten. Das hat Lenk mit dem Oberbürgermeister ausgehandelt, als die Anwälte endlich schwiegen und die Betroffenen einen Kompromiss fanden. Es hat nicht geschadet, dass Lenk versprach, in einer öffentlichen Verhandlung so manches Pikante aus dem Leben des abgesetzten Sparkassendirektors auszupacken. Volpone ist wohl die am besten informierte Kunstfigur in Konstanz. Und Peter Lenk seine eigene Kunstmafia.

Walter Springer weiß, dass es nicht nur im internationalen Kunstgeschäft Paten gibt. Der Kunsthistoriker, der über die Rezeptionsgeschichte zur Kunst im öffentlichen Raum promoviert hat, kennt das Zusammenspiel von kommunalen Kulturämtern, die sich berufen fühlen, von Bürgermeistern, die sich profilieren, von Jurymitgliedern und Sponsoren, die alle mitreden wollen. Immer gehe es dabei um Prestige und um Geschmacksfragen. Peter Lenk, der Künstler des öffentlichen Raums, passt nicht in diesen Jahrmarkt kommunaler Eitelkeiten. Doch Lenk ist so frei, er macht, was er will. »Lenk ist einer der letzten Fackelträger der Freiheit in der Kunst«, sagt der Tübinger Kunsthistoriker.

Der Kunstbetrieb liebt ihn nicht, diesen sperrigen Kerl mit seinen ebenso sperrigen Figuren, die sich kaum einer ins Wohnzimmer stellen will. Lenk ist kein Künstler zum Sammeln, kein moderner Wilder oder farbenprächtiger Miró, keine Geldanlage wie ein Picasso. Seine Skulpturen haben keine

Aktien im Kunstmarkt der Geldanlagen, sie sind in ihrer Widerborstigkeit eher eine Kritik an dessen allzu großer Geschmeidigkeit. Lenks Figuren leben von und mit der Auseinandersetzung, von Intrige und Gegenintrige, und sie brauchen den öffentlichen Raum. Fürs Museum taugen sie nicht, das Ghetto der Bildungsbürger ist ihnen zu eng. Jüngst bekam Lenk das Angebot, im Caricatura Museum in Frankfurt auszustellen. Das hat er sich kurz überlegt, auch ein Kunstanarchist ist nicht frei von Eitelkeiten. Doch im Grunde weiß er, dass man eine Imperia, einen Volpone oder einen Bodenseereiter nicht einsperren kann. Und dass der Pimmel über Berlin den Himmel über der taz braucht. Dass seine Figuren an und mit dem Ort leben, für den sie geschaffen sind.

Es verwundert, dass ein Querulant wie er immer wieder Aufträge bekommt. Schließlich weiß man bei einem Lenk nie, was am Tag der Einweihung enthüllt wird. Doch manche Gemeinden haben inzwischen erkannt, dass ein Lenk im Dorf Touristen magisch anzieht und ein Garant ist für mediale Aufmerksamkeit. Unser Dorf soll bekannter werden? Ein Lenk genügt. Da nimmt man dann auch mal öffentlichen Zorn billigend in Kauf. Und der kann groß sein. Wie in Überlingen. Der Schriftsteller Martin Walser war wenig angetan von dem Reiterdenkmal, das ihm Peter Lenk in Überlingen setzte, unweit des Dichters Wohnort, direkt am Landungsplatz der Bodenseegemeinde. Es zeigt den Dichter mit Schlittschuhen reitend auf einem Vierbeiner, der eher an einen unwilligen Klepper als an ein fliehendes Pferd erinnert. Walser habe sogar seinen Frisör gewechselt, damit er nicht mehr an diesem Denkmal vorbeigehen müsse, munkelt man.

Doch der Bodenseereiter hatte schon vor seiner Enthüllung für Aufregung gesorgt. Schließlich weiß man inzwischen, dass ein Lenk schwer zu zähmen ist. Angeregt hatte die Verschönerung des Überlinger Marktplatzes ein Kunstförderverein, der davor keine Angst hatte. Das Geld hatten Sponsoren in Aussicht gestellt, der Gemeinderat hatte zugestimmt. Da formierte sich in einer Initiative von örtlicher Zeitung und einer Gesellschaft von Kunstfreunden Widerstand gegen den Künstler. Stangen wurden aufgestellt, damit man sehen konnte, wie hoch der Brunnen werden solle, Gerüchte geisterten durch Überlingen, welcher Nackte wohl auf dem Pferd sitzen werde. Die Lenk-Verhinderer organisierten eine Befragung der Überlinger Bürger, an der sich 40 Prozent beteiligten. Die Mehrheit von ihnen war gegen Lenk. Daraufhin sprangen die örtlichen Sponsoren ab.

Den Kunstförderverein und Lenk kümmerte das nicht. Die einen sammelten nun anderweitig Spenden, der andere arbeitete unverdrossen weiter. Da meldete sich der Kulturausschuss und wollte Klarheit, ob Überlingens Flaniermeile mit einem Nackten verschandelt werde und wessen Gesicht er tragen solle. Die Mitglieder wollten Lenk über die Schulter schauen. Der wusste, dass der Bodenseereiter dann keine Chance mehr hätte und überlegte, wie er den Kulturausschuss ablenken könnte. Die Lösung war ein öffentliches Rätsel mit Preisen. Lenk beschloss, das leere Pferd zu zeigen und zu fragen: »Wer reitet heute über dünnes Eis und bringt die Botschaft rüber: Je dünner das Eis, desto tiefer die Erkenntnis?« Dem Kulturausschuss teilte er mit, dass man schließlich die Auflösung abwarten müsse. Die Hinhaltetaktik ging auf. Als die Preise verteilt waren und Lenk immer noch nicht damit herausrückte, wer denn nun drauf sitze, waren inzwischen alle so neugierig, dass sie gespannt auf die Einweihung des Brunnens warteten. Es war Martin Walser. Lenk spielte damit auf

Walsers missglückte Paulskirchenrede an, die ihn durch seine Anspielung (»Moralkeule«) in den Verdacht des Antisemitismus gebracht hat.

Peter Lenk, der Kunst-Anarchist, hatte es wieder einmal geschafft, den kommunalen Kunstexperten eine Nase zu drehen. »Es gibt Menschen, die haben genauso viel Freude daran, Kunst zu verhindern wie ich Lust habe, sie zu machen«, erzählt er von seinen Erfahrungen. Und so ist er mindestens so einfallsreich beim Durchsetzen seiner Kunst wie beim Modellieren seiner Figuren. Sein schauspielerisches Talent ist dabei nicht hinderlich. Gerne lässt er den Verantwortlichen zwei Jahre Zeit, in denen sie sich entscheiden können, ob seine Kunst bleibt oder wieder abgebaut wird. Auch der Pimmel über Berlin hat eine zweijährige Bewährungszeit. So lange steht er noch. Nach zwei Jahren, so Lenks Erfahrung, hat sich eine anfangs hitzig geführte Debatte wieder abgekühlt. Und vielleicht schafft es das Lenk'sche Kunststück in Berlin wie die Konstanzer Imperia sogar zum Wahrzeichen der Stadt.

Und so macht der besessene Modellierer weiter, auch wenn manchmal das Geld knapp wird. Dann verkauft er schon mal sein Boot oder produziert ein Porträt für einen 50. Geburtstag. Und hofft darauf, bald mal wieder einen Gemeinderat für seine Skulpturen begeistern zu können. Oder dass seine Frau Bettina ein paar getöpferte Vasen und Teller mehr verkauft. Oder dass er mal wieder einen Sponsor mit seinem überbordenden Ideenreichtum überzeugt. »Mein Problem ist bloß, dass ich Sponsoren nur einmal habe«, sagt Lenk und lacht dieses dreckige Lachen, das sich nicht um Tod und Teufel schert.

Seine Freude an der Provokation ist die Triebkraft seiner Schaffenslust. Ob die anderen das für Kunst halten oder ihn für einen Künstler, das kümmert ihn nicht. Er trägt weder die schwarze Uniform der Kunstbeflissenen, noch spricht er deren Sprache. Und was noch schlimmer ist: Es stört ihn nicht einmal. Gerne erzählt er die Geschichte eines Freundes, der sich an Lenks 60. Geburtstag bitter bei ihm beklagte, weil er sich weigerte, dieses Ereignis gebührend zu begießen. »Kein Koks, kein rauschendes Fest, seit 37 Jahren mit der gleichen Frau verheiratet. Peter, du bist gar kein richtiger Künstler.«

Riskante Wasserspiele

Ein öffentliches Gut verkommt zum Spekulationsobjekt. Die Lehren aus Cross-Border-Leasing

WOLFGANG MESSNER

Brigitte Keyl könnte das sein, was man eine ordentliche Schwäbin nennt. Grauer Kurzhaarschnitt, geblümte Bluse, protestantisch. Das Haus der Keyls ist abbezahlt, die drei Söhne sind aus dem Haus. Die 63-Jährige lebt mit ihrem Mann dort, wo die Menschen ihr Leben nach den drei S ausrichten: sauber, sparsam, schaffig. Ebersbach an der Fils, 16 000 Einwohner, im Kreis Göppingen. Das Leben einer schwäbischen Hausfrau kreiste früher darum, ob man Erdbeer- oder Stachelbeermarmelade einkocht, ob der Zwiebelrostbraten gelingt und welchen Apfelkuchen man am Samstag backen soll, wenn die Verwandtschaft am Sonntag kommt. Aber die Maultaschengemütlichkeit täuscht schon lange. Auch bei Brigitte Keyl, die neugierig ist und Fragen stellt. Anfang des Jahres 2004 hatte sie so eine Frage. Da war etwas, das sie nicht verstand. Cross-Border-Leasing. Was sollte das sein? Zu was brauchte man das? Und, war es gut? Wenn ja, für was? Für wen? Sie hatte erfahren, dass Ebersbach da mitmachte. Nicht direkt, um eine Ecke sozusagen.

Man sollte wissen, dass Brigitte Keyl zehn Jahre lang im Gemeinderat von Ebersbach saß, ebenso im Ortschaftsrat von

Roßwälden, dem kleinen Teilort, wo sie wohnt. Aber nicht für die CDU, sondern für die SPD. Seit Jahrzehnten ist sie in der christlichen Friedensbewegung engagiert und hat unter anderem 1983 die Menschenkette von Stuttgart nach Ulm gegen die Stationierung der Pershing-II-Raketen mitorganisiert. Seit Jahren gehört sie dem Frauennetzwerk Nahost an, einem Zusammenschluss von Frauen aus unterschiedlichen religiösen Gruppen, die wegen der »völkerrechtswidrigen Besatzung« der Westbank, Ostjerusalems und des Golan zum Boykott von israelischen Waren aufrufen. Brigitte Keyl ist eine politisch sehr engagierte Frau, wenn auch eher unkorrekt fürs konservativ-schwäbische Gemüt.

Irgendwann im Jahr 2004 hatte sie einen Artikel in die Hände bekommen, in dem Cross-Border-Leasing nicht gut wegkam. Sie war sehr beunruhigt. »Der Ausverkauf der Städte« lautete die Überschrift. Der Artikel handelte davon, dass Kommunen wie Hamburg oder Berlin ihre Wasserwerke »teilprivatisierten«, sprich: verkauften. Es ging darum, wie danach die Preise exorbitant stiegen, die Dividenden der Aktionäre der privaten Wasserfirmen anschwollen, wie diese Unternehmen bei Investitionen sparten und es gleichzeitig zu Wasserknappheit kam. Das alles konnte nicht sein, dachte sich Brigitte Keyl. Wasser ist doch unsere Lebensgrundlage. Dazu noch eine knappe. Ohne Wasser ist kein Leben möglich. Und da wollte Ebersbach mitmachen?

Brigitte Keyl war noch besorgter, als sie davon erfuhr, dass immer mehr Städte in Deutschland bei der Privatisierung von öffentlichem Eigentum dabeisein wollten. Die Finanzlage der Städte war doch schon seit langem angespannt. Kommunale Berater schlugen den Städten und Gemeinden vor, zu privatisieren was geht: Stadt- und Klärwerke, Abwasserkanäle, Straßenbahnen, U-Bahnen, Messehallen, ja sogar Schulen und andere öffentliche Gebäude. Dazu war Cross-Border-Leasing (CBL) das Mittel und Werkzeug. Das ist ein Mietkauf-Geschäft, bei dem Anlagen oder Wirtschaftsgüter über Nationalgrenzen hinweg transferiert werden, vornehmlich in die USA.

Und das funktioniert so: Eine Stadt verkauft für 99 Jahre an einen US-Investor einen Teil ihrer Infrastruktur, in aller Regel langlebige Anlagen oder Gebäude. Nach 25 oder 30 Jahren kann sie die Stadt zurückkaufen, der US-Investor hingegen bei den amerikanischen Finanzbehörden Steuervergünstigungen geltend machen. Dafür wird ein Trust gebildet. Das ist eine Gesellschaft, geschaffen zu dem Zweck, das Geschäft zu verwalten und den Fiskus zu umgehen. Er existiert als reine Briefkastenfirma in den kleinen US-Bundesstaaten Delaware und Connecticut, wo Hunderttausende solch dubioser Firmen angemeldet sind. Delaware und Connecticut sind als Steuerschlupflöcher bekannt und in etwa so verrufen wie hierzulande Liechtenstein, die Schweiz und Luxemburg zusammen.

Im Jahr 2001 hatte die Landeswasserversorgung (LW) fast die gesamte technische Infrastruktur im Wert von 688 Millionen US-Dollar über den großen Teich transferiert. An dieser Fernwasserleitung hängt Ebersbach mit 107 weiteren Städten und Gemeinden aus Württemberg. Ein Jahr später zog die Bodensee-Wasserversorgung (BWV) nach, die 180 Mitgliedskommunen im ganzen Südwesten mit Wasser versorgt. In diesem Fall wanderten Werte von 841 Millionen Euro in amerikanische Hände. So die Wasseraufbereitungsanlage und das 1700 Kilometer lange Leitungsnetz – das ist so lang wie die Strecke von Stuttgart bis an die Stiefelspitze Italiens. Beteiligt waren der Versicherungsriese AIG, der die Brust von Fußballprofis des englischen Premiere-League-Clubs Manchester

United ziert, die First Union Bank und auf deutscher Seite die Landesbank Baden-Württemberg (LBBW) und die BayernLB.

Was haben die Zweckverbände oder Kommunen von solchen Geschäften? Cash, und zwar sofort. Zwischen zwei und acht Prozent der Transaktionssumme werden gleich an die deutsche Kommune als sogenannter Barwertvorteil ausbezahlt. Es soll ein Teil der Steuerersparnis sein, die der US-Investor über die ganze Laufzeit des Vertrages geltend machen kann. Aufgrund der hohen Werte der kommunalen Anlagen sind das in aller Regel zweistellige Millionenbeträge. Für Städte und Gemeinden mit klammer Kasse sind solche Aussichten sehr verlockend. Auch die beiden Zweckverbände stellten Cross-Border-Leasing als großen Erfolg dar, schließlich hatten sie der Landeswasserversorgung 24,68 Millionen Euro und der Bodensee-Wasserversorgung 35,2 Millionen Euro Bares in die Kassen gespült.

Eine wichtige Rolle in dem Geschäft kommt den Beratern und Arrangeuren zu. Große US-Anwaltsfirmen wie Allen & Overy, Freshfields Bruckhaus Deringer oder Clifford Chance traten bei diesen Geschäften als Berater der Kommunen auf. Es ging um komplizierte und in schwer verständlichem Wirtschaftsenglisch abgefasste Verträge. Büros dieser Anwaltsfabriken von 1000 oder 2000 Juristen besetzen die nobelsten Adressen in den verglasten Türmen von Manhattan. Als Arrangeure traten Firmen auf, die einen soliden Ruf und das Vertrauen der Bürgermeister und Kämmerer genossen. Das waren beispielsweise die Deutsche Bank Export Leasing GmbH, die Daimler-Chrysler-Finanztochter Debis und die Kommunalbank Dexia oder auch East Merchant, eine Tochter der später an die Landesbank Baden-Württemberg verkauften Sachsen LB. Diese Firmen brachten die Dinge mit schönen PowerPoint-Präsentationen und Hochglanzprospekten ins Laufen. Im Fall der Bodensee- und der Landeswasserversorgung fädelten die Debis und die Dexia sowie bei der LW noch Price Waterhouse Coopers die Verträge ein.

Verantwortlich für die Privatisierungen war in beiden Fällen der Verbandsvorsitzende und Stuttgarter Oberbürgermeister Wolfgang Schuster. Der Christdemokrat ist ein erklärter Anhänger neoliberaler Wirtschaftsideen und ein großer Freund der kreativen Haushaltsführung. Schon bald nachdem er Anfang 1997 den OB-Posten von seinem beliebten Vorgänger Manfred Rommel (CDU) übernommen hatte, begann er damit, öffentliches Gut in großem Stil zu privatisieren. Mit den Einnahmen, versprach Schuster, werde er den städtischen Haushalt sanieren und Mittel frei machen, um seine Politik gestalten zu können. Im Jahr 1999 gingen 137 Straßenbahnen im Wert von 330 Millionen US-Dollar und vier Klärwerke (327 Millionen US-Dollar) nach Übersee. Im Jahr 2002 folgte das Abwasserkanalnetz (530 Millionen US-Dollar). Der Verkauf von Schulgebäuden konnte nach heftigem Protest von Bürgern gerade noch verhindert werden.

Insider gehen davon aus, dass alleine in Westeuropa 750 Städte und staatliche Unternehmen CBL-Geschäfte abgeschlossen haben, davon rund 180 allein in Deutschland, etwa 150 sind bekannt geworden. Deutschland wurde geradezu zum CBL-Musterland und der größte Einzelmarkt für US-Investoren. Etwa 40 Prozent der weltweiten Transaktionssumme ist Made in Germany. Kein Bereich der kommunalen Daseinsvorsorge war vor den Leasingjägern sicher. Und die Stadtväter nutzten die Gelegenheit nur zu gerne, ihre löchrigen Stadtsäckel mit Hilfe von US-Steuergeschenken zu flicken.

Viele Kommunen haben solche Verträge geschlossen. Mannheim machte als erste Stadt 1995 seine Straßenbahnen im Wert von 210 Millionen US-Dollar zu Geld. Der Zweckverband Ulm-Donautal verflüssigte im Jahr 1998 seine Müllverbrennungsanlage in einem Gegenwert von 233 Millionen US-Dollar. Zur Jahrtausendwende kamen in Ulm noch ein Klärwerk (170 Millionen US-Dollar) und 2003 das Abwasserkanalnetz (209 Millionen US-Dollar) dazu. Im Jahr 2000 wurde das Restmüllheizkraftwerk Böblingen (192 Millionen US-Dollar) in die USA transferiert. Im selben Jahr vertrauten auch Konstanz (144 Millionen US-Dollar) und Ludwigsburg (70 Millionen US-Dollar) ihre Klärwerke einem US-Investor an. Zwei Jahre später folgten Heidenheim (105 Millionen US-Dollar), 2003 Aalen (93 Millionen US-Dollar) und Schwäbisch Gmünd (100 Millionen US-Dollar) mit ihren Kanalnetzen. Mannheim gab zum Abwassernetz noch seine Kläranlage im Gegenwert von 750 Millionen US-Dollar dazu. Im Jahr 2004 wurden somit allein im Südweststaat kommunale Anlagen mit einem Gegenwert von mindestens 5,3 Milliarden US-Dollar in US-Steuerschlupflöchern verwaltet. In Deutschland dürfte die gesamte Transaktionssumme einen dreistelligen Milliardenbetrag erreichen. In Europa gehen die Summen, die von US-Trusts gehalten werden, nach Schätzungen in die Billionen.

Alles lief so lange gut, bis im September 2008 die Investmentbank Lehman-Brothers in Konkurs ging und danach die weltweite Finanzkrise ausbrach. Dabei traten im Zusammenhang mit CBL Probleme zu Tage, die zuvor von den Beratern, Anwälten und Arrangeuren als praktisch ausgeschlossen dargestellt worden waren. Der eklatanteste Fall war jener der AIG, die von Ratingagenturen vom bestmöglichen Status AAA bis auf A herabgestuft wurde. Der weltgrößte Versicherungskonzern verwaltete in seinem Portfolio jede Menge fauler Kredite auf Immobilien und Hypotheken sowie windige Kreditversicherungen. Der Verlust an Bonität löste im Leasingvertrag ein sogenanntes Kreditereignis (credit event) aus. In den CBL-Verträgen werden hunderte solcher denkbarer oder eben für undenkbar erklärter »rein hypothetischer« Ereignisse haarklein geregelt. Tritt so ein Fall ein, muss die deutsche Kommune binnen einer sehr kurzen Frist von ein, zwei oder drei Monaten Abhilfe schaffen, sonst drohen harte Strafen, die ebenfalls in den Verträgen minutiös festgehalten sind und die schnell in die Millionen gehen können.

Die oberste US-Steuerbehörde IRS (Internal Revenue Service) hatte bereits 2004 den Steuergeschenken an ausländische Anleger einen Riegel vorgeschoben und eine Frist zur Auflösung auch der Altverträge gesetzt. Das betraf auch alle CBL-Verträge in Deutschland und Europa. Die Finanzwächter hatten zwar nichts gegen Steuervorteile, aber nicht bei Unternehmen, die nicht in den USA steuerpflichtig sind und die über ominöse Briefkastenfirmen zu Steuergeschenken kommen wollen. Auch die Gerichte spielten nicht mehr mit. Das entscheidende Urteil sprach am 28. Mai 2008 ein Bezirksgericht in Ohio, als es dem US-Trust, der den Müllofen der Abfallwirtschaftsbetriebe Wuppertal GmbH übernommen hatte, Steuervorteile in Höhe von 88 Millionen US-Dollar versagte und den vermeintlichen Eigentümerwechsel als »vorgetäuscht« bezeichnete.

Der Bodensee- und der Landeswasserversorgung nutzte dies herzlich wenig. Die Versorger waren gezwungen, den prekär gewordenen US-Partner AIG schnellstmöglich loszuwerden. In zwei Verbandssitzungen im November 2008 und im Februar 2009 wurde über die vorgeschriebene Umstrukturierung beraten. Die Zeit drängte. Innerhalb von 90 Tagen sollten die Verbände die AIG durch einen Partner mit besserer Bonität austauschen. Doch woher sollte man diesen nehmen, wo doch gerade die Finanzwelt aus den Fugen war, immer mehr hochgradig bewertete Unternehmen abgewertet wurden und auch die Banken sich nicht mehr gegenseitig über den Weg trauten? Die prognostizierten Kosten des Umbaus stiegen bedrohlich schnell an. Würden am Ende zwanzig, vierzig, fünfzig oder gar hundert Millionen Euro für die Reparatur reichen?

Nun war auch dem Letzten klar, dass sich die Wasserversorger auf ein finanzielles Abenteuer eingelassen hatten. Dem Bürger und Verbraucher wurde bewusst, dass hier mit Gütern der kommunalen Daseinsvorsorge fahrlässig umgegangen worden war. Die Vermögenswerte der Städte und Gemeinden waren zu einem Spielball in der weltweiten Finanzwirtschaft geworden, deren primäres Ziel die Spekulation ist. Die Verantwortlichen hatten das Heft des Handelns aus der Hand gegeben. Nicht mehr die Stadt oder Gemeinde bestimmte, was geschah, sondern eine namenlose Briefkastenfirma, anonyme Banker und ein weltweiter Großkonzern, der in Bedrängnis geraten war. Banker, Berater und Anwälte verdienten im Übrigen an der Notlage der Kommunen prächtig, denn der Umbau der Verträge kostete sehr viel Geld.

Was taten die Verantwortlichen bei den Kommunen? Sie gehorchten der Not, sahen aber trotz allem bei sich keine Schuld. Quasi wie eine Naturkatastrophe sei der »Finanz-Tsunami« der Wirtschaftskrise über die Kommunen hereingebrochen, ließ sich der der oberste Wasserwerker Schuster auf den Verbandsversammlungen vernehmen. Von einer eigenen Verantwortung an dem Desaster war nichts zu hören.

Kritische Fragen nach persönlichen Konsequenzen überhörte Schuster ebenso geflissentlich wie die Forderung, vom Amt des Verbandsvorsitzenden zurückzutreten. Das kam für ihn nicht in Frage.

Die AIG räumte den deutschen Leasing-Partnern schließlich nicht zuletzt deshalb Fristverlängerung von fast einem halben Jahr ein, weil sie selbst Ende 2008 und Anfang 2009 ums Überleben kämpfte und kaum der Vielzahl ihrer Probleme Herr wurde. Die beiden deutschen Verbände waren beileibe nicht die einzigen Kommunalorganisationen in Europa und den USA, die ein schnelles Ende der unglückseligen Leasing-Liaison wünschten. AIG ist der Hauptversicherer praktisch aller wichtigen internationalen Großunternehmen und auch aller im Dax gelisteten Konzerne. Das Jahr 2008 hatte dem Versicherungsgiganten mit 100 Milliarden US-Dollar den höchsten Verlust eines Unternehmens in der Geschichte beschert. Diese ungeheure Summe lag nur knapp unter dem Jahresumsatz von 2007 (110 Milliarden US-Dollar). Mit weltweit 116 000 Mitarbeitern und mehr als 100 000 Geschäftspartnern war AIG »too big to fail« und musste mit Hilfe von 180 Milliarden US-Dollar vom amerikanischen Steuerzahler gerettet werden.

Nach einigem Hin und Her erklärte sich AIG letztlich bereit, auch die Kontrakte mit den beiden Wasserversorgern zu lösen. Was als scheinbar hoch solides Finanzierungsmodell begonnen hatte, endete als Finanzabenteuer. Die Zweckverbände suchten keinen neuen Partner mehr, sondern sicherten das Geschäft bis zum Ende der Laufzeit mit dem Kauf von US-Staatsanleihen ab. Die ganze Prozedur kostete die beiden öffentlichen Körperschaften zusammen 62 Millionen Euro. 39 Millionen Euro im Fall der Bodensee-Wasserversorgung,

23 Millionen Euro bei der Landeswasserversorgung. Diese Summen wurden verrechnet mit den Mitteln, die vom Cash aus dem Barwertvorteil übrig waren. Am Ende blieb an den Wasserversorgern ein Verlust von 13,1 Millionen Euro hängen – 4,7 Millionen bei der BWV und 8,4 Millionen Euro bei der LW.

Somit war eingetreten, was Anwälte, Berater und Banken – kurz: alle Profiteure dieser Geschäfte – immer als »mit allergrößter Wahrscheinlichkeit ausgeschlossen« oder als »rein hypothetisch« dargestellt hatten, vor dem die Kritiker jedoch stets gewarnt hatten. Brigitte Keyl stellte mit Erstaunen fest, dass Ebersbach mitmischte im internationalen Finanzbusiness, auch wenn es in ihrer Stadt keiner wusste oder wahrhaben wollte. Sie zog ein Fazit. Cross-Border-Leasing war nach allem, was sie erfahren hatte, keinesfalls harmlos, sondern eine Gefahr für die Kommunen. Ja, es schien sogar möglich, dass durch diese Form der Privatisierung den Städten, Gemeinden und kommunalen Zweckverbänden noch größeres Unheil drohte, als es die lokalen Akteure selbst ahnten. Es sei ein bewusst geschaffener Hebel, damit die US-Firma die verleaste Anlage vermarkten könne, hatte es in dem kritischen Bericht geheißen, den sie im Jahr 2004 über den Ausverkauf der Städte gelesen hatte. Den Kommunen drohte im schlimmsten Fall der Verlust ihrer Anlagen. Und all dem hatte der Gemeinderat von Ebersbach einfach so zugestimmt? Konnte das denn sein? Immerhin, in Kulmbach, Bergisch Gladbach und auch in Stuttgart rührte sich Widerstand. Immer mehr Bürger hatten Initiativen gegen den Verkauf kommunalen Eigentums gegründet.

Werner Rügemer, Silberrandbrille, gelocktes grauschwarz meliertes Haar, sitzt in seiner knautschigen Buntfaltenjeans und dem anthrazitfarbenen Freizeithemd in einem Studio des Westdeutschen Rundfunks in Köln und gibt dem Österreichischen Rundfunk ein Interview. Es geht wieder einmal um die kranken öffentlichen Finanzen und die neoliberale Medizin dagegen: Privatisierungen, Private-Public-Partnership und Cross-Border-Leasing. Seit die Finanzmärkte im September 2008 beinahe kollabierten, ist der 69-jährige Graubart als Kritiker am neoliberalen Wirtschaftssystem zu einem gefragten Publizisten aufgestiegen. Mit zu seinem Status beigetragen haben ein halbes Dutzend Bücher gegen den weltweiten Privatisierungswahn und sein Auftritt in dem kapitalismuskritischen Kino-Film »Let's make money« (2008) des österreichischen Regisseurs Erwin Wagenhofer.

Auf Rügemer war Brigitte Keyl im Internet gestoßen. Er war nach ihrer Wahrnehmung der erste, der in Deutschland fundiert vor Cross-Border-Leasing gewarnt hatte. Rügemer war der Mann, den sie gesucht hatte. Der promovierte Philosoph hatte 2004 eine aufschlussreiche Studie mit dem Untertitel »Ein Lehrstück zur globalen Enteignung der Städte« geschrieben. Darin nahm er die Privatisierungsidee des Cross-Border-Leasing auseinander und räumte mit den Mythen auf, die die Leasingindustrie in der Öffentlichkeit gestreut hatte. Rügemer legte offen, dass sich diese Form der Privatisierung für alle Beteiligten lohnte, nur nicht für die Kommunen. Diese trugen dafür alle Risiken des Geschäfts. Er enthüllte anhand interner Dokumente und geheimer Verträge, dass es sich dabei um ein höchst fragwürdiges Finanzierungsinstrument handelte, das zur Aufbesserung kommunaler Haushalte wenig tauglich war. Er zeigte auf, wie Städte und Gemeinden, die sich darauf eingelassen haben, mittel- und langfristig enteignet werden. Durch die in dem System angelegte Aushöhlung der kommunalen Selbstverwaltung nimmt die Demokratie zwangsläufig Schaden.

Zusammengefasst lauten die Thesen:

- Die Verträge mit den US-Investoren sind in Englisch abgefasst und 1 000 bis 2 000 Seiten dick. Kaum einer der Bürgermeister, kommunalen Spitzenbeamten oder Verbandsvertreter kennt sie wirklich, kaum einer hat sie verstanden. Aber sie haben brav dafür gestimmt.
- Die Folgen der CBL-Verträge sind für die Städte und Gemeinden sehr weitreichend. So muss die Kommune die Anlage über die gesamte Laufzeit betreiben und nach dem Stand der Technik in Schuss halten (also 30 oder auch 100 Jahre), ganz gleich, ob die Anlage noch wirtschaftlich ist, den Umweltstandards genügt oder überhaupt noch gebraucht wird.
- Die Stadt oder Gemeinde ist ferner verpflichtet, über die gesamte Vertragsdauer dem US-Investor gegenüber jährlich genau Bericht zu erstatten, ein Pflichtenheft zu führen – und das alles auf Englisch, was in einer Verwaltung enorme Kosten verursacht. Zudem müssen die Anlagen den Investoren jederzeit für eine Inspektion zugänglich gemacht werden können. Bei Vertragsverletzungen drohen empfindliche Strafen.
- Wenn es zu einer Störung des Kreditvertrages (credit event) oder einem Rechtsstreit mit dem US-Partner kommt, entstehen ebenfalls hohe Kosten für Anwälte, Berater und Banken.
- Ein Rechtsstreit müsste in den USA ausgetragen werden, Gerichtsstand ist New York. Dort haben die großen Anwaltsfirmen ihren Sitz, die die Verträge ausgehandelt haben. In New York gilt seit 200 Jahren ein vermutlich einmaliges

Recht mit Verfassungsrang: Die dort geschlossenen Verträge gelten auch dann, falls es sich nachträglich herausstellen sollte, dass sie dem US-Bundesrecht widersprechen. Das sind für die US-Anwälte wahrhafte Traumbedingungen.

- Die Profite sind ungleich verteilt. Die Rendite der Investoren liegt bei acht bis zehn Prozent, und das jedes Jahr. Auf die ganze Laufzeit des Mietvertrages gerechnet macht der Investor einen Gewinn von 300 Prozent. Hingegen wird der Barwertvorteil von durchschnittlich vier Prozent den deutschen Kommunen nur ein einziges Mal gewährt. Die Städte, Gemeinden und Verbände erhalten also nur die Brosamen am Tisch des Finanzkapitals.
- Der US-Investor hat es geschafft, nicht nur die Pflichten, sondern praktisch alle Risiken auf die deutsche Kommune und den deutschen Staat zu übertragen. Sie treten zum Beispiel sogar für Steuerausfälle des US-Investors ein, sollte sich eine Rechtsgrundlage ändern. Die Bundesländer und der Staat Bundesrepublik Deutschland aber haften ohnehin immer im Hintergrund für Geschäfte von Kommunen. Ein Umstand, der den Investoren sehr wohl bewusst ist, denn auf diesen erfreulichen Umstand verweisen sie stets in ihren Sicherungspapieren. Obwohl ihnen also gar nichts passieren kann, weil am Ende sowieso der deutsche Staat geradestehen muss, haben die US-Investoren sich noch Tausende Einzelfälle ausgedacht, wie die Kommunen die CBL-Geschäfte sonst noch absichern müssen. Es ist rätselhaft, weshalb sich Bürgermeister und kommunale Spitzenbeamte auf solche Regelungen eingelassen haben. Mit der Gier nach den schnellen Millionen und ihrer latenten Überforderung allein ist das nicht zu erklären.

Wie knallhart sich die Investoren und Banken absicherten, erlebten Kommunalvertreter beim Vertragsabschluss in New York. Dieser fiel meist in die letzte Septemberwoche, wenn in den USA das Börsenjahr endet. Vor dem sogenannten Closing versuchten die Investoren, so viele Deals wie möglich unter Dach und Fach zu bekommen. So hatten es die Repräsentanten der Banken bisweilen mit einem Dutzend Verträgen gleichzeitig zu tun. Als der Zweckverband für das Restmüllheizkraftwerk Böblingen im September 2000 den ersten (und bislang einzigen) Doppelleasevertrag klarmachen wollte, war die Unterschrift des Zweckverband-Geschäftsführers Wolf Eisenmann nicht einmal für Kleinigkeiten ausreichend, obwohl der 63-Jährige dafür in Deutschland die unumschränkte Handlungsvollmacht für alle Kontrakte hat.

Der von den Landkreisen Böblingen, Calw und Freudenstadt sowie der Stadt Stuttgart getragene Zweckverband hatte den 180 Millionen Euro teuren Müllofen bereits in Deutschland von einem Fonds einer Tochter der Hessisch-Thüringischen Landesbank Helaba finanzieren lassen, bevor man ihn noch einmal an den US-Investor weiter vermietete. Der Vize-Landrat Eisenmann hatte als Kopf der deutschen Delegation aus Beratern, Anwälten und Arrangeuren sowie deutschen und amerikanischen Anwälten fast eine Woche lang verhandelt. Täglich trafen sich 30 hochkarätige Fachleute in dem holzgetäfelten Sitzungssaal im 59. Stock eines Wolkenkratzers in Manhattan, um acht bis zehn Stunden lang die Verträge durchzugehen. Die Signatur unter das komplizierte Vertragswerk musste der Repräsentant des Zweckverbandes setzen. Das war der aus dem Amt scheidende Landrat Rainer Heeb. Der aber hielt an jenem Freitag in der 6 284 Kilometer entfernten Stadthalle Sindelfingen seine Abschiedsrede. Heeb bekam das Papier zugefaxt, unterschrieb und ließ es noch am gleichen Tag über den großen Teich schicken. Damit aber waren die US-Juristen noch immer nicht zufrieden. Sie bestanden auf einer förmlichen Bestätigung des Regierungspräsidiums Stuttgart, dass Heeb wirklich der Landrat von Böblingen, Vorsitzender des Zweckverbandes und am Leben sei. Diese Beglaubigung musste ebenfalls noch besorgt werden, was mit viel Glück auch gelang.

Wie alle anderen CBL-Geschäfte auch war der Vertrag mit den Böblingern ganz legal, abgesegnet von den US-Finanzbehörden, nicht in Frage gestellt vom Bundesfinanzministerium oder angefochten von den Aufsichts- und Finanzbehörden der Bundesländer. In Baden-Württemberg etwa zogen sich die Rechtsaufsichtsbehörden mit dem Verweis auf die kommunale Selbstverwaltung aus der Verantwortung. Nach dem Gemeindehaushaltsrecht bedürften »nur bestimmte Vertragsteile und Klauseln« der Genehmigung, lautete die Einschätzung des Innenministeriums. Eine solche Abwägung habe »in eigener Verantwortung« der Kommunen gelegen. Kurz: Die Städte und Gemeinden, die sich darauf eingelassen hatten, waren selbst schuld. Nur die Länder Bayern und Thüringen hatten das Leasing verboten. In diesen Bundesländern sind, wie auch in Niedersachsen, nur relativ wenige CBL-Verträge geschlossen worden. In Schleswig-Holstein, Brandenburg und dem Saarland gab es keine Abschlüsse. Groß eingestiegen sind hingegen die Städte Düsseldorf, Essen, Leipzig, Berlin und Stuttgart. Hier war die Leasingindustrie am erfolgreichsten, da sich da die Hauptsitze mehrerer regionaler Zweckverbände der Wasserwirtschaft befinden, die zumeist umfangreich ihre Anlagen veräußert haben.

Brigitte Keyl konnte es kaum glauben, was sie da vernahm. »Hier werden die Güter von Menschen verscherbelt, die sich verpflichtet haben, Schaden von ihrer Stadt und ihrer Gemeinde abzuwenden«, sagt sie. Die Wasserversorgung sei über einen Zeitraum von mehr als hundert Jahren aufgebaut und von den Bürgern bezahlt worden. »Dieses Vermögen wird von verantwortungslosen Politikern einfach verkauft, und dann wird damit spekuliert, ohne dass der Bürger etwas davon erfährt und ohne dass es darüber eine öffentliche Diskussion gibt. Das ist eine ungeheuerliche Missachtung der Rechte der Bürger und der demokratischen Spielregeln«, empört sie sich.

Werner Rügemer ermunterte sie, Fragen an die Stadtverwaltung zu stellen. Brigitte Keyl schrieb Briefe an die Stadt und die Gemeinderäte. Auf ihre zahlreichen Fragen zu den CBL-Verträgen erhielt sie bestenfalls eine vage oder gar keine Antwort. Ebenso erging es ihr in der Bürgerfragestunde. Welche Kosten kommen auf Ebersbach zu? Mit welchen Investoren und Banken wird verhandelt, wie heißen die Berater? Fragen über Fragen, aber kaum eine Antwort. Die Verträge seien geheim, da könne man beim besten Willen nichts sagen, wurde ihr beschieden. In der Lokalzeitung gab es kaum eine Resonanz auf ihre Initiative. Brigitte Keyl musste erkennen, dass sie wohl in dieser Sache eine Einzelkämpferin bleiben würde, die Gründung einer Bürgerinitiative erschien illusorisch. Rügemer motivierte sie zum Weitermachen. »Ich bewundere Ihre Hartnäckigkeit!«, schrieb er ihr kurz vor der entscheidenden Versammlung der Wasserverbände Mitte Februar 2009. »Gäbe es doch mehr von Ihrer Sorte!«

Aufgeben wollte Brigitte Keyl ganz bestimmt nicht. Statt aus den Verträgen auszusteigen, sollte die Landeswasserversorgung den US-Investoren die kalte Schulter zeigen. »Die

Kommunen werden aus diesen CBL-Geschäften keine Gewinne mehr einfahren, wie bisher immer noch erhofft wurde, sondern eher in eine endlose Kostenfalle stürzen«, prophezeite sie den Gemeinderäten. Die Verantwortlichen sollten jetzt den Mut dazu aufbringen, die »Reißleine zu ziehen«. Die Stadt Ebersbach solle mit einem Nein die Wende mit einleiten und den Verträgen mit dem US-Trust nicht weiter zustimmen.

Die Verweigerungshaltung hatte auch der britisch-deutsche Wirtschaftsanwalt Julian Roberts den Wasserversorgern empfohlen. Roberts ist eine hagere, elegante Erscheinung, trägt Nickelbrille und maßgeschneiderte Anzüge. Der 59-Jährige gleicht in allem dem Abbild eines englischen Philosophen und Professors, der er tatsächlich auch ist. Abends spielt er am Klavier Jazz, aber tagsüber firmiert er als Wirtschaftsanwalt, Spezialgebiet Banken, Kapitalmarkt und Derivate, und zwar an Münchens vornehmster Adresse, an der Brienner Straße.

Roberts nimmt von Banken keine Mandate an, sondern verteidigt ausschließlich geschädigte Bankkunden. Nachdem er sich einige Dokumente zu CBL-Verträgen angesehen und die wenigen Vertragstexte analysiert hatte, die öffentlich zugänglich sind, war sich der Fachanwalt sicher, dass Kommunen klagen würden. Sie müssten es geradezu tun, dachte er sich. Seiner Ansicht nach waren die Städte und Gemeinden falsch beraten worden und hatten deshalb nicht erkennen können, welche weitreichenden Verpflichtungen sie eingegangen waren. Doch Roberts sollte sich täuschen. Obwohl nach seiner Ansicht zivilrechtlich der Tatbestand der Falschberatung und der Täuschung erfüllt wäre, wagte es bislang niemand, die mächtigen Akteure mit ihren Topanwaltskanzleien im Hintergrund anzugreifen. In Ebersbach war das nicht anders. Niemand wollte dem Aufruf von Brigitte Keyl folgen. Ebersbach habe doch nur vier Stimmen, wurde ihr entgegengehalten. Und eben damit hätte die Gruppe der Vertragskritiker verstärkt werden können. »Diese Kleingläubigkeit«, sagt Brigitte Keyl, »ist mir zuwider.«

Ansatzpunkte, den Trusts, Investoren, Banken, Beratern und Arrangeuren juristisch beizukommen, gäbe es freilich genügend. Roberts Einschätzungen bestätigten Rügemers Erkenntnisse und setzten einige Facetten der CBL-Geschäfte hinzu, die der Öffentlichkeit bislang verborgen geblieben waren. So standen die Kommunen während der gesamten Laufzeit nicht nur für sämtliche Zahlungsströme des Geschäfts gerade, sie konnten im schlimmsten Fall alles verlieren, wenn die Banken am Ende das Geld nicht mehr bereitstellen könnten. Denn das Geld wurde nicht etwa über die gesamte Laufzeit angespart, sondern musste lediglich am Ende bereitgestellt werden. Ging ein Kreditinstitut pleite und fand sich niemand, der einsprang, hatte die Kommune eben Pech gehabt.

Die kommunalen Anlagen waren hingegen für den Investor auf dem internationalen Finanzmarkt Gold wert. Als abgesicherte Forderungen konnte der Investor diese einfach weiterverkaufen – an andere Banken oder Konzerne. Das hatte er sich in den Verträgen immer garantieren lassen. Mit solchen Sicherheiten kann man beispielsweise risikoreiche Papiere in Hedgefonds ausgleichen. Ob dies tatsächlich geschehen ist, lässt sich nicht mit Sicherheit sagen. Die Wahrscheinlichkeit ist aber groß.

Auch die Interessen der Investoren sind viel weitgehender, als es der Öffentlichkeit und wohl auch den betroffenen Kommunen bekannt sein dürfte. Einem Investor ist nach Roberts daran gelegen, dass eine Störung im Kreditvertrag auftritt. In diesem Fall werden bestimmte in den Verträgen genau festgelegte Zahlungen fällig, und der Investor kann die erhofften Gewinne noch vor Fälligkeit einstreichen. Und, um dem Ganzen die Krone aufzusetzen, wetten Banken und US-Investoren gezielt genau auf so eine Störung des geregelten Geldflusses. Tritt also ein Kreditereignis auf, vervielfältigt sich der ohnehin exorbitant hohe Gewinn noch einmal, weil die Wette aufgeht. Cross-Border-Leasing kann deshalb getrost zu den strukturierten Finanzmodellen gerechnet und in einem Atemzug mit faulen Hypotheken- und Kreditversicherungen wie CDS (Credit Default Swaps) und CDO (Collateralized Debt Obligations) genannt werden, die als Teil des weltweiten Casinogeschäfts im Finanzwesen und als eine der Hauptursachen der Weltwirtschaftskrise erkannt worden sind.

War es etwas Verbotenes, was die Akteure des Cross-Border-Leasing taten? Eher nicht. So sehen es zumindest die Strafverfolgungsbehörden. Die Staatsanwaltschaft Stuttgart beispielsweise ermittelte zwar, nachdem mehrere Strafanzeigen gegen Verantwortliche der Wasserverbände eingegangen waren, verneinte aber den Verdacht auf Untreue, weil die handelnden Personen bei Vertragsabschluss bereits hätten erkennen müssen, dass ein Verlust droht. Das aber schien nicht der Fall zu sein, folgerten die Ermittler. Eine Pflichtverletzung sei somit letztlich zu verneinen. Die Krise sei nur aufgrund der »Außergewöhnlichkeit der Finanzkrise« eingetreten, die so nicht zu erwarten gewesen sei.

Brigitte Keyl war es fast schwindlig geworden von den Karussellgeschäften des weltweiten Finanzwesens. Es beruhigte sie auch nicht im Mindesten, dass die Landeswasserversorgung und damit Ebersbach Mitte Februar 2009 einen Schlussstrich unter das Abenteuer Cross-Border-Leasing gezogen hatten. Alles sei glimpflich verlaufen, hatte es beschwichtigend geheißen. Der Wasserpreis würde steigen, aber moderat. Auf die Gemeinde kämen nur jährliche Mehrkosten von 12 000 Euro zu, mehr nicht, teilte der Bürgermeister dem Gemeinderat und via Lokalpresse seinen Bürgern mit. Solche Nachrichten häuften sich Anfang 2009, in dem ein Kontrakt nach dem anderen aufgelöst wurde und es manchmal »unter dem Strich« auch gut ausging für die Kommunen. Über die hohen Kosten, den großen Personalaufwand und negative Begleitumstände des Geschäfts ließen die Städte und Gemeinden nichts verlauten. Sie verkündeten stattdessen lieber, was die Geschäfte letztlich »gebracht« hatten. Beendet wurden unter anderem die Verträge in Böblingen (Müllheizkraftwerk) mit einer Rendite von 12,8 Millionen Euro, in Konstanz (Kläranlage), Ulm (Müllverbrennungsanlage) und Stuttgart, wo die vier Klärwerke wieder städtisch sind und der Stadt ein Gewinn von 11,8 Millionen Euro blieb. Der Gemeinderat der Landeshauptstadt beugte sich zudem einem Bürgerbegehren und hat sich dafür ausgesprochen, die an die Energie Baden-Württemberg (EnBW) veräußerte Wasserversorgung zurückzukaufen.

Aber so glimpflich geht es längst nicht immer aus. In Stuttgart weigert sich der US-Investor, das Leasinggeschäft über das Kanalnetz vorzeitig zu beenden, wenn er nicht den in Aussicht gestellten Steuervorteil für 30 Jahre ausbezahlt bekommt. Für die Absicherung des Abwassernetzes mit US-Staatspapieren musste Ulm acht Millionen Euro extra aufbringen. In Leipzig und Berlin, wo Bankberater den Kommunalmanagern hochriskante CDS- und CDO-Papiere als Sicherheiten für die verleasten Wasserwerke und Verkehrsbetriebe aufschwatzten, drohen Verluste von 290 Millionen Euro beziehungsweise 156 Millionen Euro. Und das Beispiel Berlin zeigt, wie schwer es für Städte ist, juristisch gegen die CBL-Verträge vorzugehen. Die Bundeshauptstadt scheiterte damit, die Klage vor einem deutschen Gericht verhandeln zu lassen, und muss nun versuchen, die US-Bank JP Morgan in London vor Gericht zu bringen. Große Chancen darf sich die Hauptstadt in der Zentrale des Finanzkapitalismus nicht ausrechnen.

Bis auf Weiteres kann die Leasingindustrie durchatmen. Zwar können seit 2004 keine neuen Verträge mehr abgeschlossen werden, doch viele der Altverträge laufen noch Jahre und Jahrzehnte weiter. Die Finanzsysteme haben sich nach dem September 2008 dank massiver Milliardenhilfe der Staaten wieder gefangen und sind bislang stabil geblieben. So lange dies so bleibt, werden keine weiteren Kontrakte platzen. Die Akteure des Millionenspiels sind längst wieder obenauf. »Das sind reine Steuergeschäfte und keine Finanzprodukte«, beharrt ein in CBL-Beratungen führender Anwalt aus dem Rheinland. Der Vergleich mit den hoch riskanten CDS und CDOs sei »nichts als Blödsinn«. Er sieht die Dinge gelassen: »Wenn Lehman nicht zusammengebrochen wäre, dann wäre überhaupt nichts passiert.«

Die Banken machen ebenfalls weiter wie bisher. Sie führen viele der Geschäfte, von denen der Öffentlichkeit Glauben gemacht wird, sie seien beendet worden, insgeheim weiter. So werden auch die Verträge mit den Wasserversorgern, dank der beteiligten Landesbanken LBBW und Bayern LB, bis zum Ende der Laufzeit in den Jahren 2031/32 weiter bedient. Die Landesbanken hatten darauf bestanden, eine millionenschwere Vorfälligkeitsentschädigung ausbezahlt zu bekommen oder andernfalls die Darlehensverhältnisse fortsetzen zu wollen. Der scheinbar sinnfreie Geldkreislauf ist aus Sicht der

Landesbanken aber durchaus nachvollziehbar. Sie gewinnen dadurch erhebliche neue Sicherheiten. Das ist für die öffentlich-rechtlichen Kreditinstitute vor dem Hintergrund der angespannten Lage mit Wertberichtigungen in Milliardenhöhe und dem Verlust der Staatsgarantie sehr wichtig. Äußern wollen sich die Landesbanken zu dem Sachverhalt nicht. Dem stehe das Bankgeheimnis entgegen.

»Ich traue dem Frieden nicht«, sagt Brigitte Keyl. Wenn sich die Wirtschaftskrise durch Staatspleiten wieder verstärken sollte und die Finanzmärkte erneut in Bedrängnis geraten, könnte es zu einer neuen Krise bei den Cross-Border-Leasing-Verträgen kommen. »Ich zweifle stark daran, dass alles schon zu Ende sein soll«, sagt die resolute Frau. Und sie tut gut daran.

Besser tricksen

Eine kleine Fibel für Fortgeschrittene

Rainer Nübel

Auch in unseren postmodernen, globalen und Hightech-seligen Zeiten hat die gute alte Volksweisheit nichts von ihrer Gültigkeit verloren: Es ist noch kein Meister vom Himmel gefallen. Das gilt natürlich auch und besonders für jeden Taschenspieler, egal wie geübt er bereits sein mag – und für solche, die es werden wollen. Wer zu den Besten seines Faches zählen möchte, ergo zur Elite, muss heutzutage weit mehr mitbringen als spitze Ellenbogen, Überholer-Mentalität oder das gute alte Radfahrer-Prinzip (»nach oben strampeln, nach unten treten«). Dies alles sind gesellschaftlich vertraute, inzwischen aber leicht angestaubte Erfolgsprinzipien. Für den Aufstieg jeder Art, beruflich, politisch oder persönlich, wie auch für den Machterhalt, sind neue Kreativität gefragt, innovative Formen der List und Tücke – und natürlich Fantasie, die gerne auch mal perfide sein darf. Immerhin zeigt sich der wahre Meister des gehobenen Taschenspiels vor allem darin, in besonders kniffligen Situationen stets die erfolgsreichste, sprich: dubioseste Strategie zu verfolgen. Dann gilt es, möglichst kunst- und stilgerecht garstige Realitäten zu verbiegen, unbequeme Wahrheiten zu vertuschen oder lästige Gefahrenquellen auszuschalten – um damit seinen allerwertesten Kopf zu retten oder Pluspunkte bei Chefs beziehungsweise anderen übergeordneten Bestimmern der eigenen Karriere zu hamstern.

Das alles will gelernt sein. Es erfordert klare, zielgerichtete Wege hinein in die wunderbare Welt hypererfolgreicher Trickser, Tarner und Täuscher sowie akkurate Anleitungen für die Do-it-yourself-Umsetzung in Beruf und Alltag. Und natürlich regelmäßiges Üben, Üben und nochmals Üben. Dafür ist unsere kleine Fibel »Besser tricksen« gedacht. Sie wendet sich vor allem an den fortgeschrittenen Taschenspieler, der das kleine ABC des Ablenkens, Bluffens und der Camouflage schon beherrscht und sich konsequent weiterbilden möchte. Ihm vermitteln wir in diesem Ratgeber die wirklich neuen, überzeugendsten und cleversten Strategien, die derzeit auf dem deutschen Markt sind. Erwarten Sie also nicht so antiquierte Methoden wie die Salamitaktik, bei der vorrangig Politiker und Wirtschaftsbosse – leider – in den vergangenen Jahren stehen geblieben sind. Nur das zuzugeben, was einem gerade nachgewiesen werden kann, war fraglos lange Zeit der Renner. Doch Stillstand bedeutet auch auf diesem gesellschaftlich relevanten Terrain Rückschritt. Es muss der unbedingte Ehrgeiz jedes einzelnen Taschenspielers oder jedes Taschenspieler-Teams sein, schon gar nicht in die missliche, aber völlig unnötige Situation zu kommen, nur irgendetwas zugeben zu müssen. Was perfekt vertuscht wird, existiert nicht.

So, liebe Leserinnen und Leser von »Besser tricksen«, jetzt haben Sie doch glatt schon die erste Lektion gelernt: Den öffentlichen Verdacht der Unfähigkeit, kritische Fragen, unverschämte Vorwürfe der dummen Presse oder gar politische Untersuchungsausschüsse und Rücktrittsforderungen – all das muss es nicht geben. Wenn man die richtigen Rezepte dagegen kennt und hat. Doch wo, werden Sie fragen, gibt es solche Wunderdinge, wer beherrscht eine derart vollendete Taschenspieler-Kunst? Manche werden sich jetzt vielleicht wundern, insbesondere ganz naive Rechtsstaatsgläubige (von denen es immer noch welche geben soll), nach der Lektüre dieser Fibel werden aber auch sie bestimmt mit der Zunge schnalzen: Man glaubt nicht, zu welcher Perfektion es diverse Ermittlungsbehörden, Staatsanwaltschaften und Gerichte in unserem sensiblen Sujet gebracht haben. Ja, deren Könnerschaft ist zuweilen derart grandios, dass so manche Trickser vom Amt nur noch schwer von ihrer eigentlichen Klientel zu unterscheiden sind. Was jetzt aber keineswegs bedeuten soll, dass wir die Mafia oder andere ehrenwerten Gesellschaften etwa verharmlosen würden.

Von manchen Ermittlerchefs, Staatsanwälten und Richtern lernen heißt, von Siegern und Meistern zu lernen. Daher haben wir vorbildliche, auch avantgardistische Strategien gezielt aus diesem so wichtigen Bereich unserer Demokratie und Gesellschaft ausgewählt. Sie werden, anschaulich und exemplarisch, an realen Musterbeispielen demonstriert und erörtert. Was den Trainingseffekt und -erfolg intensivieren wird. Aus didaktischen Gründen haben wir die einzelnen Übungen nach ihrem jeweiligen Schwierigkeitsgrad angeordnet. Und jetzt gute Anregungen, eine lehrreiche Lektüre und viel Spaß bei »Besser tricksen«!

Übung 1: Aufklärung im Nirwana

Um mit der anspruchsvollen Materie vertraut zu werden, beginnen wir mit einer eher einfachen Trainingsaufgabe: Eine Staatsanwaltschaft, die sich über Jahre mühsam und unter Aufbietung aller justizpolitischer Kräfte das Prestige erworben hat, Großunternehmen und prominente Wirtschaftsbosse nie oder nur höchst selten mit Ermittlungen zu belästigen, steht vor einer, sagen wir: pikanten Situation. Die Niederlassung einer Firma ist durchsucht worden. Und weil, aus Nachlässigkeit, dem Betrieb die Razzia nicht frühzeitig angekündigt worden war, sind viele, allzu viele Hinweise und sogar Belege für Korruption gefunden worden. Um die Malaise präziser zu formulieren: Das Unternehmen hat einen russischen Minister geschmiert, um an Aufträge zu kommen. Wir haben es mit einem Fall zu tun, der ziemlich heikel ist. Und lästig. Denn erstens ist die strafrechtliche Verfolgung von Korruption per se kein Stoff, aus dem gemeinhin Staatsanwalts-Karrieren sind. Wer da voreilig und übereifrig den Finger hebt, könnte allzu schnell den Kopf verlieren. Zudem arbeitet in unserem Fall das Unternehmen, das in Russland bestechend kreativ aufgetreten ist, auch noch engstens mit einem deutschen Konzern zusammen, der für unsere wackere Staatsanwaltschaft tabu ist – und von anderer Seite schon mächtig unter Druck steht. Und dann gibt es auch noch Hinweise darauf, dass ein Topmanager dieses Konzerns für das Schmiergeldfestival in Moskau die Türen geöffnet haben könnte. Schlecht, ganz schlecht. Was also ist zu tun?

Seit Jahren sieht eine gängige und durchaus probate Lösung so aus: die Korruptions-Ermittlungsgruppe möglichst klein halten, die einzelnen, wenigen Fahnder parallel mit anderen großen Verfahren eindecken, auf dass sie schön lange absorbiert sind, und konsequent auf die Verjährung des Delikts hinarbeiten. Eine Methode, die immer noch einen gewissen Charme hat und gerne angewandt wird. Doch kein Vergleich zu der fantastischen, hochintelligenten und kreativen Lösung, die eine Staatsanwaltschaft im Süden der Republik praktiziert hat: Konsequenterweise wählte sie nicht, wie es zeitgleich eine ausländische Justizbehörde im allzu ungestümen Aufklärungseifer tat, den Ansatz, die Korruption aus vorliegenden Firmenunterlagen intensiv zu ermitteln. Sonst wäre sie ja Gefahr gelaufen, am Ende etwas nachweisen zu können. Ein deutsches Unternehmen schmiert einen russischen Spitzenpolitiker? Das gibt nur Ärger, unnötigen Ärger, politisch und sonstwie. Und das muss ja wirklich nicht sein. Nein, die Staatsanwaltschaft beschritt einen Weg, der durch seine luzide Strategie fasziniert. Sie schrieb an die russische Regierung einen Brief, ein förmliches Schreiben. Und darin standen bestechende Fragen, sinngemäß so: Ob der Herr Soundso tatsächlich ein Minister der russischen Republik sei, und ob man bestätigen könne oder wolle, dass er von jener deutschen Firma bestochen worden sei? Die amtliche Anfrage wurde abgeschickt, die Post expedierte ihn in die Weiten des Ostens. Die Zeit verstrich und verstrich und verstrich. Aus Moskau kam partout keine Bestätigung der Bestechung. Logisch, es wäre ja auch ein politisches Wunder gewesen. Und so konnte die deutsche Staatsanwaltschaft, völlig wahrheitsgetreu, am Ende festhalten, dass man alles, wirklich alles zur Aufklärung getan habe – und man diesen Korruptionsfall final zu den Akten legen muss.

Übung 2: Die amtlich-perfide Kollegenfalle

Landeskriminalämter zählen zu den Behörden, in denen Pannen, Pleiten oder andere brisante Vorgänge gleich einen unangenehmen Nebeneffekt haben. Sie lösen gerne politischen Ärger aus. Vor allem, wenn die Presse davon erfährt. Und das will doch trefflich verhindert werden. Daher ist Diskretion die oberste Beamtenpflicht. Noch besser: Kadavergehorsam, Korpsgeist und die richtige Parteizugehörigkeit. Erfüllen Mitarbeiter diese hinreichenden Bedingungen für einen geräusch- und reibungslosen Bürokratiebetrieb nicht, sollten sie mit aller Trickkunst, Energie und Fantasie, die Beamten zur Verfügung stehen, verfolgt und sanktioniert werden.

Unsere zweite Übung spielt in diesem etwas komplexeren Zusammenhang. Ein Kommissar eines Landeskriminalamts steht im Verdacht, Ermittlungsergebnisse an die Presse weitergegeben zu haben, in einem Fall von mutmaßlichem Insiderhandel mit einem prominenten Beschuldigten. Die Führung der Behörde hat zwar keine Probleme damit, selbst Geheimnisse an ausgewählte Journalisten zu verraten, wenn es darum geht, von ihren eigenen Pannen abzulenken. Doch das ist, selbstredend, etwas anderes. Im Falle des kleinen Beamten, zu allem Übel auch noch ein Grüner und renitenter Verfechter der freien Meinungsäußerung im Amt, was allein schon gegen die Hausordnung verstößt, muss unbedingt ein Exempel statuiert werden. Ein Exempel, das alle anderen Mitarbeiter für alle Zeiten abschreckt: Ermittlungen, Suspendierung, Anklage, Verurteilung. Das volle Programm. Zielführend wäre, wenn man ihn in eine Falle tappen lassen könnte. Sie müsste natürlich allen Anforderungen des hohen Tricksens gerecht werden, was man von einem gut funktionierenden Landeskriminalamt erwarten darf. Keine leichte Aufgabe. Wie könnte diese Falle aussehen?

Vergessen Sie alles, was Sie auf diesem Terrain bisher für eine perfekte List hielten. Das real existierende Stuttgarter Modell schlägt es um Längen. Denn selten gingen Perfidie und Fantasie eine solch gelungene Allianz ein. Die Falle für alle Fälle, die Superfalle besteht zum einen aus einem Drucker, einem ganz normalen Drucker, der in jedem Büro steht. Die eigentliche Falle ist ein Aktenvermerk, der aus diesem Drucker quillt. Ein gefälschter Aktenvermerk, versteht sich, verfasst von einem willigen Kollegen des in Verdacht stehenden Beamten. Der Inhalt des fingierten Vermerks ist so glänzend ausgedacht, dass selbst erfahrene Recken des Bundesnachrichtendienstes, vielleicht sogar auch ehemalige Ostberliner Enten-Experten, blass werden müssten. Der gewiefte Fallensteller vom Landeskriminalamt berichtet darin in nüchtern-dröger, also täuschend echter Beamtensprache von Erkenntnissen, wonach ein aus der Schweiz stammender Vorstandschef eines der größten deutschen Bankhäuser nebst Gattin durch Insiderhandel unrechtmäßig einen zweistelligen Millionengewinn über Schweizer Banken eingestrichen habe. Dies habe die Bundesanstalt für Finanzdienstleistungsaufsicht (BaFin) kurz zuvor festgestellt und darüber bereits die zuständigen Staatsanwaltschaften informiert. Der mutmaßlich illegale Vorgang stehe in Zusammenhang mit dem frühzeitigen Ausscheiden von Daimler-Boss Jürgen Schrempp. Ein geheimes, spektakuläres Ermittlungsverfahren gegen einen prominenten Bankchef als Köder.

Keine Frage, der inkriminierte Kollege wird ganz bestimmt anbeißen, die heißen Infos sofort an die Presse verraten – und die Falle schnappt zu. Wenn man jetzt weiß, dass der von eigenen Kollegen gejagte Beamte morgens immer der Erste im Büro ist, zunächst lüftet und dann nach dem Drucker schaut, kann man den ganzen Kunstkniff erst in seiner vollen Pracht wertschätzen.

An dieser Stelle muss man allerdings allen Nachahmern einen wichtigen Tipp ans Herz legen: Bitte achten Sie darauf, dass Sie den gefälschten Aktenvermerk so in die Druckerausgabe legen, dass der Trick nicht auffällt. Also mit dem beschrifteten Teil nach unten und nicht mit der Butterseite nach oben, wie es leider unser Held der kollegialen Intrige praktiziert hat. Denn sonst passiert es wie in unserem realen Fallbeispiel: Der Delinquent nimmt den Aktenvermerk zwar vom Drucker. Doch anstatt, wie erhofft, sofort zum Diensttelefon zu greifen und einen Journalisten anzurufen, legt er den Vermerk auf den Schreibtisch seines liebenswerten Kollegen und ziert ihn mit dem hilfreichen Hinweis, er möge doch das nächste Mal besser darauf aufpassen, was er so in den Drucker gebe.

Solch ein misslungenes Manöver muss ein Landeskriminalamt in seiner Bekämpfung eines langjährigen Ermittlers nicht zurückwerfen. Man führt dann eben andere angebliche »Belege« ins Feld, die man zu haben glaubt. Überaus dienlich ist, wie in unserem Fall, eine Staatsanwaltschaft zu haben, welche die LKA-Spitze beim selben Verdacht mit Ermittlungen gänzlich verschont, dafür diesen Beamten mit aller Härte verfolgt, ihn anklagt und sich auch nicht durch einen Freispruch in erster gerichtlicher Instanz beirren lässt. Dieser Mann, daran lässt der zuständige Stuttgarter Staatsanwalt bei seinen Gerichtsauftritten keinen Zweifel, muss bestraft werden. Suspendiert ist er bereits. Der Vollständigkeit halber sei erwähnt: Er ist fünffacher Familienvater.

Erraten Sie, wen die Staatsanwaltschaft in diesem Verfahren als hochseriösen Hauptzeugen ihrer Anklage verkauft? Natürlich den Fallensteller vom Amt. Erst spät, sehr spät hatte er sich im Ermittlungsverfahren plötzlich an angebliche Aussagen des beschuldigten LKA-Kommissars ihm gegenüber erinnern können, die den beschuldigten Beamten belasten, von denen in der ersten Zeugenvernehmung unseres Fallenstellers freilich keine Rede war. Der Richter wunderte sich sehr über die erstaunlich kollegiale Fallen-Nummer im Landeskriminalamt mit dem wissentlich gefälschten Ermittlungsvermerk in Sachen Bankchef – und verurteilte dennoch den Beamten. Wer, in ehrlicher Bewunderung, nähere Details zu diesen meisterlich-perfiden Taschenspielereien erfahren möchte, kann sich sicherlich vertrauensvoll an das Landeskriminalamt Baden-Württemberg, 70372 Stuttgart, wenden.

Übung 3: Wie man ein politisch lästiges Opfer überlistet

So, das Aufwärmtraining ist absolviert. Nähern wir uns also der wirklich hohen Schule des Tricksens, Tarnens und Täuschens. Sie ist dann besonders gefragt, wenn nicht nur einer zentralen Ermittlungsbehörde böses Unheil droht, sondern gleich auch einer ganzen Regierung. Dann haben wir höchste Alarmstufe, was zwingend höchste Trickstufe erfordert. Wie in unserem nächsten Fall. Ein deutscher Staatsbürger libanesischer Herkunft ist Anfang 2004 Opfer einer illegalen Entführung durch den amerikanischen Geheimdienst CIA geworden. Auf einer Reise nach Mazedonien wurde der Neu-Ulmer von den Agenten gekidnappt und in ein Geheimgefängnis in Afghanistan verschleppt. Dort hat man ihn fünf Monate lang festgehalten, immer wieder verhört und wiederholt gefoltert. Sicher, deutsche Behörden haben ein solches Schicksal eines deutschen Staatsbürgers vollständig aufzuklären. Rechtsstaatlich betrachtet. Doch was diesen Fall nicht nur für die Amerikaner, sondern auch für die deutsche Politik so unangenehm brisant macht: Das Entführungsopfer, dessen Glaubwürdigkeit unter anderem von einem EU-Ausschuss voll und ganz bestätigt wird, berichtet von einem Deutsch sprechenden Agenten namens »Sam«, der im afghanischen Geheimgefängnis wiederholt bei ihm aufgetaucht sei und spezifische Details aus seinem Neu-Ulmer Leben verblüffend gut und genau kannte. In einem der Gespräche, so erinnert sich das Opfer, habe »Sam« ihm gesagt, »wir haben einen neuen Bundespräsidenten«. Vier Tage zuvor war in Berlin Horst Köhler gewählt worden. War also an der CIA-Aktion, die wie bei einer kriminellen Organisation abgelaufen war, ein deutscher Sicherheitsbeamter beteiligt?

Schon die bloße Frage treibt Berliner Regierungspolitiker und diversen Behördenchefs zu diesem Zeitpunkt den Schweiß auf die Stirn. Noch schlimmer, wenn es dafür konkrete Hinweise oder gar Belege gäbe. Und schlimmer als schlimm: Auf einem Foto, das ihm Anfang 2006 zugeschickt wird, erkennt das Entführungsopfer jenen »Sam«. Es zeigt einen Beamten des Bundeskriminalamts (BKA), Experte für besondere Aufgaben, häufig mit Geheimdienst- und Auslandsbezug. Jetzt ist politisch gehörig Gefahr im Verzug. Was ist zu tun, wie ist diese heikle Situation nach allen Regeln der Kunst zu klären?

In diesem Fall möge man voller Respekt und, ja, auch Ehrfurcht nach Bayern blicken. Genauer: zur Staatsanwaltschaft München und zur Ermittlungsgruppe (EG) »Donau« in Augsburg. Chronologie einer Erfolgsgeschichte: Am 10. Januar 2006 erfährt die EG »Donau«, in der Ermittler aus Bayern und Baden-Württemberg zusammenarbeiten, von einem Dritten, dass das Entführungsopfer Khaled el-Masri den BKA-Beamten als »Sam« identifiziert hat. Wer denkt, die federführende Münchner Staatsanwaltschaft würde sich nun rasch an das Opfer wenden, da sie ja die Umstände seines Schicksals aufklären soll und wegen Verschleppung und Freiheitsberaubung ermittelt, liegt völlig falsch. So denken nur Menschen, die geradezu sklavisch an die Prinzipien der Rechtsstaatlichkeit glauben. Nein, die Staatsanwaltschaft wählt einen gänzlich anderen Weg, und zwar sofort. Nur einen Tag später, am 11. Januar 2006, holt sie sich vom Amtsgericht München den Beschluss für einen staatlichen Lauschangriff. Gegen den BKA-Beamten, der bei der illegalen Entführung mitgemischt haben soll? Ach was, weit gefehlt – gegen den Anwalt des Entführungsopfers!

Nicht weniger als zwölf Telefonanschlüsse werden angezapft, alle zehn Apparate in der Ulmer Kanzlei von Manfred Gnjidic, dazu sein Handy und das seiner Frau. So können die Ermittler jedes Telefonat mitverfolgen, das der Jurist führt, zum Beispiel, wenn er mit dem Entführungsopfer spricht. Gibt es eine neue Entwicklung in Sachen »Sam«, wird die Sache fürs Bundeskriminalamt und für die Politik eventuell prekärer, die Fahnder mit den großen Ohren könnten es sofort mitbekommen. Tatsächlich werden Telefonate mit dem Mandanten mitgeschnitten und zu den Akten genommen sowie Anrufe mehrerer Journalisten beim Anwalt zum heißen Thema »Sam«. Wie die Staatsanwaltschaft aber ihren eklatanten Eingriff in das Anwaltsgeheimnis begründet, das nötigt ob deren Kreativität zusätzlichen Respekt ab. Der Anwalt sei ein möglicher »Nachrichtenvermittler«, es müsse damit gerechnet werden, dass Täter über Telefon mit dem Entführungsopfer beziehungsweise dessen Anwalt in Verbindung treten, um eine »Lösung« des Falles zu diskutieren. Zumal die Medien gerade umfangreich über diesen Fall berichten würden.

Klar doch: CIA-Agenten rufen beim Ulmer Anwalt an, stellen sich artig mit Klarnamen und genauer Adresse vor, »Hello, I am the Entführer ihres Mandanten«, bieten eine

Entschädigung an und, schwuppdiwupp, die Täter sind ermittelt. Natürlich muss deshalb auch die Frau des Anwalts, eine Anwältin für Familienrecht, abgehört werden. Denn kriminelle Entführer sind bekanntermaßen richtige Charmebolzen, beichten mit Vorliebe bei Damen mit Juraexamen ihr Vergehen und heuern sie bei dieser Gelegenheit gleich für ihre Scheidung an. Welch subtiler Witz kann doch in einem guten Taschenspieler-Trick liegen! Gewürzt wird er durch die Tatsache, dass die Medien bereits seit vielen Monaten über den Entführungsfall berichten, der geheime Lauschangriff aber erst und just in dem Moment gestartet wird, als es um die mögliche Beteiligung eines deutschen Sicherheitsbeamten geht. Das fällt später auch dem Bundesverfassungsgericht auf. Es erklärt die – satte sechs Monate dauernde – Abhöraktion der Ermittler für verfassungswidrig.

Wo gehobelt wird, fallen eben Späne. Gut, der von der CIA entführte Deutsch-Libanese ist so auch noch Mitopfer eines staatlichen Lauschangriffs geworden. Als wäre er der Täter. Das ist bitter, für ihn. Dafür kommt der BKA-Beamte, der nach El-Masris Wahrnehmung im Kabuler CIA-Geheimgefängnis anwesend gewesen sein soll, in den Genuss eines richtig guten rechtsstaatlichen Services. Es wird jetzt nicht etwa verdeckt gegen ihn ermittelt, sondern er erfährt postwendend, dass ihn das Entführungsopfer als »Sam« identifiziert habe. Denn noch am selben Tag, als die Staatsanwaltschaft München die telefonische Überwachung des Opferanwalts Manfred Gnjidic startet, informiert sie prompt den zuständigen Referatschef beim BKA. Der sichert dem zuständigen Oberstaatsanwalt zu, dass diesem Hinweis »seitens des BKA selbstverständlich nachgegangen« werde, und informiert wiederum den fraglichen Beamten. »Aus Gründen seiner Sicherheit«, wie in den Akten überzeugend festgehalten wird. Der Beamte wird später betonen, dass er nie in Afghanistan gewesen sei.

Hilfreich in solch politisch delikaten Dingen ist es auch, wenn es Journalisten gibt, die sich für den besagten BKA-Beamten einsetzen, als gelte es Schaden von ihm abzuwenden. Und so berichten die Ermittler in einem Vermerk peinlich genau von einem Journalisten, der ihnen »unaufgefordert« mitgeteilt habe, dass es sich bei dem Vorgang um das angebliche »Sam«-Foto um einen »konstruierten Zusammenhang« handle, der dazu verwandt werde, um ganz wichtige Untersuchungen in einem anderen, im Ausland laufenden Ermittlungsfall in Misskredit zu bringen. Ermittlungen, in denen der BKA-Beamte selbst aktiv ist. Das Wort »unaufgefordert« streichen die Ermittler dick heraus. Das alles zeugt zwar nicht unbedingt von größtmöglicher Distanz, die ein Reporter gemeinhin haben sollte, dient aber der Sache – des in Verdacht geratenen BKA-Beamten.

Noch hilfreicher wäre es, wenn es jetzt eine neue, ganz andere »Sam«-Spur gäbe, die weit weg von unserem wackeren BKA-Beamten läge. Und, welch glückliche Fügung, plötzlich gibt es eine solche! Geliefert wird sie auch noch von einer Behörde, die ob ihrer Wahrheitsliebe geradezu legendär ist: vom Bundesnachrichtendienst (BND), den Schlapphüten aus Pullach. Am 24. Januar 2006 teilt der BND dem Bundeskriminalamt in Berlin mit, dass im Jahr 2000 im US-Generalkonsulat Hamburg ein amerikanischer CIA-Mitarbeiter namens »Sam« eingesetzt gewesen sei, der in Norddeutschland geboren sei und Deutsch mit Hamburger Akzent spreche. Das BND-Schreiben geht auch an das Kanzleramt. Die Staatsanwaltschaft München und die Ermittlungsgruppe »Donau« werden später Medienvertreter in Hintergrundsgesprächen eifrig motivieren, dieser »sehr spannenden Spur« nachzugehen. Gleichzeitig lauschen sie, genauso eifrig, heimlich mit, wenn dieselben Journalisten mit dem Anwalt des Entführungsopfers über »Sam« sprechen.

Eine klasse Strategie, die aber ihre volle Pracht erst noch entwickelt. Dies geschieht am 20. Februar 2006. Das Entführungsopfer Khaled el-Masri ahnt von all dem nichts, als er an diesem Tag mit seinem (abgehörten) Anwalt das Polizeipräsidium Schwaben aufsucht, um den Ermittlern erstmals das Foto zu zeigen, auf dem er »Sam« erkannt habe. El-Masri denkt wohl, jetzt werden die Rechtsstaatshüter aber elektrisiert sein, denn immerhin haben sie sein bitteres Schicksal aufzuklären. Doch aufgepasst, jetzt kommt der große Überraschungscoup, allzu zart besaitete Menschen würden sogar von Überrumpelung sprechen. Plötzlich fragen die Ermittler den Deutsch-Libanesen, ob er einer »Wahlgegenüberstellung« zustimme. Der fragliche BKA-Beamte, den El-Masri auf dem Foto als »Sam« identifiziert hat, befindet sich gleich nebenan. Er ist bereits im Präsidium! Klar, seit mehr als einem Monat wussten Staatsanwaltschaft und EG »Donau« ja von der heiklen Causa. Was das Entführungsopfer freilich nicht wusste. Der bass erstaunte El-Masri stimmt der Gegenüberstellung zu. Acht Personen stellen sich auf, jeder hält eine Nummer in der Hand. Das CIA-Opfer schaut durch die Scheibe und zeigt auf die Nummer sechs – es ist der BKA-Beamte. El-Masri habe ihn »relativ zügig« erkannt, halten die Ermittler in den Akten fest. Jetzt aber wird Stufe zwei gezündet. Es kommt zu einer persönlichen Gegenüberstellung. El-Masri erklärt danach, der Beamte sei im Vergleich zum Frühjahr 2004 etwas fülliger und ergrauter. Khaled el-Masri sagt, er habe den BKA-Fahnder zu neunzig Prozent als »Sam« wiedererkannt. Doch er hat das Polizeipräsidium kaum verlassen, als die Münchner Staatsanwaltschaft ihre Sprachregelung bereits an die Medien weitergibt: Die Gegenüberstellung sei nicht erfolgreich gewesen.

So, das wäre erst einmal geschafft. Doch so manches böse Medium ventiliert die politisch brisante Frage, ob der deutsche Beamte nicht doch an der illegalen Entführung beteiligt war, partout weiter. Was ist in diesem Fall zu tun? Man lade Journalisten, die zuvor bei Telefonaten mit dem Anwalt des Opfers belauscht wurden, zu einem Hintergrundsgespräch ein. Dabei präsentiert der zuständige Staatsanwalt – vertraulich, vertraulich – den Reportern »klare Belege« dafür, dass der BKA-Beamte nicht »Sam« sei, sondern zum fraglichen Zeitpunkt, im Monat Mai 2004, nahezu durchgängig an seinem Dienstort gewesen sei. Es handelt sich dabei fast ausschließlich um BKA-interne Dokumente. Dienstreisebelege, Zeiterfassungen, Anwesenheitslisten und Stellungnahmen von Vorgesetzten und Kollegen. Sind solche Dokumente der von der pikanten Thematik betroffenen Bundesbehörde als völlig authentisch anzusehen, fragen die Journalisten. »Aber selbstverständlich«, sagt der Staatsanwalt. Auch Bankabhebungen soll der BKA-Beamte in der fraglichen Zeit getätigt haben. Was einen Beleg außerhalb seiner Behörde darstellen würde. Doch leider, leider, so moniert der Opferanwalt, gebe es von keinem Bankomaten Videoaufnahmen, die den Beamten hätten zeigen können.

Sei's drum. Wichtig ist, dass die Journalisten von den »klaren Belegen« überzeugt und eifrig dazu ermuntert werden, der anderen »Sam«-Variante, der des Deutsch sprechenden CIA-Mannes, intensiv nachzugehen. Die Staatsanwaltschaft und die EG »Donau« leisten in diesem Hintergrundgespräch hervorragende Arbeit. Die später auch trefflich gewürdigt wird.

Als danach in der Presse diese andere Spur prominent thematisiert und die Staatsanwaltschaft München damit zitiert wird, dass der BKA-Beamte als »Sam« ausscheide, kommt prompt ein Dankesschreiben – von höchster Stelle. BKA-Präsident Jörg Ziercke dankt dem Chef der Münchner Ermittlungsbehörde für »diese klarstellenden Aussagen«. Und formuliert eine herzliche Bitte: Damit er das Bundesinnenministerium offiziell davon in Kenntnis setzen könne, dass sein Beamter nicht der gesuchte »Sam« sei, bitte er ihn um eine »in diesem Sinne klarstellende Mitteilung«. Dem kommt die Münchner Staatsanwaltschaft selbstredend nach.

Und was hat es mit der anderen, angeblich so heißen Spur des Bundesnachrichtendienstes, wonach ein CIA-Agent »Sam« sei, tatsächlich auf sich? Nach der äußerst gelungenen Operation können unsere Rechtsstaats-Recken souverän auftreten. Und so lässt ein damaliger Entführungs-Ermittler nachfragende Journalisten lapidar wissen: »Sie erwies sich bei unseren Ermittlungen als kalt, sehr kalt.« Diese Person habe im übrigen auch nicht zu den Beschreibungen gepasst, die El-Masri zu »Sam« gemacht habe. Also eine Nebelkerze? »Davon kann man ausgehen.«

Ist das nicht ein Kunstwerk an rechtsstaatlicher Raffinesse? Dass der den Fall El-Masri ermittelnde Staatsanwalt inzwischen zur Münchner Generalstaatsanwaltschaft hochbefördert wurde, versteht sich wohl von selbst. Der Mann beherrscht sein Metier. Gut, der Ehrlichkeit halber sollten wir vielleicht noch anfügen, dass in solchen Fällen gewisse Nachwirkungen, manche würden von Kollateralschäden sprechen, nicht auszuschließen sind. Das Entführungsopfer, von der fünfmonatigen Verschleppung ins Kabuler CIA-Gefängnis eh schon schwer traumatisiert, hat nach und nach den fatalen Eindruck gewonnen, dass die Behörden und auch die deutsche Regierung an einer wirklichen, konsequenten Aufklärung seines Martyriums nicht so richtig interessiert seien und er mitunter eher wie ein Täter denn als Opfer behandelt worden sei. Wie schriftliche Aussagen von ihm zeigen, verliert Khaled el-Masri im Laufe der Zeit jeden Glauben an den Rechtsstaat und fühlt sich als Folteropfer im Stich gelassen. Schließlich handelt er auf eigene Faust und wird tatsächlich zum Täter. Im Mai 2007 legt er einen Brand in einem Neu-Ulmer Metro-Markt, zu dem er während seiner Entführung gezielt gefragt worden war. Am 11. September 2009 greift er den Neu-Ulmer Oberbürgermeister Gerhard Noerenberg in dessen Dienstzimmer an und verletzt ihn erheblich. Er wird zu einer zweijährigen Haftstrafe verurteilt. Diverse deutsche Politiker und Behördenchefs können ruhiger schlafen. Das politisch lästige Opfer der illegalen Entführung hat sich wohl selbst ausgeschaltet.

Übung 4: Ein Fall von Staatskorruption? Ja nicht berühren!

Bereit zur Königsdisziplin? Unsere letzte Übung fordert eine geradezu historische Leistung an Einfallsreichtum, Trickkunst und Vertuschungskompetenz. Wie verhindert man, dass Korruption politischer Parteien, ja möglicherweise sogar Staatskorruption in ihrem gesamten brisanten Ausmaß ans Tageslicht kommt? Wir haben es gleich mit zwei Master-Fällen zu tun, die auch noch garstige Bezüge zueinander haben. Zum einen geht es um illegale Spenden, mit denen sich die CDU in den 90er Jahren die schwarze Parteikasse auffüllte. Es ist der fast schon legendäre Fall des Karlheinz Schreiber, jenes Geschäftsmannes aus dem bayerischen Kaufering, der mit Franz Josef Strauß selig und vielen anderen Polit-Spezeln auf Du und Du stand, bei staatlich abgesegneten Rüstungsgeschäften insgesamt 65 Millionen Mark an Provisionen kassierte und Teile dieser Schmiergelder Anfang der 90er Jahre unter anderem an den damaligen Bonner CSU-Rüstungsstaatssekretär Ludwig-Holger Pfahls weitergab. Diese Affäre reichte bereits, um 1999/2000 in der Union ein mittleres Erdbeben auszulösen. Wolfgang Schäuble, der von Schreiber 100 000 Mark in bar entgegengenommen hatte, verlor seinen Posten als Unionschef, Ex-Kanzler Helmut Kohl den Ehrenvorsitz, als er sich hartnäckig weigerte, die Spender dunkler Millionen zu nennen. Pfahls begab sich auf eine fünfjährige Flucht, die schließlich in Paris endete. Karlheinz Schreiber wiederum entfleuchte, nachdem der Skandal bekannt geworden war, in seine zweite Heimat Kanada, wo er erst 2009, nach hartnäckigem juristischen Widerstand seinerseits, ausgeliefert wurde.

Doch da gibt es eine weitere Korruptionsaffäre, die allein in den Schmiergeldsummen noch monströser ist als der Schreiberskandal: den Fall Leuna. Die ostdeutsche Raffinerie Leuna war Anfang der 90er Jahre an den französischen Staatskonzern Elf Aquitaine verkauft worden. Ein Megadeal, den auf staatspolitischer Ebene Helmut Kohl und der damalige französische Staatspräsident François Mitterand auf den Weg gebracht hatten. Nach dem Leuna-Verkauf flossen sage und schreibe 80 Millionen Mark Schmiergelder. Allein 50 Millionen an den deutschen Lobbyisten Dieter Holzer, der in der Bonner Republik bestens vernetzt war. Und dann erwiesen sich französische und Schweizer Ermittler als allzu hartnäckig. Minutiös dröselten sie das klandestine Schmiergeldsystem von Offshore-Unternehmen, Briefkastenfirmen und Kontengeflechten auf. Dabei entdeckten sie doch tatsächlich eine »deutsche Spur«. Ihr garstiger, auch von Aussagen französischer Leuna-Dealer gestützter Verdacht: Schmiergelder seien auch an hochrangige deutsche Politiker geflossen. Vorrangig an solche der Union. Zu allem Überfluss stießen 1999 der Augsburger Staatsanwalt Winfried Maier und ein Steuerfahnder auf ganz heikle Schnittstellen zwischen dem CDU-Fall Schreiber und dem Leuna-Komplex: Über Konten einer ehemals halbstaatlichen Bonner Bank, die von der Union kontrolliert wurde, waren in beiden Fällen dubiose Geldtransfers gelaufen.

Da kann, wenn einer der Schmiergeld-Protagonisten vor Gericht steht, diversen deutschen Politikern rasch allergrößtes Unheil drohen. Wenn, ja wenn die äußerst unangenehme Sache konsequent und vollständig aufgeklärt werden sollte. Ein solches Gerichtsverfahren lief Anfang 2010. Karlheinz Schreiber, der unfreiwillige Kanada-Heimkehrer, war vor dem Augsburger Landgericht angeklagt, wegen Steuerhinterziehung, Bestechung und Beihilfe zum Betrug. Die Masterfrage lautet: Wie schafft man es, in einem für die Politik und namentlich für die Union derart gefährlichen Fall dieselbe voll und ganz herauszuhalten? Die 9. Strafkammer des Augsburger Landgerichts schaffte das scheinbar Unmögliche – mit höchster Bravour.

Zugegeben, die bayerische Justizverwaltung zu München, traditionell nicht unbedingt Welten von der CSU entfernt, hatte 1999 schon gute Vorarbeit geleistet. Winfried Maier, jener bereits erwähnte Staatsanwalt mit unüblich großer Courage, hatte damals gerade entdeckt, dass der Schreiber-Komplex eng mit dem Leuna-Schmiergeldfall zusammenhängt. Und er wollte bereits mit voller Kraft auch in Sachen Leuna ermitteln. Da pfiff ihn die Münchner Generalstaatsanwaltschaft zurück. Doch Maier erwies sich als widerspenstig. Zusammen mit dem Augsburger Steuerfahnder Winfried Kindler wurde er bei der Bonner Zentrale der Deutschen Siedlungs- und Landesrentenbank, kurz DSL Bank, mit einem Durchsuchungsbefehl vorstellig – jenem halbstaatlichen Geldinstitut mit Luxemburger Dependance, über deren Konten sowohl Leuna-Schmiergelder als auch dubiose Geldtransfers im Schreiber-Fall geflossen waren. Das Bundeslandwirtschafts- und -finanzministerium hatten zur fraglichen Zeit die Aufsicht über die DSL Bank. Beide Ressorts lagen, seit Jahren, in den Händen von CDU und CSU.

Bei der Hausdurchsuchung kam ein DSL-Banker ins Plaudern. Seit den 80er Jahren werde das Geldinstitut von der Union als »Hausbank« missbraucht. Immer wieder seien diskrete Geldbewegungen über sie abgewickelt worden. Gingen also Schwarzgelder und Leuna-Schmiergelder über die DSL Bank an die Union und hochrangige Politiker, etwa durch Barauszahlungen? Als Maier und Kindler mit diesen brisanten Spuren nach Bayern zurückkehrten, war dort Feuer unterm Dach. Die DSL Bank wurde zur absoluten Tabu-Zone erklärt. Hände weg, nicht berühren! Und in Sachen Leuna wurde das für den Rechtsstaat grundlegende Legalitätsprinzip, nach dem eine Ermittlungsbehörde allen verfolgbaren Straftaten nachgehen muss, konsequent außer Kraft gesetzt. Die Augsburger Staatsanwaltschaft gab die von der Genfer Generalstaatsanwaltschaft überreichten Leuna-Akten ab. Danach weigerten sich gleich sechs deutsche Justizbehörden zu ermitteln. 2001 winkte schließlich auch Generalbundesanwalt Kay Nehm ab. Kann eine politisch unerwünschte Aufklärung noch professioneller verhindert werden?

Welch ein Glück für die Politik, dass das Augsburger Landgericht Anfang 2010 im Schreiber-Prozess diese famose Vertuschungsarie hoher Rechtsstaatsvertreter nicht durchbricht. Gleich zwei Mal beantragen Schreibers Verteidiger, den ehemaligen Augsburger Staatsanwalt Winfried Maier als Zeugen zu vernehmen. Da beißen sie beim Vorsitzenden Richter Rudolf Weigell und seinen Kollegen aber auf Granit. Antrag abgelehnt. Gut so, denn wo kämen wir denn hin? Dieser Maier hätte wahrscheinlich von den brisanten DSL Bank-Spuren erzählt und erneut, wie schon vor Untersuchungsausschüssen in Berlin und München, en detail davon berichtet, wie er von der bayerischen Justizpolitik in seinen Ermittlungen behindert und ausgebremst worden sei.

Die Vertreter der Staatsanwaltschaft Augsburg wissen's schon lange: Schreiber sei von jeher nur ein Wichtigtuer und Heiße-Luft-Erzähler, pflegen sie gerne ins Feld zu führen – in fast wortgleicher Einmütigkeit mit diversen CSU-Politikern und manchem medialen Großaufklärer. Seltsam, dass manche Zeugenaussagen dazu partout nicht passen wollen. Ein früherer Schreiber-Banker erzählt in seiner Zeugenvernehmung: Wenn der Kauferinger Geschäftsmann angekündigt habe, dass er Provisionen aus wichtigen Geschäften erhalten werde, seien diese Gelder auch tatsächlich geflossen. Und der ehemalige Justitiar des Thyssen-Konzerns schildert Schreiber gar als »wichtigen Vermittler« bei Rüstungsgeschäften, mit »guten Kontakten« zu verschiedenen Regierungen. Einen Wichtigtuer stellt man sich irgendwie anders vor.

Die Richter suchen und fragen derweil an fast jedem Verhandlungstag intensiv nach Belegen dafür, dass Schreiber der wirtschaftlich Berechtigte zweier Domizilgesellschaften in Liechtenstein und Panama war, auf deren Konten die angeblich unversteuerten Schmiergeldmillionen lagen. Welch ein Unterschied zu dem Prozess gegen einen im Schreiber-Komplex involvierten Politiker. Ludwig-Holger Pfahls hatte es in diesem heiklen Punkt deutlich leichter, als er 2005 vor dem Augsburger Landgericht stand. Der ehemalige CSU-Rüstungsstaatssekretär im Kohl-Kabinett gab damals zu, im Zusammenhang mit Rüstungsprojekten von Schreiber 3,8 Millionen Mark Schmiergeld angenommen zu haben. Doch Pfahls hatte nach Erkenntnissen von Schweizer Ermittlern auch im dunklen Leuna-Schmiergeldkreislauf eine wichtige Rolle gespielt – als wirtschaftlich Berechtigter mehrer zwischengeschalteter Offshore-Firmen, über deren Konten Millionen geflossen waren. Nur einmal, ein einziges Mal, befragte ihn 2005 das Augsburger Landgericht dazu, natürlich ganz sanft. Pfahls Antwort war eine Preziose grundehrlicher Logik. Er sei von fremder Seite als wirtschaftlich Berechtigter eingetragen worden. Gänzlich ohne sein Wissen. Potzblitz, was es zwischen Himmel und Erde alles gibt! Mit Nachfragen des Gerichts wurde Pfahls nicht belästigt.

Jetzt, im Schreiber-Prozess, bestätigt Pfahls im Zeugenstand artig noch einmal, dass er vom Kauferinger Waffenlobbyisten Schmiergeld angenommen hat. Dabei verstrickt er sich in so manchen Widerspruch. Dennoch wird Richter Weigell später im Brustton der Überzeugung erklären, der Zeuge Pfahls sei rundum glaubhaft gewesen. Warum, so wirft er die rhetorische Frage in den Gerichtssaal, hätte sich denn Pfahls sonst auf eine fünfjährige Flucht begeben, wenn nicht wegen der angenommen Schreiber-Schmiergelder? Manche Ermittler hätten an dieser Stelle gerne geantwortet: »wegen Leuna, des noch deutlich brisanteren Falles mutmaßlicher Staatskorruption«.

Auf Steuerhinterziehung, Bestechung und Beihilfe zum Betrug hat die Anklage gelautet. Als ob sie ein Skalpell führen würden, schneiden die Richter bei diesem Prozess all jene

Vorwürfe aus dem Verfahren feinsäuberlich heraus, die politisch gefährlich sind. Bestechung? Sei verjährt, lässt der Vorsitzende Richter Weigell schon frühzeitig wissen. Beihilfe zum Betrug beim Fuchspanzer-Deal mit Saudi-Arabien, für den die Kohl-Regierung 1991 grünes Licht gegeben hatte und bei dem mal eben die bescheidene Summe von 220 Millionen Mark an Schmiergeldern floss? Sei nicht beweisbar, sagt das hohe Gericht. So schrumpft der politisch heikle Komplex Schreiber zur Causa eines ordinären Steuerhinterziehers – der Einzeltäter war. Selbst Schreibers Steuerschuld korrigieren die Richter, gegen die Rechnung der Anklage, schließlich nach unten. Von rund zwölf auf 7,6 Millionen Euro.

So, und jetzt tausche man das Skalpell mit dem Holzhammer. Das Landgericht Augsburg verurteilt den 76-jährigen Schreiber zu acht Jahren Gefängnis. Andere prominente Steuerhinterzieher kamen deutlich glimpflicher davon. Ex-Postchef Klaus Zumwinkel etwa, der eine Bewährungsstrafe erhielt, oder Schrauben-Milliardär Reinhold Würth, gegen den nur eine Geldstrafe verhängt wurde. »Raffgierig« und »maßlos« habe Schreiber gehandelt, wettert Richter Weigell bei der Urteilsverkündung, und er sei von einer »beispiellosen Uneinsichtigkeit«. Durch sein »peinliches« Schweigen im Prozess habe er nichts zur Aufklärung des Falles beigetragen. Dabei hat Schreiber, über seine Anwälte, mitunter sehr wohl Angaben zur Sache gemacht. Allerdings waren es politisch brisante Angaben. Im Jahr 1991 habe er rund 1,4 Millionen Mark illegaler Spenden in fünf Tranchen an die CSU weitergegeben und auch andere Parteien mit Schmiergelder aus dem damaligen Fuchspanzer-Geschäft mit Saudi-Arabien bedient. War es also neben der berühmt-berüchtigten Millionen-Gabe an die CDU und der 100 000-Mark-Barspende, die Wolfgang

Schäuble den CDU-Parteivorsitz gekostet hatte, zu weiteren illegalen Parteispendenvorgängen im Schreiber-System gekommen? Es gehört ganz wesentlich mit zum Vorbildcharakter unseres Musterbeispiels, dass die Staatsanwaltschaft Augsburg dieses nie aufklären konnte. Oder wollte. Und dass das Gericht nicht nachhakte. Dabei bestechen die Richter, und das zeigt nur ihre Souveränität, durch einen dialektischen Widerspruch: Sie machen im Urteil selbst deutlich, dass 50 Prozent der Schreiber-Provisionen an Dritte gegangen seien. Die bleiben freilich im Dunkeln. Und so hat das Schreiber-Verfahren am Ende den Aufklärungsgehalt eines diskret entsorgten Schwarzgeldkoffers.

Diese Sternstunde deutscher Justizgeschichte krönt Richter Weigell mit einem Bonmot, das in Stein zu meißeln ist. In der Urteilsverkündung lässt er anklingen, das Gericht habe nicht dem Vorurteil Vorschub geleistet, dass man die Großen laufen lasse und die Kleinen hänge. Wenige Stunden nach Ende dieses Prozesses, den man aus historischer Sicht trefflich als den Augsburger Politikfrieden von 2010 bezeichnen kann, kommen CDU-Spitzenpolitiker und andere politische Prominenz zusammen, um mit viel Lobpreisung einen ganz Großen hochleben zu lassen. Gefeiert wird der 80. Geburtstag von Helmut Kohl.

Der Hamburger Bahnhofskiosk

Das Presserecht treibt kuriose Blüten und gefährdet damit das Funktionieren der Vierten Gewalt

Markus Köhler, Rechtsanwalt

Wer über Taschenspieler schreibt, betritt vermintes Gelände. Er braucht ein (ziemlich üppiges) Budget für Rechtstreitigkeiten, und er muss sich darauf einrichten, einen Großteil der Rechtstreitigkeiten zu verlieren. Bei notorisch klammen Verlagen liegt es damit auf der Hand, dass die Bereitschaft, deutlich auf Missstände hinzuweisen, heutzutage eher beschränkt ist und man sich lieber in vage Formulierungen oder gleich ins Infotainment flüchtet. Zum Schaden unserer Gesellschaft. Manch' wichtige Geschichte bleibt in der Schublade, mancher »Taschenspieler« ungeschoren. Kein Wunder auch, dass der Autor dieser Zeilen bei der rechtlichen Prüfung der Beiträge dieses Buches auf ein gewisses Unverständnis der Mitautoren über den Zustand des Presserechts in Deutschland gestoßen ist. Zu Recht. Wenn Dinge ausufern, muss man sie ansprechen. Ein Grund, dass gerade der Jurist zur Feder greift.

Hamburg, Hauptbahnhof. Der Begriff des Bahnhofskiosks wäre eine Schmähung der drei schmucken Geschäfte, die nach eigenen Angaben »reichlich Lesestoff für die Reise und darüber hinaus« anbieten. Über 8 000 Pressetitel werden hier zwischen Kirchenallee und Spitalerstraße geführt. Eine Auswahl, die nicht nur der Fern- und Nahreisende goutiert. Und ein Ort, der unter Verlagsjuristen als Ausdruck einer merkwürdigen, jedenfalls bemerkenswerten Entwicklung eines Rechtsgebiets gilt.

Man mag es kaum glauben. Welches Rechtsgebiet kann sonst von sich behaupten, so bedeutende Rechtsgüter wie die Pressefreiheit (einst verfassungsgerichtlich zur Säule der Demokratie geweiht) und das allgemeine Persönlichkeitsrecht des Einzelnen (vom selben Verfassungsgericht aus der menschlichen Würde abgeleitet) gegeneinander abwägen zu dürfen? Staatstragend und gerechtigkeitsstiftend scheint diese Aufgabe zu sein. Doch weit gefehlt. Presserechtliche Verfahren lassen die verklagten Verlage und Autoren häufig recht ratlos zurück. Was soll man davon halten, wenn sich der Vorstandsvorsitzende einer großen deutschen Bank vor Gericht mit den Mitteln des Presserechts erfolgreich dagegen wehrt, dass eine ehrwürdige Zeitung berichtet, er habe bei der Beerdigung seines Vorgängers braune und keine schwarzen Schuhe getragen? Er erwirkt eine Gegendarstellung in besagter Zeitung, durch die nach einigen Wochen erbitterter Auseinandersetzung der Zeitungsleser tatsächlich darauf hingewiesen wird, dass er keine braunen, sondern schwarze Schuhe zu besagter Beerdigung getragen habe.

Oder Bianca Jagger. Supermodel und Menschenrechtsaktivistin. Ehemals verheiratet mit dem berühmten Frontmann der Rolling Stones, Mick Jagger, die sich gegen die – selbstverständlich unwahre – Behauptung wendet, sie sei nackt auf einem Schimmel in die New Yorker Disco Studio 54 eingeritten und allen Ernstes presserechtliche Unterlassungs- und Widerrufsansprüche geltend macht.

Beliebte Presserechtsaktivisten sind auch immer wieder diverse Grimaldis, Halb-Grimaldis und deren Ehegatten. Herausragendes Beispiel: ein in seinem Verhalten manchmal unkonventioneller Prinz, der einen Discobesitzer verprügelt, Journalisten angreift und sich an dem Pavillon einer Weltausstellung erleichtert. Der Bericht über seine erhebliche Verkehrsübertretung in Frankreich wurde genüsslich über Presseagenturen verbreitet und bundesweit auch von seriösen Printmedien gierig aufgesogen. Dies führte unweigerlich und reflexartig zu der in solchen Fällen typischen Massenabmahnung aller die Geschichte druckenden Verlage und zu einer gerichtlichen Offensive des Prinzen, der jene Berichterstattung untersagt sehen wollte – und auch prompt durch zwei Instanzen der Hamburger Justiz obsiegte. Er sei keine Person des berechtigten dauerhaften öffentlichen Interesses, obwohl die gesammelte Yellow Press jeden Donnerstag ein schlagender Beweis des Gegenteils ist. Erst der Bundesgerichtshof stoppte die rechtliche Irrfahrt des Prinzen.

Was soll man von einer ehemaligen Fernsehmoderatorin mit Hollywoodallüren halten, die sich dagegen verwahrt, sie habe freizügig für ein Herrenmagazin posiert? Sie habe sich lediglich in »Marlene Dietrich-Pose für die Gala ablichten« lassen. Alle Welt bezeichnet diese Fotos später als »erotisch«, nur nicht besagte Ex-Moderatorin, die ihre presserechtlichen Kettenhunde auf den Fall ansetzt. Die beanstanden gleich mit, dass das Auftreten jener Dame auf einer Gebrauchskeramikmesse keinesfalls als Werbung für »Damenpissoirs« zu bewerten sei.

In diese Kategorie gehört auch folgender Fall. Ein mehrfach verurteilter Mörder und Schwerstverbrecher war mit seinen Gräueltaten in eine kurze Chronik unter dem Titel »Spektakuläre Lösegelderpressungen« eingegangen. Drei Morde, einer inklusive spektakulärer Entführung und Erpressung, verschafften dem gefährlichen Schwerstkriminellen, der nicht nur zu lebenslanger Haft verurteilt, sondern der auch lebenslang in Sicherungsverwahrung genommen war, einen herausgehobenen Platz in der deutschen Kriminalgeschichte. Dumm nur, dass die Chronik über eine Presseagentur verbreitet und daher von vielen Zeitungen in Deutschland gedruckt wurde. Er ließ alle diese Zeitungen mit einer Prozesswelle überziehen und wandte sich dagegen, dass sein Name in der Chronik auftauchte. Bundesweit. Und zunächst mit Erfolg. Bis nach mehreren Jahren erbitterten Prozessierens der Bundesgerichtshof dem Spuk ein Ende machte. Viele Verlage hatten zuvor schon die Waffen gestreckt, weil sie sich das teure Prozessieren durch mehrere Instanzen nicht leisten konnten oder wollten.

Und dann war da noch der Medienkanzler. Zum Regieren brauche man »Bild, BamS und Glotze«, sagte einst Gerhard Schröder. Das setzt aber denklogisch voraus, dass besagte Medien das eigene segensreiche Wirken ins korrekte Licht setzen. Stimmen die Lichtverhältnisse hingegen nicht – man erinnere sich an erbitterte Auseinandersetzungen über des Kanzlers angeblich getönte Schläfen – muss man eben korrigierend eingreifen und derart falsche Berichterstattung verbieten lassen. Kein Wunder, dass dieser Regierungschef für einen Politiker verhältnismäßig häufig das schneidige Schwert des Presserechts in die Hand genommen hat. In einigen Fällen hätte es vielleicht ein kurzes Dementi auch getan. Oder interessiert nur mich die tatsächliche Haarfarbe unseres Kanzlers nicht die Bohne?

Diese kleine Auswahl an merkwürdigen Fällen aus der Praxis eines im Presserecht tätigen Anwalts ist die Spitze eines Eisbergs. Es ist typisch für das Presserecht, dass häufig nicht das Florett des Schutzes hoher Verfassungsgüter geführt, sondern eher der Säbel der Eitelkeiten geschwungen wird. Mit solchen Fällen schlagen sich die Justiz, vornehmlich die Hamburger und Berliner Justiz, und die beteiligten Presseanwälte tagtäglich herum. Und sie alle tun es mit erheblicher Energie.

Das Presserecht verkommt so schleichend zum Recht der Eitelkeiten, oder besser gesagt: zum Recht der Eitlen. Überwiegend Prominente und Halbprominente nehmen die Dienste hochspezialisierter Presserechtsanwälte in Anspruch. Dabei geht es nicht etwa nur um Schuh- oder Haarfarbe. Man denke an die schicksalhafte Frage, ob das Fotografieren eines Prominenten an einem abgeschiedenen Tisch in einem öffentlichen Restaurant zulässig ist. Genau der Personenkreis unserer Gesellschaft, der die mediale Gier einer Zerstreuung suchenden Gesellschaft freiwillig und äußerst lukrativ befriedigt, wehrt sich dünnhäutig, sensibel und hypernervös gegen jegliche Form ungewollter medialer Präsenz. Selbst Terroristen, in den 70er Jahren durch ihren grausamen und spektakulären Kampf gegen »das Schweinesystem« zu einer besonderen Form der Bekanntheit gelangt, lehnen heute nicht mehr alle Institutionen dieses verhassten Systems ab, sondern bedienen sich der systemrelevanten Gerichte, um Presseberichterstattungen über ihre bevorstehende Haftentlassung möglichst zu unterbinden.

Justitia arbeitet im Presserecht offensichtlich wirklich mit verbundenen Augen. Ihr ist egal, wie verwirrt die Motivation des Klägers und wie unbedeutend sein Petitum ist. Wo beispielsweise das Wettbewerbsrecht (missbräuchliche Abmahnung), Nachbarrecht (»Querulantentum«) oder öffentliches Recht (Erfordernis einer Klagebefugnis) Mechanismen gefunden haben, um die sinnlose Inanspruchnahme der überarbeiteten Justiz zu verhindern, hat das Presserecht solche Mechanismen noch nicht entwickelt.

Und weil Justitia mit verbundenen Augen arbeitet, merkt sie auch nicht, wie sie an anderer Stelle sachwidrig benutzt wird. Nämlich zur Rache. »Dem zeig' ich's« – jeder Journalist kennt dieses Verhaltensmuster eines von Berichterstattung Betroffenen. Hat ein Journalist nach wochen- und monatelangen Recherchen einen Sachverhalt soweit ermittelt, dass er »druckreif« ist, und findet er dann Eingang in ein Blatt, so ist das größte Kompliment, das man als Journalist erhalten kann, dass sich der Betroffene nicht gegen die Kernaussagen seitenlanger detailreicher Enthüllungen wehrt, sondern gegen irgendeine nebensächliche Petitesse, die allein ein generalbevollmächtigter Medienanwalt nach intensiver Prüfung des Artikels als beanstandungsfähig gefunden hat. Wo jeder vernünftige Mensch nun aus Gründen der Unverhältnismäßigkeit die Kirche im Dorf lässt, fährt der Betroffene eine Retourkutsche und schießt die presserechtliche Breitseite des Gegendarstellungs-, Unterlassungs-, Richtigstellungs- und – für die ganz hartgesottenen – Geldentschädigungsanspruchs, um möglichst hohe Verfahrenskosten zu verursachen. Alles in der kalkulierten Sicherheit, dass ihm das Presserecht die berechtigte, aber sinnfreie Beanstandung einer Petitesse ohne weiteres auf Kosten des Verlags gestattet. Das ist Rache durch Prozessieren und eine typische Ausdrucksform der Enttäuschung darüber, dass der Journalist völlig zu Recht einen Missstand oder gar einen Skandal pflichtgemäß ans Licht der Öffentlichkeit gebracht hat.

Was sonst treibt den leitenden Ärztlichen Direktor eines großen deutschen Universitätsklinikums an, einen bekannten deutschen Presseanwalt zu engagieren, nicht etwa, um die ätzende, aber zutreffende Berichterstattung über den eitlen und Weggefährten vergraulenden Führungsstil des bekannten Mediziners zu beanstanden. Er lässt vielmehr angreifen, dass er Äußerungen über die unerwünschte Vertragsverlängerung seines Widersachers zwar anderswo getätigt haben könnte, aber keinesfalls im Konvent der ärztlichen Direktoren. Aha.

Oder Manfred Schmider, Milliardenbetrüger aus dem Badischen und Hauptdarsteller des Flowtex-Skandals. Er hält sich heute häufig auf Mallorca auf und wurde dort bei luxuriösem Leben ertappt. Recherchen eines Mitautoren dieses Buches führten zu einem Bericht über den Lebensstil des Herrn Schmider in der Nach-Flowtex- und postkarzeralen Lebensphase. Einzig die Frage, ob das Unternehmen, für das er nun als Berater tätig war, in einer konkreten Villa »logiert« oder »offiziell logiert«, war ihm Anlass zu einer kostenintensiven Auseinandersetzung, die er – dies nur am Rande – nach verbissenem Prozessieren nicht nur verlor, sondern deren Prozesskosten er sich bis heute weigert zu zahlen.

Die Liste ließe sich schier endlos verlängern. Das Problem ist nicht, dass es in Deutschland keine vernünftigen Richter und Gerichte gäbe, die diese Fehlentwicklungen oder Missbräuche erkennen und mit Verfahren, die in ihre Zuständigkeit fallen, entsprechend umgehen. Das Problem ist, dass die Fälle an ihnen vorbeigehen, weil das Presserecht praktisch nur in Hamburg und Berlin gelebt wird und man dort die beschriebenen Probleme ignoriert.

Man nennt das fliegenden Gerichtstand. Und damit zurück zum Hamburger Bahnhofskiosk. Seine hohe Bedeutung für die Entwicklung des deutschen Presserechts hängt damit zusammen, dass nach dem Gesetz ein Betroffener an jedem Ort in Deutschland gegen ein über ihn berichtendes Medium klagen kann, wo dieses Medium vom Leser oder Zuschauer bestimmungsgemäß wahrgenommen wird. Und bei Zeitungen ist dies eben jeder Ort, an dem die Zeitung vertrieben wird. Der Kläger kann sich also faktisch von allen deutschen Gerichten dasjenige aussuchen, an dem er die höchsten Erfolgsaussichten für sein Anliegen vermutet. Oder mit anderen Worten: Jede Zeitung, die am Hamburger Bahnhofskiosk erhältlich ist, kann vor der Pressekammer des Landgerichts Hamburg verklagt werden.

Und so geschieht es dann auch, weil die Pressekammer des Landgerichts Hamburg bekanntermaßen die wahrscheinlich schärfste Auslegung des Äußerungsrechts in Deutschland – auch im Falle von Petitessen – betreibt und deswegen von Klägern allzu gern angerufen wird. Die meisten presserechtlichen Entscheidungen, die der Bundesgerichtshof in den letzten fünf Jahren aufgehoben hat, wurden in Hamburg erlassen. Doch das ficht die stolzen Hanseaten nicht an. Im Gegenteil: Ihr Bahnhofskiosk verschafft ihnen die Möglichkeit, über Fälle zu richten, die keinerlei Bezug zur Hansestadt haben. Besagter leitender Ärztlicher Direktor war in Süddeutschland tätig. Die angegriffene Zeitung war die Stuttgarter Zeitung. Dumm nur, dass einzelne Exemplare der Stuttgarter Zeitung am Hamburger Bahnhofskiosk erhältlich sind. Selbstverständlich erließ die passende einstweilige Verfügung nicht das Landgericht Stuttgart, sondern das Landgericht Hamburg.

Doch es kommt noch besser: Maya von Hohenzollern, bekanntermaßen nicht kamerascheu und eine Freundin inszenierter Auftritte, musste in der Dresdner Morgenpost vom 27. Januar 2007 von einer Strafanzeige ihres Ex-Mannes lesen, der ihr betrügerisches Verhalten vorwarf. Sie klagte gegen den Artikel vor dem Dresdner Landgericht und verlor. Daraufhin versuchte sie es noch einmal vor dem Hamburger Landgericht, nunmehr gegen den wortgleichen Online-Auftritt der Dresdner Morgenpost mit der ohne Weiteres zulässigen, aber abwegigen Behauptung, der Online-Auftritt der Dresdner Morgenpost würde sich – bestimmungsgemäß – auch an User im Gerichtsbezirk Hamburg wenden. Und prompt gewann sie. Die Frage, wer sich denn in Hamburg tatsächlich für Inhalte der Dresdner Morgenpost interessiert, wird in solchen Fällen nicht gestellt. Ebenso wenig die Frage, weshalb ein, zwei Exemplare einer saarländischen, bayerischen oder sächsischen Regionalzeitung, die am Hamburger Bahnhofskiosk erhältlich sind, die Entscheidungskompetenz eines Hamburger Gerichts begründen soll.

Wer in Deutschland journalistische Texte verlegt oder veröffentlicht, hat sich folglich wegen des fliegenden Gerichtsstands an die Hamburger Rechtsprechung zu halten. Und die ist, wie gesagt, mit die strengste in Deutschland. Vom Grundgesetz besonders geschützte Meinungsäußerungen, nach Auffassung des Bundesverfassungsgerichts eine tragende Säule der Demokratie, gelten presserechtlich als kaum angreifbar, so lange sie nicht beleidigend sind. Anders in Hamburg: Da sich jede wertende Meinung letztlich mit Fakten befasst, kann aus Sicht der Hamburger Gerichte der »Tatsachenkern« einer Meinungsäußerung ohne Weiteres mit der Lupe daraufhin geprüft werden, ob er der Wahrheit entspricht. Dass der Bundesgerichtshof und das Bundesverfassungsgericht dies dann nicht zulassen, wenn der Schwerpunkt einer Äußerung eine wertende Meinung darstellt, ficht die Hamburger Rechtsprechung wiederum nicht an. Im einstweiligen Verfügungsverfahren – und das schnelle Verbot sich in Windeseile verbreitender Nachrichten findet stets im einstweiligen Verfügungsverfahren statt –

gibt es keine Revision zum Bundesgerichtshof oder eine Überprüfungsmöglichkeit durch das Bundesverfassungsgericht. Und verboten ist in Hamburg schnell: Die oben bemühte Hamburger Lupe – oder sollte man besser sagen: Schere? – wird auf Basis manch' wackeligen, teils verkürzenden, jedenfalls kurzerhand eidesstattlich versicherten Vortrags eines wütenden Betroffenen und ohne vorherige Anhörung des Gegners tätig.

Die rechtlichen Absurditäten des fliegenden Gerichtsstands und die Entwicklung des Presserechts zum Recht der Eitlen und Rachsüchtigen sind zwischenzeitlich Gegenstand der öffentlichen Wahrnehmung geworden. Hierfür gibt es mehrere Indizien.

So ist es nicht üblich, dass das Prozessieren einer Kammer eines deutschen Landgerichts Gegenstand einer viel beachtete Website im Internet wird. www.buskeismus.de, benannt nach dem Vorsitzenden der 24. Zivilkammer des Landgerichts Hamburg, ist eine Hass-Seite, wie sie sonst nur bei bekannten Musikern und Schauspielern entstehen.

Manfred Plinke vom »Autorenmagazin« reichte gemeinsam mit 1 131 Mitstreitern im August 2007 eine Petition beim Deutschen Bundestag ein. Er wandte sich insbesondere auch gegen den fliegenden Gerichtsstand und die daraus resultierende Bedeutung des Hamburger Bahnhofskiosks. Unter anderem wollte er erreichen, dass nur noch Gerichte am Wohn- bzw. Geschäftssitz der Parteien für Pressesachen zuständig sein sollen. Ein nicht ganz abwegiger Vorschlag, da eine Gegendarstellung beispielsweise nach dem Willen des Gesetzgebers auch nur am Sitz des zu verklagenden Verlags eingefordert werden kann. Der Bundestag beschloss am 5. Juli 2007, die Petition an das Bundesjustizministerium und die Fraktionen zu überweisen: »Der Petitionsausschuss hat eine sehr große

Anzahl von Petitionen zu dieser Thematik oder auch vergleichbaren Aspekten erhalten und ist hierdurch zu der Erkenntnis gelangt, dass eine Überprüfung der gegenwärtigen Rechtslage dringend geboten ist«, befand der Beschluss. Gesetzgeberisch hat sich seitdem nichts getan. Das Bundesjustizministerium befragte stattdessen diverse Verbände, wie sie zu den Problemen stünden. Diese antworteten halbherzig. Der PEN-Club oder Menschenrechtsorganisationen wurden nicht befragt, stattdessen der »Bund deutscher Inkasso-Unternehmer«.

Im Mai 2009 setzte schließlich der NDR die Redaktion seines Fernsehmagazins »zapp« auf den fliegenden Gerichtsstand und die Hamburger Blüten an. Es entstand ein durchaus beachtenswerter Bericht.

Der fliegende Gerichtsstand und die Auslegung prozessualer und presserechtlicher Vorschriften müssen sich also auch nach der einsetzenden öffentlichen Wahrnehmung verändern, oder besser, verändert werden. Um nicht falsch verstanden zu werden: Gegen unsauber recherchierende und ins Blaue vermutende Medien bedarf es eines scharfen Presserechts, um das leicht verletzliche Persönlichkeitsrecht zu schützen. Die inakzeptable »mediale Hinrichtung« der HIV-positiven Sängerin Nadja B. wird man nicht so schnell vergessen. Es geht hier um Exzesse, um »Blüten«. Falsch austariertes Presserecht gefährdet auch die seriöse investigative Berichterstattung und damit die Pressefreiheit.

Korrekturen sind ohne Weiteres möglich, ohne dass das Persönlichkeitsrecht von Berichterstattung Betroffener damit verletzt würde. Warum kann man beispielsweise gegen die Dresdner Morgenpost nicht in Dresden gemäß der Rechtsprechung des Bundesgerichtshofs verhandeln? Warum kann ein verklagter Verlag nicht mit 24-Stunden-Frist angehört werden? Warum muss sich das Presserecht zum Schutz von Eitelkeiten missbrauchen lassen? Warum kann man keine besondere Betroffenheit als Prozessvoraussetzung einführen?

Bis sich etwas verändert, bleibt es bei der Bedeutung des Hamburger Bahnhofskiosks. Und bei ratlosen Journalisten, denen der Verfasser dieser Zeilen in schier endlosen Besprechungen Formulierung für Formulierung geprüft, verändert, und insbesondere abgeschwächt hat. Und dies häufig mit dem Hinweis, von Baden-Württemberger Gerichten werde die konkrete Äußerung kaum verboten werden. Anscheinend läuft im Ländle auch einmal etwas richtig. Man könne aber nicht ausschließen, dass dieses Buch auch am Hamburger Bahnhofskiosk erhältlich sei …

Autorenverzeichnis

Josef-Otto Freudenreich

1950 in Bad Waldsee geboren. Volontariat bei der »Schwäbischen Zeitung«. Studium der Politologie und Soziologie. Gründer der »Karlsruher Rundschau«, bis 2010 Chefreporter der »Stuttgarter Zeitung«. Ausgezeichnet mit dem Theodor-Wolff-Preis sowie dem Wächter-Preis. Autor des Bandes »Abstürze«, Klöpfer-Meyer 2006, Mitglied der Reporter-Initiative »zeit-lupe.com«.

Susanne Stiefel

Gebürtige Stuttgarterin, Anglistik- und Sportstudium in Tübingen, Buchautorin, Dozentin am IfP München, bis 2009 Chefreporterin der »Sonntag Aktuell«, freie Autorin seit 2010. Mitglied der Reportageagentur »Zeitenspiegel« und bei »zeit-lupe.com«.

Rainer Nübel

Von 1986 bis 1993 bei der »Nürtinger Zeitung«, danach bei den »Stuttgarter Nachrichten«. Seit 2000 Mitglied der Reportageagentur »Zeitenspiegel« und Mitarbeiter des Magazins »Stern«. Co-Autor des Bandes »Anklage unerwünscht« bei Eichborn, 2007. Mitglied bei »zeit-lupe.com«.

Meinrad Heck

Seit 1979 Journalist und Reporter. Freier Journalist seit 2000. Ausgezeichnet mit dem Theodor-Wolff-Preis sowie dem Wächter-Preis. Autor des Bandes »Der Flowtex-Skandal« bei S. Fischer 2006 sowie des Text-Bild-Bandes »Südafrika – Wir weinen nicht, wir singen«, Artur-Verlag 2010. Mitglied bei »zeit-lupe.com«.

Markus Köhler

Prof. Dr. iur., Autor von »Recht des Internet« (7. Auflage 2010). Partner der Kanzlei Oppenländer Rechtsanwälte in Stuttgart, Honorarprofessor an der Universität Mannheim.

Wolfgang Messner

Seit 1986 Journalist, seit 2002 Korrespondent der »Stuttgarter Zeitung« für die Region Bodensee und Oberschwaben.

Andreas Müller

Seit 1985 Redakteur bei der »Stuttgarter Zeitung«. Ausgezeichnet mit dem Wächter-Preis, hervorragender Kenner der baden-württembergischen Landespolitik.

Thomas Alexander Staisch
Heinrich Pommerenke,
Frauenmörder
Ein verschüttetes Leben
KLÖPFER & MEYER